明清印人傳集成

周欅園　汪啓淑
葉銘　馮承輝　編著

文史哲出版社印行

明清印人傳集成 / 周櫟園等編著. – 景印初版. --
臺北市：文史哲, 民 86
面； 公分
ISBN 957-549-091-6

930.92

明清印人傳集成

編著者：周櫟園・汪啓淑・葉　銘・馮承輝
出版者：文　史　哲　出　版　社
登記證字號：行政院新聞局版臺業字五三三七號
發行人：彭　正　雄
發行所：文　史　哲　出　版　社
印刷者：文　史　哲　出　版　社
臺北市羅斯福路一段七十二巷四號
郵政劃撥帳號：一六一八〇一七五
電話 886-2-3511028・傳眞 886-2-3965656
實價新臺幣六〇〇元
中華民國八十六年七月初版

明清印人傳集成　目錄

疇人傳
三編

葉舟社長重刻是傳屬鍾以義
書耑时宣统二年四月

重刻周汪印人傳叙

自周櫟園集印爲譜而題各印人事蹟於其上櫟園身後其子在浚集爲三卷刋刻行世此爲印人立傳之始厥後歙人汪訒庵癖嗜印學收羅當代印人既輯飛鴻堂印譜八卷都凡一百二十八人視周書多至一倍有奇惜其書久無傳本長洲顧氏刻篆學叢書三十種始復采入然流傳亦罕學者病焉夫學述一途提倡與繼述同欲傳古人於不朽則轉刻之功不下於著作葉舟老友與余友交幾三十年其酷嗜印學出於天性既再續印人傳以周汪兩家所著排印行世後之研究繆篆者或亦有取於斯宣統二年

四月山陰吳隱石潛甫敘於遯盦之南窗

印人傳櫟園先生未完之書也先生故精深於六書之學四方操是藝以登其門者往往待先生一裁別以成名先生於其患難相從退食平居之暇蓄蕞其印列於左方人冠之小傳大要指次其印學之所以然而其人之生平亦附著然書固未完也予受而考之先生且百歲操是藝以登其門者奚窮先生往後有作者既不幸而不在此族矣若夫先生知其人得其印而又爲之傳矣其人之幸也知其人得其印而傳不暇以爲者猶數十人焉先生皆手書其人姓字以有待猶不幸之幸也書雖未完而三善備矣有技若已有一也其有功於六藝二也讀先生之傳庶幾知有是人者蓋其文之著也三也或問於余曰春秋之例微之故人之先生曷微乎是人乎余曰非也先生人其中爾非人其人也且印人其詞也傳則既書其字矣或書其里矣或書其世矣抑間書其人之爲人矣如之何可以微之例例之余纍聞諸先生曰文生於字者也字之縱橫曲直相銜而生有子有母有音有義先生三二歲一同之豈細故乎秦漢到今聲之

誤體之變不知其幾今藉印文以稽古學者之職志也且謂子雲雕蟲小技而不知其太元法言庸詎知子雲之人乎吾庶幾俾後人因印以知其人且人盡相望而盡於百年之內即印甯獨在者而文字之傳稍遠庶幾俾後人因傳以知其印因印以知其人云爾余以是知先生之不徵其人也雪客曰先公每嘆漁洋感舊集爲未完之書今不幸而類是余又曰非也衣之脫其襻帶器之損其邊與當者猶爲完衣完器物何者不傷於用也余致感舊集所收詩數家耳間有評跋數言耳家先生發端於此未什之一也而印人傳不然得其人與印而之未傳者十之二耳又其及見於先生之傳者文字之美則既洋洋灑灑矣猶爲完衣完器物也比之石倉歷代詩之小序其例也得其人與印而未之傳者君皆仍其目罔有出入焉得藉手筐詩之缺附於小雅甚善故曰非感舊例也感舊不可續印人傳不必續也或聞余與雪客之言而嘆曰審爾謂印人傳爲已完之書而可年家同學晚生錢陸燦書

書印人傳後

此爲櫟園未成之書櫟園喜篆刻就所得印拓輯備觀覽非有數十百本行世舊聞此書遊想而已辛酉歲辟地黃巖偶從朱德園部郎借書云有賴古堂殘譜急取視之則剪黏本白紙線訂十二册所存才三十餘家其弁語皆楷書時無從覓刻本校對背憶文義不悞玩其書法則出 國初人手而與櫟園不類又不押名字印頗生疑竇適予篋中攜有櫟園寄黃濟叔札首鈐江上信天翁印而十二册中黃譜尙存且列此作取校無毫髮差乃敢灼然信爲眞譜細翫印拓多蟲蝕痕黏紙則堅好懸擬當日各譜大小長短未必一律而弁語必櫟園手書（觀沈逢吉一則有誤字投筆等語可知）或歲久蟲傷不可收拾後人綴輯其未蝕者補錄題字或經飛蚨人手取原本分一爲兩僞錄題字皆不可知然必非贋本也譜存余案數月思附名卷末會寇犯黃巖德園將奔辟急索譜去余亦倉卒來

閩其後黃巖陷而旋復聞德園家業蕩然而家人以居鄉無恙不知彼時

曾挈譜出否事閱三年見此書不勝今昔之感因將朱譜存佚各家分記

於後其不能省憶者缺之刻印爲游藝之一數十家精神所寄獨恃朱譜

或當不墮劫灰耳癸亥二月初十日仁和魏錫曾稼孫記

周櫟園先生小傳

君諱亮工、字元亮、號櫟園、又號減齋、河南祥符人、移家白下、明崇禎十三年庚辰進士、由濰縣令行取御史、國朝授兩淮鹽運使、歷戶部右侍郎、削籍、康熙初復僉事、歷江安督糧道、好古圖史書畫方名彝器、有讀畫錄、印人傳、字觸、書影、入閩記、閩小記、賴古堂詩文集、賴古堂文選、鹽書、同書、蓮書、尺牘新鈔、藏弆集、結鄰集、删定虞山詩人傳、耦雋等書、明萬歷四十年壬子生、康熙十一年壬子卒、年六十有一、宣統二年五月仁和葉銘謹記

印人傳目錄

仁和葉　銘葉舟補目

袁魯 須仍孫 袁雪 沈遘 吳明玗 張日中

吳山子萬春附 陸天御 林晉 薛居瑄子銓附 黃樞子炳猷附 陶碧

楊玉暉 吳晉 林熊 吳暉 吳道榮 顧元方

邱旼 汪皜京 姜正學 李頴

按周櫟園先生撰印人傳三卷首載文天祥海瑞顧憲成及其父其弟與其友許宋次爲文彭以下五十有八人附見五人不知姓名一人有名無傳者六十有一人今因重刻是書並爲補目庶同好 諸君易於參攷有所蕪漏無吝敎言 宣統二年四月望日仁和後學

葉 銘記於鐵華盦

印人傳目錄終

櫟下周亮工減齋撰　　仁和葉　銘葉舟校刊

書文信國鐵印後

宋信國公文丞相諱二字鐵鑄候官農夫野田中耕出歸一老儒予入閩時欲以金易之執不可復增以多金執如故予門人陳濬告予曰此老儒貧郭田也距肯易老儒得此印凡家有疫祟者或瘧者持往鎭之輒愈得厚償後購者紛紛或道途遠老儒不能往印一紙給之傳黏於戶或瘧者額上亦輒愈每紙定價一星老儒貧郭田那肯易予於是不忍復言買得數紙歸此印不知何時遺田間其在厓山兵敗走安南時耶丞相死柴市張千載自燕山持丞相髮與齒歸嗟夫此亦丞相之髮與齒也此丞相所謂蘇武節嚴將軍頭嵇侍中血張睢陽齒顏常山舌也鬼神那得不欽後聞得印者輒不靈異哉

書海忠介泥印後

金陵一老友持一函以泥印贈予云其祖曾給事海忠介公印忠介公故物也

予祈夢於呂公祠見忠介公來顧未幾得此印心異之因再拜而受啟視之其

質以黃泥爲之略煅以火文曰掌風化之官覩之覺忠介公嚴氣正性藹然於

前凜不敢犯敬藏於笥中予友何次德之子大春名延年者見之作爲長歌題

淋漓盡致錄於後周公祈夢呂公祠夢中恍惚遊天池旁有大屋如官署緋衣

吏揖登堦墀峨峨高堂設一几几上圖書何纍纍或金或石或犀玉漢篆秦籀

燦若綺靡娑光怪意方快門外傳來海忠介刺書名字大如拳回首圖章失所

在海公握手話生平覺來夢景殊分明階秩恰與海公合公之入夢洵不輕有

客遠寄書札至贈以一方小印記非金非石非犀玉不笵不陶自成器五字配

就良可觀乃是掌風化之官紐作豸文簡而朴四邊不缺堅且端遍訊鑒賞訪

博識考稽知爲海公物當年圖章積如山一旦棄捐曾不惜昨日公餘開華筵

手持此章誇客前欲作長歌志緣起誰人妙筆爲之傳梁溪顧孝廉毗陵吳太

史吾翁吾叔咸曰是公遂笑向吾翁言獨許能奇惟小子前有海公後周公直聲勁節兩人同不然官舍如傳舍雖有腰魚肘鵲安足風

書東林書院印後

右東林書院印顧涇陽先生家故物也何文端公孫文海藏之以示予予因得識之於譜自東林書院毀而逆璫之生祠作予覩此印愴乎有餘恫也吾師孫北海夫子言書院本末甚詳備錄於後有明盛時各省俱有書院自張江陵當國始行嚴禁江陵歿復稍稍建置一時著名者徽州江右關中無錫而四至天啓中京師始有首善書院然人不知各處書院而統謂之東林又不知東林所自始而但借東林二字以爲害諸君子之名目蓋東林乃無錫書院名也宋楊龜山先生所建後廢爲僧寺顧涇陽先生自吏部罷歸購其地建先生祠同志者相與搆精舍居焉至甲辰冬始與高忠憲數公開講其中立爲會約一以考亭白鹿洞規爲敎然躬與講席者僅數人時涇陽先生已辭光祿之召不赴於

新進立朝諸公漠無與也適忠憲起爲總憲風裁大著疏發御史崔呈秀之贓呈秀遂父事忠賢日嗾忠賢曰東林欲殺我父子忠賢初不知東林爲何地東林之人爲何人輒曰東林殺我旣而楊左諸公交章劾璫璫益信諸人之言不虛也於是有憾於諸君子者牽連羅織以逢逆璫之惡鍜鍊大獄慘動天地遂首毀京師書院而天下之書院俱毀矣及忠賢誅公論明廢籍遺佚駸駸登用適大言不慙之邊臣僨轅敗事失志者乘機搆釁復倡黨說謂庇護邊臣者東林也於是蒲州高邑大名一時俱去朝廷之上另用一番人政事日新議論日奇刑尙苛刻而以言寬大者爲東林餉主加派而以言減免者爲東林賊議欵撫而以言戰勦者爲東林至政本之地馬司之堂前後聞凶俱衣緋辦事而以言終制言綱常者爲東林於時至淸無徒閉門愽古之黃宮詹且糾之爲老妖誣之爲立轍降謫不已繫逮之詔獄不已廷杖之烟戍不已永戍之及劉總憲被斥出都破帽蒙頭舊部民京兆父老十餘人爲之牽驢洒泣乃政本大老方

侈以爲得計嗟嗟覆亡之禍豈關氣數哉予生長輦轂於首善書院曾見其建
又見其毁而冉冉老矣思興復之無期不能不於此憤惋留連三致思焉

敬書　家大人自用圖章後

家大人每見小子愛弄圖章輒戒曰一生著幾緉屐耶纍纍胡爲者此亦玩物
喪志一之端小子戒之又嘗教小子曰士人宦遊圖章類多巨石擔之輿儓人
恒疑此中爲何等物也不若易象牙黃楊可絶暴客念且減輿儓力此亦人子
身坐輿中俾之肩復滋重焉不惻然動耶毋謂重甯幾炎天遠道減一分力省
倍矣吾見文國博所鐫牙章最善王祿之亦好作黃楊印則知先輩亦不廢此
小子須識先輩隨事體恤處毋謂老子作不韵語也小子奉嚴訓時惴惴焉家
大人印多喜歙人方仲芝以其工象牙黃楊也所蓄不多次第於左手澤猶存
不能展視

書靖公弟自用印章後

弟靖公亦嗜印在揚署見梁大年爲予作印輒時時向大年問刀法但性躁不暇細究原委又豪於飲一印未成醉即磨去日輒磨數十石而卒無成愛佳凍得則手自摩娑或握之登枕簟竟夜不釋然見有健羨者即脫手贈之不置諸意中也客秋弟以病卒余命梁姪印其弗用之章登諸譜余嘗以一凍索友人作久而不與弟怒發不令余知力索繇石歸自劃數痕示余曰此那得佳兒大索胡爲者又余偶得一凍甚異弟從旁睥睨久之忽攫之去余追之弟急走爲物所絆撲於地起視石碎掌且血相與一笑而罷弟遂歿一載矣回思曩時嬉戲事便已隔世今日展此爲之哀慟久之弟可紀者甚夥此等嬉戲事亦易觸人懷抱如此也

書許有介自用印章後

許宷一名宰字有介候官諸生玉史學憲諱豸者之長子有忌者謂其所改名犯家諱以不孝聞之學使者蓋閩音豸宰呼同亦大可噱事也遂更名曰友字

有介已又更名曰眉字介壽亦字介眉君性疎曠以晉人自命作字初喜諸暨陳洪綬後變而從米顛其堂曰米友黄仲霖又不喜君登其堂曰小子遂敢友米耶君復更其室曰箸藺君名字數變書亦數變晚乃鎔匯諸家一以己意行之遂臻極境予入閩即首訪君頗爲文酒之會然與君數有離合君大腹無一莖鬚望之類乳媼面横而肥不似文人字畫詩文恆多逸致見其手筆者擬其貌若美好婦人亦異事也君既負盛名閩士多造之恆不報謁亦不省來者爲誰以故人多憾之即與君暱者亦退多後言君但自放於酒一切弗問也君爲予累逮入都門後無恙歸别予去復多所離合久之遂無閒言矣君歸未數年即歿其歿也蓋只四十餘予嘗評君酒一次書次寫竹次詩文漁洋先生論詩最嚴而特愛君詩尤愛其七言絶句手錄之多至數十首因裒集近人詩爲感舊一集又有句云許友入閩風其賞識如此予亦欲刻閩中四亡友詩陳克張陳開仲徐存永與君也君學識或讓三君而天資敏妙三君不逮矣患難疊經

此事遂不果成至今尚令浚兒愼藏之右所列圖章皆君所恆用者嗟夫君不及見矣見其恆用之章輒如見君繙閱諸章如見君鼓大腹以巨觥合面上時不禁潸然而涕下也

書文國博印章後

文壽承彭溫州公孫待詔公子休承郡博兄孫爲湛持相國其行誼不待余述但論印之一道自國博開之後人奉爲金科玉律雲礽遍天下余亦知無容贅一詞余聞國博在南監時肩一小輿過西虹橋見一蹇衛馱兩筐石老髯復肩兩筐隨其後與市肆互詬公詢之曰此家尤我買石石從江上來蹇衛與負者須少力貲乃固不與遂驚公公睨視久之曰勿爭我與爾值且倍力貲公遂得四筐石解之即今所謂燈光也下者亦近所稱老坑是洪中爲南司馬過公見石纍纍心喜之先是公所爲印皆牙章自落墨而命金陵人李文甫鐫之李善雕箑邊其所鐫花卉皆玲瓏有致公以印屬之輒能不失公筆意故公牙章半

出李手自得石後乃不復作牙章篋中乃索其石滿百去半以屬公半浼公落墨而使何主臣鐫之於是凍石之名始見於世艷傳四方矣蓋蠻觸未出金陵人類以凍石作花枝葉及小蟲蟢爲婦人飾即買石者亦充此等用不知爲印章也時凍滿觔值白金不三星餘久之遂半鍰又久之值一鍰已乃值半石已値且與石等至燈光則値倍石牙章遂不復用矣豈不異哉相傳篋中入都某冢宰訝國博曰公索國博章纍纍僕索一章不可得篋中曰郵寄浮沈耳公誠嗜國博章何不調而北於是公遂爲兩京國博公左目雖具而不能視如世人所云白果睛者所爲印流傳甚多今皆爲人祕玩不復多見亦由無譜也印至國博尚不敢以譜傳何今日譜之紛紛也亦自愧矣國博工詩吳人張鳳翼曰文太史詩未必上超開元佳者亦不失大歷後生小子信口詆訾迨國博郡博之作謂之文家詩今觀壽承妾家住近江淹宅曾讀銷魂別賦來休承五百年來幾摹本翠禽猶在最高枝可盡訾乎因論印而漫及之公亦何可及哉

書何主臣章

何主臣震一字長卿亦稱雪漁新安之婺源人主臣之爲印余與黃濟叔札子及它印引中論之備矣世之艷稱主臣者不乏其人予不復論主臣往來白下久其於文國博蓋在師友間國博究心六書主臣從之討論盡日夜不休常曰六書不能精義入神而能驅刀如筆吾不信也以故主臣印無一訛筆蓋得之國博居多主臣之名成於國博而騰於鉷中司馬鉷中在留都從國博得凍石百以半屬國博以半倩主臣成之鉷中意甚得曰無以報數函聊作金僕姑盡往塞上於是主臣盡交蒯緱偏歷諸邊塞大將軍而下皆以得一印爲榮橐金且滿復歸秣陵主承恩僧舍性好賓客挾數寸鐵而食客恆滿座客至惟恐其去久之客屨滿前客乃得逸又自奉饌非豐潔不舉箸其食客亦如是以故橐中金往往爲飲食盡而顧不恤其家子怨甚來睎其父主臣狀頭金餘無幾其子又負之去主臣弗知也知而病增劇遂歿囊無一錢主僧爲之含殮人皆憾

主臣無子云主臣印譜自鐫久之而諸本互出其嫡傳則獨有程孟長父子予別有引子燾亦能印

書金一甫印譜前

金一甫光先休甯人家擁多貲乃多雅尚究心篆籀之學嘗謂刻印必先明筆法而後論刀法乃今人以訛缺爲圭角者爲古文又不究六書所自來妄爲增損不知漢印法平正方直繁則損減則增若篆隸之相通而相爲用此爲章法筆法章法得古人遺意矣後以刀法運之斲輪削鐻知巧視其人不可以口傳也以故所爲印皆歸於顧氏之印藪梁溪鄒督學彥吉曰今之人帖括不售農賈不驗無所餬口而又不能課聲詩作繪事則託於印章以爲業者十而九今之人不能辨古書帖識周秦彝鼎而思列名博雅則託於印章之好者亦十而九好者恃名而習者恃糈好者以耳食而習者以目論至使一丁不識之夫取象玉金珉信手切割又使一丁不識之夫櫝而藏之奉爲天寶可恨甚矣此道

惟王祿之文壽承何長卿黃聖期四君稍稍見長而亦時有善敗惟一甫兼有四君之長而無其敗矣其推一甫如是余喜其言切中今日之病故採而錄之右皆其門人文及先授余者一甫譜成歲在壬子余方落地矣今六十年矣余何由繼覩其全哉

書胡中翰印章前

胡曰從正言印譜舊名印史吾友王雪蕉易曰印存其以墨印者曰元賞陳昊昭侍御韓聖秋別駕杜於皇司李與余序之皆能及其生平曾官中翰最留心於理學旁通繪事嘗縮古篆籀爲小石刻以行人爭寶之余與瑤星張公備載其行誼於江甯志中蓋曰從雖休甯人而家於秣陵故秣陵譜以爲重今八十餘神明烱烱猶時時爲人作篆籀不已仲子致果名其穀以詩文名從予遊最久博雅士也

書梁千秋譜前

梁千秋袠維揚人家白下余識其人於都門以十數章託之會寇變乃不得其一千秋繼何主臣起故爲印一以何氏爲宗華亭宋幼淸曰於鱗於詩文輒言擬議以成其變化惜乎吾見其擬矣予於千秋亦云蓋千秋自運頗有佳章獨其摹何氏努力加餐痛飲讀騷生涯靑山之類令人望而欲嘔耳大約今人不及前修有二文國博爲印名字章居多齋堂館閣間有之至何氏則以世說入印矣至千秋則無語不可入矣吾未見秦漢之章有此纍纍也欲追踪古人而不先除其鄙惡望而知爲近今矣又國博當時自負家世故非名人不爲作即登膴仕而其人僉壬亦婉辭謝絕後則羣吏販夫以及黨逆仇正輩或以金錢或恃顯貴人人可入鐫矣江河日下詩文隨之圖章小道每變愈下豈不可慨也哉予存千秋印皆在其譜外凡擬議何氏者盡乙之故所存無多千秋弟大年立身孤冷不甚與千秋合朱闌嵎史公甚重之史公讀書小桃源無大年不飯大年卒以不能俯仰人貧困死千秋得名後留心聲妓一意自恣得圖章輒

⿰忄者慞應之或倩之大年而大年又不肯代斲亦不恒造其門以此人益多大年千秋有侍兒韓約素亦能印人以其女子也多往索之得約素章者往往重於千秋云

書梁大年印譜前

梁大年年其先蓋廣陵人流寓白門癯而脩長常有目疾又短視好作印每構一印必精思數時然後以墨書之紙熟視得當矣又恐朱墨有異觀復以朱模之盡得當矣而後以墨者傳之石故所鐫皆有筆意余致君於維揚署中凡數月爲予作甚多今散失大半矣君又能辨別古器欵識家固赤貧晚益窘有王叔寶者家多收藏以十餘宣盤贈君置几上君以葛衣覆之去乃曳衣盤碎其半瞪目向叔寶曰天欲貧死梁年公安能生我哉乃盡碎其餘不復顧遂還廣陵卒以貧死大年生平不奔走顯貴蘭嵎朱尚書獨欽重之尚書習靜小桃源之玉樹堂謝絕賓客獨與大年遊曰非大年不飯嘗有從土中得一玉印文不

可辨需數金耳大年趣公急售之後爲浣洗辨其文秦六字小璽也人以數十金爭購尙書固不與後尙書之子無外以二百金售之歙人人始服大年鑒賞之精大年兄袠即世所稱梁千秋者亦以此名予在都門以數十章託千秋會兵變千秋狼狽南歸客死於途世人恆以千秋勝大年予獨謂大年能運己意千秋僅守何氏法凛不敢變不足貴也

書方直之一印前

一印者方直之爲予作直之名其義予同門進士以智今青原和尙弟也幼時同和尙有雙丁二陸之譽才氣奔放其性又不受拘縛嘗遊雲間與陳大樽李蓼蕭輩置酒高會即席爲詩歌洒洒數千言立就酒酣耳熱慨然曰欲滅寇靖天下舍義其誰耶軀不甚偉然健有力能挽數石弓雙眸炯炯射人醉後躍身登高屋履萬瓦如平地緣數丈竿直上如猿猱諸君子駭覩之咸曰欲滅寇靖天下舍義其誰耶會寇益亂起尊大人撫楚乃更破家貲聘講劍道精遒甲壬

乙者益募南北健兒買名馬多治好弓矢將往助中丞公滅寇建功業會中丞公爲讒言中事乃無成久之中丞歿其兒又去而遊方外君鬱鬱居鄉里多飲酒與婦人近遂以瘍卒其卒也年甫三十餘世共惜之予在維揚君溯長江顧我文酒留連就園者帀月已乃謂予曰所藏印不甚愜予意遂自作此方相贈欲更懇之匆匆別去然不意其即死也存一印於譜得藏梅道人一葉竹勝藏他人千枝萬葉矣君書撫魯公直得其神嘗爲予書數箑藏之篋笥二十餘年至今出之尙儼如初贈時歿後和尙爲鐫其書於石藏青原山中人爭購之予往來江上數過浮山聞諸父老言直之居鄉里好行義愛護貧氓鄉人耕其田者歲收所入或以艱苦告輒倍免之又多以金錢助無力者以故人恆德之桐民變中丞家獨無恙者賴此耳君舊刻詩數卷行於世餘散見於過江詩略中子中發字有懷數過予論詩風格不亞其父

書沙門慧壽印譜前

沙門慧壽予友彭城萬年少壽祺也年少後以一字字若近以一字字者予老友汝南秦先生京同年友河陽范公正及若三人而已皆一時聞人也若庚午舉於鄉時沈治先眉生昆季招維斗臥子駿公諸君子飲予始識若若名方噪一時好挾斜遊又甚工寫麗人坐上妓以此索之若輒爲吮毫諸妓之有聲者皆暱就之風流豪邁傾動一時同輩謝弗及也滄桑後罷公車盡遣所買諸歌妓冠僧冠衣僧衣遂自名曰明志道人沙門慧壽云避邳徐之亂移家公路浦即其家供古先生於中堂客來坐之曲室中然痛飲食肉則如故酉戌間予官維揚王雪蕉官泗數以事偕至淮予同年陳階六飲予輩必延若俱雪蕉不能飲而好爲詩每飲恆分韵爲詩若詩既工書又美好予得其箑子輒藏弆之後予頌繫生還過隰西草堂訪之則久歸道山矣雪蕉既歿與若相約共隱隰西之胡介共若避地公路浦之翁陵皆相繼化去戊申予再過淮飲階六越菴中追念昔遊獨階六與予在耳予與階六效昔年酒間分韵事予有雨餘掃徑

看黃葉燈影含毫憶故人之句階六讀之淒然不樂爲之罷飲散去若嗜圖章
復精於六書自作玉石章皆頫視文何所蓄晶玉凍石諸章皆自爲部署一一
精好非世間恆有對客每自摩挲愛護如頭目若既以此事自矜竟不肯爲人
作予僅得一印因以其自用之章附於贈予後然若自用之章實自爲之不倩
他腕也予甥唐堂曰徐州萬年少自詩文書畫外琴棋劍器悉不得不變爲竟
陵也黃山程穆倩遂以詩文書畫奔走天下偶然作印乃力變文何舊習世翕
然稱之穆倩於此道實具苦心又高自矜許不輕爲人作人索其一印經月始
得或經歲始得或竟不得以是頗爲不知者詬厲然穆倩方抱其詩文傲睨一
世不爲意也予交穆倩垂三十年得其印不滿三十方因念予所交友人工此
者黃子環劉漁仲歸道山後三山薛宏璧莆田林晉白卒於家歙人江皜臣卒
於閩平湖陳師黃歿於客雉皋黃濟叔與予交最晚偕予歸亦歿於友人酒間
穆倩巍然獨存亦老矣圖章一綫不絕如縷嗟乎後之癖此者將索之誰何氏

之手平子以辛字萬斯亦能作印

書鈿閣女子圖章前

鈿閣韓約素梁千秋之侍姬慧心女子也幼歸千秋即能識字能擘阮度曲兼知琴嘗見千秋作圖章初爲治石石經其手輒瑩如玉次學篆已遂能鐫頗得梁氏傳然自憐弱腕不恒爲人作一章非歷歲月不能得性惟喜鐫佳凍以石之小遜於凍者往輒曰欲儂鑿山骨耶生幸不頑奈何作此惡謔又不喜作巨章以巨者往又曰百八珠尙嫌壓腕兒家詎勝此耶無已有家公在然得鈿閣小小章覺它巨鏝徒障人雙眸耳余倩大年得其三數章粉影脂香猶繚繞小篆間頗珍祕之何次德得其一章杜茶邨曾應千秋命爲鈿閣題小照鈿閣喜以一章報之今並入譜然終不滿十也優鉢羅花偶一示現足矣夫何憾與鈿閣同時者爲王修微楊宛叔柳如是皆以詩稱然實倚所歸名流巨公以取聲聞鈿閣弱女子耳僅工圖章所歸又老寒士無足爲重而得鈿閣小小圖章者

至今尚寶如散金碎璧則鈿閣亦竟以此傳矣嗟夫一技之微亦足傳人如此哉予舊藏晶玉犀凍諸章恒滿數十函時時翻動惟亡姬某能一一歸原所命他人竟日參差矣後盡歸之他氏在長安作憶圖章詩得欵頻相就低祟愜所宜微名空覆斗小篆憶盤螭凍老甜留雪冰奇膩染脂紅兒參錯好慧意足人思見鈿閣諸章痛亡姬如初歿也

印人傳卷一終

櫟下周亮工減齋譔　　仁和葉　銘葉舟校刊

書黃濟叔印譜前

黃濟叔經一字山松如臯人身長鬚不甚多風拂之輒飄飄多逸氣晝高簡得倪黃遺意留心篆籀之學故印章入神品予因方與三昆季得識君於福堂中蓋君偶同人姓字遂誤被收與三語予曰子弟取名須極奇異者當免爲人累予曰不然當取極尋常者事發尙有濟叔一鞋頂代耳濟叔聞之大笑濟叔性崖異入白門惟交杜茶邨紀戅叟數君他皆不妄造也在請室一故人思見之予諷其往君曰不可以先往經在難故人固當先經耳予曰不妨通一字君又曰亦欲投以書但戴笠之誼不可先於乘車遂援筆而止予以是益重君予得君印章最多君頗喜爲予作嘗與君札令備錄之僕沈湎於印章者蓋三十年於茲矣自矜從流溯源得其正變者海內無僕若間嘗謂此道與聲詩同宋元

無詩至明而詩始可繼唐唐宋元無印章至明而印章始可繼漢文三橋力能
追古然未脫宋元之習何主臣力能自振終未免太涉之擬議世共謂三橋之
啟主臣如陳涉之啟漢高其所以推許主臣至矣然欲以一主臣而束天下聰
明才智之士盡頫首歛跡不敢毫有異同勿論勢有不能恐亦數見不鮮故漳
海黃子環沈鶴生出以欵識錄矯之劉漁仲程穆倩復合欵識錄大小篆爲一
以離奇錯落行之欲以推倒一世雖時爲之歟亦勢有不得不然者三橋主臣
歷下予環鶴生其公安歟漁仲穆倩實竟陵矣明詩數變而印章從之今之論
詩者極口詆竟陵然欲其還而爲黃金白雪百年萬里亦有所不屑今之論印
章者雖極口詆漳海欲其盡守三橋主臣之努力加餐痛飲讀騷凛不敢變亦
斷有所不能故漳海諸君甘受人符籙誚殺然爲之死而不悔者彼未嘗不言
之有故而報之成理也僕嘗合諸家所論而折衷之謂斯道之妙原不一趣有
其全偏者亦粹守其正奇者亦醇故嘗略近今而裁僞體惟以秦漢爲歸非以

秦漢爲金科玉律也師其變動不拘耳寥寥寰宇罕有合作數十年來其朱修能乎次則顧元方邱令和次則萬年少江皜臣程穆倩陶石公薛穆生諸君子往矣存者獨穆倩石公穆生耳然三君各有所長亦有所偏求其全者其吾濟叔乎濟叔能以繼美增華救此道之盛亦能以變本增華爲此道之衰一燈繼秦漢而又不規規於近日顧氏木板之秦漢變而愈正動而不拘當今此事不得不推吾濟叔矣又答濟叔云先生近日作印章不必用意自有配合之妙云得之不孝之詩謬矣謬矣不孝之詩文近日少少曲折如意者從先生之篆之鐫之詩畫之寥寥數語札子種種悟入耳爲此者似吾兩人交相譽吾兩人豈交相譽者哉第不孝微窺先生所作近來實更進數層不孝動筆亦實實有略異往昔所以然者吾兩人交相動耳世間絕技源流總同世人所以不可傳者無他坐使人無所動耳不孝得先生一字而心動先生得不孝一字亦未嘗漫然於中交相動而交相引於幻渺不可測惡有所謂譽哉今人滿部詩文大套

印譜細細搜尋總如疲牛拽重車入泥淖中自不能動何處使人動及讀班馬諸傳記顧欲哭欲歌見坐火北風圖便作熱作冷拾得古人碎銅散玉諸章便淋漓痛快叫號狂舞古人豈有它異直是從千百世動到今日耳先生以爲然否予生還後濟叔訪予情話軒同坐臥者月餘別去在延令季氏家方席間觀劇忽向衆曰吾欲去矣遂呼其僕曰季公待我厚我實坐脫無他病爲語家人毋疑季公也復拱手向語君曰便此等去亦大快人言死見鬼神語謬耳遂暝目濟叔生平學佛去來明白如是眞得大解脫者沒後杜茶邨與予札云有久欲白先生者故人黃經濟叔生平嘗論定六書二十卷自謂頗極苦心嘗以求序於濬濬觀其書一正諸家踳駁附會之陋洵爲許氏功臣今濟叔死而其嗣子謹愿力田然廢學已久未必能護惜此書濬已酉至東皋欲索得之行復自念赤貧無家之人既力不能爲付梓以傳又東西遊走萬一放失其稿或久閉笥中徒飽蠹魚又或僕俾竊之以易餅餌則故人心血翻澌滅於吾手罪過不

小踟躇而止茲惟濟叔既嘗幸交門下荷櫟園先生恩分不淺而先生又嘗深賞其篆刻之技贈以奇文以爲直跨文何而上濟叔在日每酒酣則出以夸人誦周先生一代法眼品題如此誰復能易隻字者語次復及昔日患難相同十段情事則泫然而泣已而更大笑以爲非患難不得遇周先生也夫以濟叔平日感先生破格如此則其死後亦必蒙先生悼惜可知悼惜之效誠莫若爲傳此書蓋先生聲華位望欲傳則傳非若濬之有其心而無其力也由是言之使濟叔有知不以此望之櫟園先生更誰望哉濬嘗竊伏嘆先生古道獨行誼篤死友如向日於林宗太沖兩先生近日於孟貞子一與治諸老友之遺文皆不計有無表章之不遺餘力初非待人言之也則今日又何待濬言然濬又僅能言則亦能其所能爲者而已雖蛇足可也況此書是正經史嘉惠來學較文人別集更爲切用先生以斯文爲己任諒在他氏猶孜孜不遺矧濟叔乎惟先生且晚留神則濟叔生平得附知愛之末爲不虛而士之刳心述作者亦恃交道

以無恐甚盛軌也荼邨之屬予如此濟叔無子繼子愚魯不能留心爲先人愼守遺書又遷徙靡定予固無能蹤跡即予在請室與君數十札子君裝爲一册予書其上曰毋忘今日急以歸君而君亡矣遂留予處每展視之未嘗不淚涔涔下也每思爲君立傳而不果冠五曰即此可以傳濟叔矣遂不復爲別傳

書張大風印章前

張大風風上元人因自稱上元老人予既載其行誼入讀畫錄矣復錄其一二逸事於此大風學道學佛三十年不茹葷血客有烹松江鱸魚者因大噱曰此吾家季鷹所思安得不啖遂欣然一飽從此肉食矣予被譏後大風畫一人持劍以手摩娑雙目注視之佩一葫蘆箋極奇古題其上曰刀雖不利亦復不鈍暗地摩娑知有極恨予感其意至今寶之大風作印章秀遠如其人予得其二何省齋閎古邨得之最多省齋爲醉僕跌損古邨所得皆在好凍上破家後僅存其一二今錄於後予曾語黃濟叔曰印章妙莫過於市石凍則其最下者僕

蓄老坑凍最夥亦復最善患難以來盡賣錢餬口買者但欲得吾凍耳豈知好手鐫篆便亦隨之去耶彼買凍者即得妙篆勢必磨去易以已之姓名故市石之形百年如故凍入一家則矮一次不數十年盡侏儒矣僕凍章無一存者而妙篆反因市石巍然如魯靈光君苟愛惜妙篆當永永戒鐫凍專力於市石以今觀之予語豈信然哉

書顧云美印章前

顧云美苓吳門人負奇癖自闢塔影園隱於虎邱側蕭條高寄俗客過輒趨避竹中以故客難就之君準甚頳而飲不能一蕉葉常語人曰事事虛名視此準矣在白門屢過予恕老堂若飲唱酬詩和婉有致行楷倣趙吳興最留心漢隸凡漢碑皆能默數某闕某字某少前碑某失碑陰某贗某爲重摹其碑陰姓字皆能暗記予姻谷口鄭簠以此名世家多碑版云美僦一小庵近谷口家繙閱數日夕不倦其篤志如此作印得文氏之傳予謂谷口今日作印者人自爲帝

然求先輩典型終當推顧苓谷口是予言君許爲予倣文氏作牙章十餘方具既備而予難作遂不果故予僅存其一二瞿稼軒一子十齡流落於外人無有過而問之者君以夙誼收恤之且妻以女名曰鏡字之曰端叔人以此多君行誼云

書陳師黃印章前

陳師黃玉石自云平湖人或曰陳非其本姓亦不籍平湖未能辨也質癯弱而氣好淩人嘗同劉藥生在齊魯間登蓬萊閣使酒罵坐人不能堪謀縛而投諸海登守某公解之師黃亦無所悔謝予辛丑之秋遇於明聖湖上相與爲重七夕之會師黃意氣猶自若工圖章不肯爲人作顧予曰於公固無吝也刻章必深剜其底光滑如鑑乃止嘗目工印章者曰爾輩持刀將用以削人足指甲耶其傲慢自矜如是以故不爲同人所容終以孱軀嘔血死死蓋不滿五十云後予過嘉禾知師黃本陸姓

書程孟長印章前

程孟長原一字六水新安人自何主臣繼文國博起而印章一道遂歸黃山久而黃山無印非無印也夫人而能爲印也又久之而黃山無主臣非無主臣也夫人而能爲主臣也予見摹主臣者數十家而獨推程孟長父子孟長負篆籀癖而尤心醉於主臣大索主臣篆滿篋笥潘藻生自白門茅次公自武林或購石或蒐譜又盡以歸之孟長復檄四方好事郵寄共得五千有奇命其子元素樸選千餘力摹之合爲譜予得而覽之喟然歎曰孟長父子之於主臣可稱毫髮無餘憾矣使人如孟長父子吾又何憾於黃山之爲印者哉王弇州論臨書易得意難得體摹書易得體難得意離之而近者臨也合之而遠者摹也余於二程喜其得主臣之體而復得其意蓋予惟見其合矣況啟南贋跡滿天下晚來自收眞蹟遂亦收得臨本吾恐起主臣於地下得程氏父子作當復如啟南翁自收贋本也吾不及見主臣得程氏父子當綬山一桃足自豪矣孟長家吳

興

書汪尹子印章前

汪尹子關黃山人家婁東時其同里人詞客程孟陽亦家疁城頗爲尹子延譽於四方以故其手製甚爲時流所重子宏度亦以此名婁東張彝令爲大司空容宇先生之子嗜印章鐫有學山堂印譜予聞尹子亦學山堂客乃彝令於譜中注曰宏度爲杲叔子杲叔素不解奏刀每潛令其子代勒以溷世遂浪得名尹子或晚年有不合於彝令歟予不識尹子不得而知也尹子舊名東陽字杲叔後得漢汪關印少自治之語人曰吾得漢汪關印合名關遂更今字云

書汪宏度印章前

汪宏度泓尹子子張彝令學山堂譜中言尹子治印皆屬宏度捉刀尹子浪得名耳予初疑其言然未免有所惑今觀宏度作乃知羲獻大有分別在誠如予所言彝令必有私憾於尹子故譽子以抑其父耳吳人傳汪氏父子皆不羈而

宏度尤風流自命得錢不爲人奏刀必散之粉黛散盡冀復得錢始爲人作然作又隨手盡以此有大小癡之號即此可想見其曠達之致技固不得不佳也

書顧筑公印譜前

顧筑公璞一字山臣武林人立品高迥不屑㩼從流俗作印恥雷同余最好之而苦無其一印辛亥過湖上訪之則久歸道山矣索其手製則一嫠婦藏之或云其寡妻或云其外家婦女不知印章爲何事恆悵悵日守此頑石胡爲者豈非玉凶非穀守此頑石胡爲者自予往詢後婦乃訝曰是頑石乃致周公問遂高其直一方動至數金予笑謝之已而但命其印數方爲傳於世初索三數錢已復悔曰非一星一方弗可得予又笑謝之既乃從他所得數方後又從曹秋岳使君得數雖無幾然亦足以傳筑公矣予意欲傳君故數訪之婦女昧此乃吝不以示恐南陽劉子驥後無復有問津者筑公妙技勢將永沒地下有知應因予一歎

書江皜臣印譜前

工石章者予所見數十輩求其合古人之法而能運以己意者百不得一至切玉則杳然絕響矣近惟吳門周爾森以先父子以此名然臨摹儘有可觀一自篆便不堪寓目以其不知篆籀也即臨摹亦率皆沙碾無能切玉其他號能切玉者亦皆倩爾森輩開其眉目然後施以刀詭語人曰吾切玉如泥實不及碾者之工矣獨皜臣則眞能切玉者予初聞其人於曹秋岳知其常在嘉禾過嘉禾訪之則久入閩中矣幸備員於閩大索之黃東厓閣學始以其人來而陶石公隨之至因得盡窺其所學而爲予鐫亦甚夥皜臣治玉章則眞能取法古人而運以己意者即其鄉人何雪漁尙不屑規模之況其下者乎皜臣用力如劃沙嘗語予堅者易取勢吾切玉後恆覺石如宿腐如公書惡縑素輒膠纏筆端不能縱送也以故恆喜爲人切玉皜臣長軀偉幹而氣韻恬愉與予遊數年未常一字相干甘貧守道非尋常遊士挾一技以遊顯貴者可比予甚欽之別

予返丹霞予尙期久與周旋而皜臣死矣皜臣在丹霞東厓閣學贈以妾後妾慎守其印譜一帙予欲得之而未能久之在白下陶石公來訪云其妾復死譜乃從他所得之石公因手以贈予曰皜臣雖死幸有此在廣陵散不絕矣因銓次於後而附以東厓閣學贈詩程孟陽處士之跋他日有餘貲當倩石公一一臨摹爲一譜以傳其人曹秋岳曰皜臣死世無復有切玉者矣悲夫世之得佳玉而欲合以秦漢人之筆求如皜臣何可得哉皜臣妾無子閣學以皜臣無子故贈以妾或云皜臣尙有子在歙皜臣歙人也石公名碧泉人從學於皜臣最久頗能得其傳別有譜予贈皜臣二截句附錄於後竊得軒皇寶鼎文垂金屈玉更藏筋分明五色仙人筆劃取黃山一片雲鳥篆蟲書總擅奇興酣十指似縣揎生平不學秦丞相手搨衡陽峋嶁碑

書程雲來印譜前

程雲來林歙人予之交君蓋在丙子丁丑間君遊梁時後君見寇氛日熾遂移

家武林得免於黃流之難人咸服君有早見君精醫時時爲予講性命之學乃好爲圖章又以意爲花卉悉皆有生致予往來湖上必訪君君又嘗顧予於閭於白門故得其手製最多君爲印隨手而變近益精醫能起人於死人爭延致之席不暇暖遂不復唱渭城矣譜中皆廿年前作中子與繩亦從君治印

書程與繩印章前

程與繩其武吾友雲來中子也爲制舉業有聲數不合有司尺度乃退而從雲來治印印隨雲來與年俱進比乃一合古法辛亥予在湖上與繩過湖千爲文酒之會多爲予治印近取士之額日隘士無階梯者不得不去而工藝故工書畫圖章詞賦者日益衆嗟夫此皆聰明穎異之士世所號爲有用才也不遇於時僅以藝見亦足悲矣

書李耕隱圖章前

破屋老人李耕隱維揚人家白門高懷古致隱破屋中蒔花種竹蕭然自適寒

山子爲作傳梅村先生爲之跋一時重之何主臣殁叟繼起遂以印章霸江南北好畫竹爲周墨農所嘆服墨農固以竹名然不耐索者往往倩叟爲之墨農嗜古玩器非經叟目不易收也而叟自負鑒家不妄許可予見叟於顧見山高會堂垂廿餘年再見叟已八十矣步履甚健不資扶老而故使八九齡童子持一杖隨望之肅肅欽如古圖中人予索其手製僅得後數方叟於市得漢耕隱章喜其與名符因以名字已得一子毋篆曰李悅已復得一篆曰李尊因以爲其子孫余敍次叟篆於石因以叟所得三漢章附於後以徵叟好古之癖云

書沈石民印章前

沈石民世和常熟人印章漢以下推文國博爲正燈矣近人惟參此一燈以猛利參者何雪漁至蘇泗水而猛利盡矣以和平參者汪尹子至顧元方邱令和而和平盡矣黃檗言大唐國裏無禪師又曰不是無禪直是無師如石民眞能自得師眞能以一燈紹國博者余嘗言字學迷謬耳惟稽古印章存其一綫然

知篆籀矣而雅俗等迷謬耳國博胸中多數卷書故能開朝華以啟夕秀石民掉臂諸家直接嬴劉蓋三折肱而始得之石民書畫妙天下即以縱橫毛穎之法驅使銛刀宜其獨據壇坫俯視一切也

書欽序三圖章前

欽序三蘭吳門諸生淸臞如不勝衣時時皺雙眉工詩畫亦楚楚而尤留心於圖章得文氏之傳當時推元方令和與序三爲華岳三峯今惟序三隻立耳在都門館於宋右之史公家予有印癖知序三久脫繫即首訪君君於予頗有知己之感故爲予作甚多後相値於湖上又値於吳門舟次卮酒匆匆欲去余固留之乃曰食貧謀一館不易近讀書楓橋側主人督責甚力遲歸將見嗔早去示勤愼保此館耳予因詢之乃知序三詩畫圖章一切不爲惟敎授生徒自度度人而已歲儉貧士謀食其難如此予爲感動者久之而力不能振君之貧也故予每過吳門輒愧見序三云

書王安節士宓屮印譜前

王安節槩其先醉李人久占籍白下與弟宓屮著同受教於尊公左車先生左車好奇以旬名之字曰東郭以尸名其弟字曰弟爲久之乃改今名字安節幼癯弱壯乃須眉如戟負穎異質詩古文詞及制舉業皆能孤行已意避人居西郭外莫愁湖畔罕與人接然四方文酒跌宕之士至金陵者無不多方就見之安節以其詩文之餘旁及繪事水石人物花卉羽毛之屬動筆輒有味外之味曾爲予兩作禮塔圖兩作浴佛圖狀貌皆奇古略無近人秀媚之態眞足嘉賞畫成輒自題識予每謂人安節甫二十餘分其才藝便可了數輩使更十年世人不說徐青藤矣圖章直追秦漢人亦肯爲予作今銓次於後予友方爾止一女不輕字人覓壻於江南久之奇安節遂以女妻之爾止負一代名不妄許可至一見安節即以女妻之安節可知矣宓屮亦作印章古逸無近今餘習亦次於後宓屮不亞安節繪事遂欲與兄並驅同人咸曰元方季難方爲兄弟也安

節王母與兩尊人及安節皆落地不任葷獨宓屮微能食乾鱔人稱其爲一門佛子云

書吳仁趾印章前

仁趾吳廖天都右姓隸籍廣陵有洗馬神清之譽作爲詩歌上邁曹劉下掩王孟超超絕無凡響嘗以餘間摹劃篆刻不規規學步秦漢而古人未傳之祕每於兎起鶻落之餘別生光怪文三橋何雪漁所未有也予素負斯癖時時博訪海內遍爲參稽少有當予意者及一見仁趾作則如探胸中故物如再過宿生舊遊處輒欣欣嘆觀止嘗索仁趾爲予鐫製予亦謬有所商傕略舉其大意而仁趾躊躇經營落之金石有十倍出予意想外者仁趾爲不可及也已予最好雉臯黃濟叔黃山程穆倩印兩君年皆近七十蒼顔皓髮攻苦此道數十年始臻妙境而仁趾以英髫之年遂復及此使其年與濟叔穆倩齊其所造當十百兩君無疑也濟淑已矣同穆倩後先振起廣陵舍仁趾其誰與歸因識之於此

使海內交口稱仁趾者知予有先得固已識之早也

書錢雷中印譜前

錢雷中履長吾友湘靈多慧男雷中其第三子也年未二十留心風雅能繼其家學予甚愛之亦知其戲作圖章然非何次德示余不知其精妙若是此道必屬年少以其婉力目力勝耳雷中外如吳仁趾王安節宓尹倪師留皆以英妙之年挾其穎異直登作者之堂此道不絕響矣然遂欲逼殺許多老僧亦大不仁哉

書李雲谷印譜前

雲谷居士李根字阿靈閩縣人性恬靜與物無忤愛閉戶獨坐終身未嘗遠遊工詩小楷頗得晉魏遺意畫佛像倣吳文中人莫能辨畫山水不妄設一筆恆能引人入淨地尤留心篆籀之學嘗同福清林朱臣廣金石韻府增删正一無譌謬余愛其書攜副墨至金陵爲補殘闕行之君爲予言嘉隆而後工印者但

僞古數章首列諸巨公數章索李大泌王太原一敍便侈然成譜以作者自命如今之以詩名者首倣古樂府數章次列贈送讌集數章其贈送讌集姓字務必名輩巨公其名目次第皆可臆而得也此而便侈然成集自稱名下士豈不大可恥哉予旨其言惜得其印不多蓋君旣精於六書恒好議論人譌謬自言吾不欲以此微技供後來小兒指摘也其自矜愼如此故不恒爲人作云

書徐子固印譜前

徐子固堅其先蓋吳門人移家白下予初從親串胡君念約園林中識其人時但艶其人酒俱韻耳而不知其工印事閱十餘年予集諸前修章同里吳遠度始以其所製來乃知子固苦心篆籀非一日矣予所見工此者固多而求奏刀之合古章法之無補湊六書之不謬者子固而外未易多見也至其倣古小秦印章自朱修能外不能多讓矣子固大父巨川公初諱君揖嘉靖癸丑進士擢爲侍御史時方注河南道掌道印御史都御史列名以上世廟方懸筆擬議而

硃忽落公名上世廟心喜因爲更名曰仲揖以此甚得主眷公亦多補納當時號爲名臣子固既爲名家子又發源於吳門夫吳門固圖章之星宿海也子固雖欲不適出流俗豈可得哉

書鄭宏祐圖章前

鄭宏祐基相歙人超宗之猶子行圖章得何氏之傳隱於秦淮貧且老不能以此技奔走顯貴門向人亦絕口不言非予固索之亦祕不相示也以故貧益甚時愛弄小古玩或易之人以自給然終無濟於貧予於比道見始終於貧而其技確可傳者梁大年及宏祐二人而已

書胡省游印譜前

予生平好圖章見秦漢篆刻及名賢手製則愛玩撫弄終日不去手至廢餐寢以求騁其欲不啻如時花美女殆坡公所云未易詰其所以然者雖當世宗公巨手以姓名見贈點畫少未愜心必面自商略求爲更置而後已而其人亦深

頷余言以爲識趣其所與遊號相契合者物故殆盡惟吳仁趾振起維揚此外寥寥無聞今夏胡君省游來訪贈以二章出所爲印嫡見示頗極秦漢之致若余數十年來所未見又若數十年意中所期者頓還故物與之語頗與余合因喜此道之有省遊無患中絕而質之千百世無疑也夫篆籀肇興書文正嫡猶西來祕義旨要無多具神解者直接聖宗證斯果位豈說元說妙之所能競彼夫六書八體之研窮秦碑漢碣之摹勒要皆從入之途究非參微之的也由此言之則省游所造豈特超越文何而已哉黃山朱修能前哲之解茲祕者余既雅好此君而省遊適與同趣此可見省游性情與余合不自今日獨怪余嗜圖章數十年而與余同嗜好如省游者相見乃在數十年之後且非其鄉杜子茶邨言之幾失省游也省游名阮楚竟陵人

印人傳卷二終

印人傳卷三

櫟下周亮工減齋撰　仁和葉　銘葉舟校刊

書秦以巽圖章前

秦以巽漁原名德滋梁谿人君以高閥負尤異才少游馬文肅公門以制舉業名中年與華聞修諸君以詩名晚歲謝去一切惟自適山水間蒔花種竹或與童子鬪蟋蟀調鸜鵒爲戲不問戶以外也君詩多香奩體濃聲之中別有清芬書法顏褚分君之才足了十人予癖印錫山君盡出所藏恣予擇取無所吝惜因得見其手製遠追秦漢近取文何眞苦心此道者乃君殊不屑屑于此自語予曰此三十年前游戲爲之者今並淨名經亦不知所在矣

書顧中翰印章前

顧中翰貞觀字華峰一字梁汾以中翰爲名孝廉端文公曾孫夔州太守菲齋公孫孝廉庸菴公子以理學文章世其家戲爲圖章遂臻妙境予與君爲莫逆

交嘗戲與君言君文藝棊酒一時將去以此讓人小存廉名未爲不可君亦爲予失笑然君方究心經世大業亦不屑屑于此也

書張江如印章前

張江如宗齡梁谿人張月坡嵋之子月坡遴選制舉業極爲同人所推予泊舟慧山將兩旬月坡始從山左歸因爲訂交因得見江如江如方從其尊人學制舉業最有聲旁及印事亦臻妙境予笑謂月坡令子當爲其大者請勿事此月坡首肯余言然江如卒不能自靳也

書陳朝喈印章前

陳朝喈瑞聲梁谿人太守世涇公子諸生中僑肸也世其家學工爲詩嘗以詩顧我於白門及舟過慧山始知朝喈亦戲作圖章固索之乃得數方敘次于左太守公諱振豪以名進士出守南陽時唐藩好弄兵所爲多不法南陽幾不可問公急以上聞乃反爲所中遂罹不測久之藩逆狀露公乃得釋歸予過朝喈

家知朝啫以所居小地之半讓之高忠憲公池即忠憲盡節地也朝啫守先人室廬蕭然池畔歌詠自得蓋不愧淸白吏子孫云

書倪覲公印章前

倪覲公耿梁谿人雲林後十三齡時偶左足少不良於行君輒喜曰吾雙足尊矣隱居水邨借以謝客蕭然自適眞能以隱世其家者余過梁谿聞君精於篆籀索得數章君於余譜中獨醉心於候官薛宏璧父子余乃知君深心此道非隨人泛泛者薛氏父子生于海濱多爲人所忽略垂數十年乃爲覲公嘆賞若此地下默慰矣

書王文安圖章前

王文安定梁谿人庚午辛未間顧寅錫自梁谿來白門與予商榷選事攜有九龍社藝予甚驚王人玉之才舟泊慧山訪之久已身殉一邑矣見其令子文安與其兄弟均有文名乃文安獨留心圖章似極醉心於元方令和兩君予甚愛

之更留心於製紐與漳浦楊玉璇毗陵張鶴千齊名然自重其腕不輕為人作亦不易以示人也

書袁曾期圖章前

袁曾期魯吳門人予老友鐔庵太守公猶子行也性沈實時時從鐔庵公問六書之學故所作圖章恒多正字吳門自文國博開蠶叢于此道顧元方邱令和相繼而起顧邱歸道山矣繼國博一燈者舍吾曾期其誰哉曾期於予譜中亦心折侯官薛氏父子

書須來西印章前

須來西仍孫毘陵諸生制舉業為時所推而尤留心六書之學反覆窮究不得原委不止嘗笑世人不識字輒欲操刀登作者堂夫誰欺大小篆鐘鼎間雜夫人知之夫人犯之矣甲申之變絕粒死志士哀之予過毘陵莊澹庵史公出其手鐫見示並述其行誼予因得敘次於後

書袁臥生印章前

袁臥生雪吳門人梅村先生題其譜曰私印之作莫盛於元人如吾子行之論三十五舉溯源極流後人用爲指南而吳孟睿朱孟辨之流楊鐵厓曲江諸公咸交口推服蓋其人皆博雅通儒深究六書三倉之學而於印章見其一斑非以雕蟲篆刻爲能事也今人從事於斯者往往侈談篆籀而忽略元人正如詩家之宗漢魏畫家之摹荊關取法非不高而致用則泥矣臥生好學深思精工篆刻而尤於元朱文究心吾以爲三橋後當爲獨步予喜先生論印之確故備錄其語不獨爲臥生也臥生爲文氏兩葉之甥故能精文氏之學如是

沈逢吉

沈逢吉灃婁東人予未識其人但聞年已望七矣數十年來工印事者舍古法變爲離奇則黃子環劉漁仲爲之倡近復變爲婉秀則顧元方邱令和爲之倡然離奇變爲邪僻婉秀變爲纖弱風斯下矣逢吉一以和平爾雅出之而又不

失古法故其里中張彛令於學山堂譜中極推重之梅郎秋岳咸爲許可秋岳每語予日眼中之人畢竟以逢吉爲正法眼藏逢吉爲名流所重若此足以傳矣壬子春盡櫟下惰農書於紅菱舟中是日目忽疼甚遂誤三字逸二字老態畢見矣放筆一歎

書吳頌筠圖章前

吳頌筠明玗一字虎候粱谿人諸生中最有聲留心撰著篤志古學倣通典通志作典林一百四十餘卷有杜鄭之備而去其繁增其所未盡於前賢之論頗有所衷誠爲大儒有用之書予得竟觀一過惜無力爲之梓行頌筠蓋不屑屑以制舉名者而制舉業則大爲時流所貴每一榜發所謂新貴者競乞其焚餘之稿冒以行世而其人輒大有聲譽世之讀頌筠之文者竊其一鱗片甲便亦布爪牙於盛雲濃霧中而頌筠則猶然一老布衣蠖屈蝟縮于薦門土銼間嗟夫豈非命哉滄桑後頌筠棄去儒衣冠爲野人服不甚與人見其所爲古文詞

日益富秘不示人人亦無從物色之予同年顧君修遠館頌筠於家令子天石師之予因得交君得少聞君行誼君自謝儒服後寄情篆籀戲倣秦漢諸印亦籍甚然金石聲少洩其拔劍斫地氣耳乃其所爲圖章則已駕文何而上之予過梁谿從修遠索得君舊作敘次於後展視之餘覺頌筠岳立島峙之象肅肅在吾目前也

書張鶴千圖章前

張鶴千日中毘陵人舊家子學書不成棄而執藝從蔣列卿學雕刻鳥獸龜魚之紐比方漢人多以牙與木爲之間出新意贔屭蜿蜒之狀蝺蝺欲動以予所見海內工此技者惟漳海楊玉璇璣爲白眉予聞小紀中稱爲絕技鶴千亦何讓玉旋哉鶴千篆印全撫文國博大爲三吳名彥所重家赤貧有欲得其手製者何其食闕則攜糗糧謀之亦遂肯爲人作若窺盎有少粟則又揮不顧矣方侍御邵村語予如此玉璇年七十餘矣此技恐終當屬鶴千耳

書吳仁長印章前

黃山吳仁長山常往來白門維揚間與垢道人爲兒女姻而作印不規規模垢道人亦筆性之所成不可强也其印甚多余刪其有縱橫習氣者聊存數方於後仁長一字拳石子萬春字涵公亦能作印即垢道人壻也

書陸漢標印譜前

陸漢標天御鹿城人予嘗笑近人於圖章高者至摹擬漢人而止求其自我作古者未之見也吳門人極推顧元方能肖漢然擬議有之未見其變化也金孝章爲予言元方取漢印各爲一類既姓分之如某人之印某印某印之類又各分之印以單葉薄側理既正窺之復反視之得一印即以某印合之故往往不失古人意予曰此元方之所以爲元方也元方法漢矣漢人又安得能前乎此者如元方各爲一類摹之耶陸漢標以予言爲是故作印能運以已意能運以已意而復妙得古人意此漢標之所以傳也

書林晉白印譜前

林晉字晉白閩莆田人予因宋去損招晉白在百陶舫晉白善鐫晶章旣工又甚敏嘗爲予言鐫晶章易事而人難言之高自造作耳然晉白好酒醉後縱橫任意雖一往有奇氣而當其意到神來時目乃不知有晶故往往多驚壞其紐壞則匿之輒出囊中錢易他晶以償予知之獨不令償曰無紐更自佳但須平其傾欹雅勝紐也然公爲他人作則不可曷止少飲晉白曰不飲則腕殊無力奏刀遂惛惛有俗心於是飲如故壞人紐如故得錢別易晶以償如故人笑之予以此多之惜哉予未出閩而晉白卒或云卒於酒

書薛宏璧印章前

宏璧名居瑄其先蓋閩之晉江人後籍侯官予之遇宏璧也宏璧已七十餘先是侯官有以圖章名者爲藍揮使知予癖此致數方來頗愜予意已復以數方命之益復工後有見者曰此非揮使作宏璧作也今賓主乃不遇何中郎將耶

因以一章試宏璧其工如揮使而章法刀法又無小異竊訝之乃召致宏璧詢其故宏璧恂恂不竟言已乃數爲予作數十方間嘗過予節松堂泫然泣下曰瑄老矣工此技垂四十年顧無一人知瑄者家貧無從得食藉此飽妻孥日坐開元寺肆中爲不知誰何氏之人奏技來者率計字以償多則十餘錢少則三數錢一字體少不正尚命刓之如此垂數十年不意今得之公語畢復泣下點點沾所鐫印上已乃晤宏璧子穆生銓侯官諸生其癖印章似宏璧而體製如之後予去閩宏璧遂作古人從閩中續寄者皆穆生作今譜中所作皆其父子撰予不欲辨世尚有能辨羲獻者予獨歎承平之日何主臣吳午叔朱修能諸君以此技奔走天下士大夫皆以上賓事之踞奉金錢得其一章喜掛於睫而諸君益復傲睨其間以予論宏璧之技直入秦漢人室遠出諸家上而名不出里巷致日坐肆中受不知誰何氏之揶揄豈非命哉閩人以宏璧之遇予如會城之江瑤池得予而顯嗟夫予何足以重宏璧哉會城江瑤池予別有紀

書黃子環子克侯印章前

漳浦黃子環樞以圖章名凡金石典册靡不精研辨証其譜名欵識錄在閩署爲予作百十方予既爲專譜序而傳之矣其子克侯名炳猷與沈鶴生使君善鶴生亦善印每有鐫爭與克侯互相訂正一印成即繫一說於上皆有雋永之旨亦鐫行於世矣漳浦黃先生絹素箑子上所用圖章咸出子環手劉漁仲以此道名而其源實出於子環後程穆倩出因子環而變之以雅世人遂但知有穆倩並漁仲亦不知之況子環耶銓次子環父子作於後克侯手筆如其父予遂不復分列之子環七十餘始歿克侯尙壯時出遊吳越間

書陶石公印譜前

陶石公碧晉江人嘗從江皜臣學印章而固不拘拘皜臣一家侗氣誼遠自丹霞顧予金陵値予罷官時閩亥方守湖州慕石公招之甫至而閩亥亦罷官石公寄語予曰鈍秀才所値如是吾將不復出矣

書楊叔夜印章前

楊叔夜玉暉閩之長汀人以孝行爲鄉里所推詩文皆能獨出己意汀士多從之學黎司李娩曾鄭大令健也輩出皆其門晚以明經作教南靖以文字交於予不甚留心於印章偶一爲之遂臻上品予在繫所愧曾來顧出一印鐫眉山句走馬聯翩鵲噪人云楊夫子以此兆公也不三日予蒙國恩生還至今感其意予所得叔夜印最多患難中散失殆盡惟餘數方敍次於左

書吳平子印章前

莆田吳平子晉初作印多用莆田派莆田人宋比玉者善八分書有聲吳越間後人競效之至用於圖章古無是也平子從予遊見其所藏銅玉章及日今名印譜遂一洗其舊習久客都下名重一時平子豪於飲每當風日晴好策蹇從一童子醉遊西山竟日忘返兒子浚近從都門歸云平子娶妻生子老在燕市酒徒不復憶故鄉矣

書林公兆印譜前

公兆林熊莆田人久棄家遊吳越間住醉李最久予因醉李彭孝先司李識之孝先予同門友也以故爲予致公兆刻印最多後公兆遊齊魯間取婦東萊過青州與予盤桓久之得其手製益夥公兆爲印動以漢人爲法不妄奏一刀詩畫及分書皆楚楚可人閩自海上亂文人墨士多有避地不能歸如平子公兆輩者不可枚舉可悲也夫

書吳秋朗印章前

吳秋朗暉閩樵川人予丁亥自維揚量移入閩阻寇樵川者八閱月日從事雉堞間樵在萬山中四方玩好之物不入士人聞見士遂無他好以紛悅其心志間有以五七字投余者余輒磨質墨答之予爲刻萬山中詩至今姓氏咸朗朗在予意中垂廿餘年秋朗見余於白下予在樵固未識秋朗尚少耳故未能見非失秋朗也秋朗能詩工畫行楷亦多逸致印章好倣文何樵在萬山中士無

他外好而秋朗多技如此詎不異哉詢樵士知鄭胎聖倫楊浚颸翰龔而雅宜鄧生公林久化爲異物矣見秋朗不勝并州感也因摘其圖章一二附譜中

書吳尊生印譜前

六書之學亡賴摹印尚存其一體予嗜此最癖廿年來致此亦最富然見他人所有配合奇稱如天位地設者顧予名字不如是憾不移易以就之逢人大索不知生平能著幾兩屐也倪鴻寶太史嘗誚今之爲時藝者先架骸結肢而後召其情予謂今之爲印章者亦然日變日工然其情亡久矣予今年再入榕城得吳尊生手鐫數方蓋眞能自致其情者篆籀之學將賴尊生以傳大江老人常稱尊生工詞箸繭生亦爲余言尊生自爲樂府擘阮度之嗚嗚自適也古學幸留於今日者篆籀在圖章律呂在齣曲耳觀尊生所爲其有微尚也夫尊生名道榮新安人今家於閩

書顧元方印章前

顧元方吳門人亦字元芳舊字不因吳越人但知爲元方而不能舉其名予家有一印曰顧聽篆類元方意即其人而羣以爲非後秦以巽以元方所臨漢章譜相示乃知果聽也元方爲印直接秦漢意欲俯視文何者予索其譜於吳門一目不識丁之子守其數十方譜貴於拱璧予以其中有予友萬年少跋語欲購之其人便索多金及予再索則非百金不可予乃嘆吳兒之狡獪眞不可語也後從他所購得百餘方乃大勝吳兒所藏袁籜庵幼與元方同學語予云元方性好潔室中器具皆有別致家貧賴治印生活垂老不能博一博士弟子員亦足悲矣

書邱令和印章前

邱令和敗吳門人令和作印全做顧元方幾幾乎神似矣元方吾不得而見令和固余同時人予亦未之識辛卯春予托從兄禹圖走吳門市隹玉命周爾森父子盡做漢玉作紐篆文雖出令和手然實爾森父子碾成今但以令和著者

以爾森父子不知篆籀不足書也令和所篆其紐之佳者予患難中盡爲他氏有予嘗諷人好篆勿鐫之好玉好凍上以此其爲予作之外皆得之九龍秦以巽先生

書不知姓名一印前

丁亥之秋秋余量移入閩至梁谿客有投我以此印者不知客爲誰或誰何氏浼客作以貽我耶顧其刻則甚工惡篆日來而此君終不可見二十餘年徒往來於胸而已時復自解曰秦漢人銅玉章傳世者比比一無欵識又安能知其誰作予先是聞昭陽李映碧有不知姓名錄載前人有姓著而名亡名著而姓逸者以字行而無名者並無名姓者心極慕之而未見其書因筆之書影中映碧感予意即以此錄寄我約千葉鈔本也予力不能爲之梓因命兒子錄之以錄本歸映碧而存其原本恐錄本有誤字映碧可自爲訂正也何時晤映碧遂添此君於中或曰公固云秦漢人印不知姓名者多矣何獨載此君然君固子

意中往來之人也焉得不載

書汪宗周印章前

自何主臣與印章一道遂屬黃山繼主臣起者不乏其人予獨醉心於朱修能自修能外吾見亦寥寥矣歙人汪宗周皜京頗以此自負予錄其一二於後使世知主臣之後繼起者如是也

書姜次生印章前

姜次生正學浙蘭溪人性孤介然於物無所忤食餼於邑甲申後棄去一縱於酒酒外惟寄意圖章得酒輒醉醉輒嗚嗚歌元人會稽太守詞又好於長橋上鼓腹歌衆環聽生目不見向人聲乃益高每醉輒歌歌又必會稽太守詞不屑他調也方邵邨侍御爲麗水令生來見謂侍御曰公嗜圖章我製固佳願爲公製數章正學生平不知干謁但嗜飲耳公醉我我爲公製印公意得正學意得矣侍御乃與飮醉即歌會稽太守詞於是侍御得生印最多侍御署中釀亦爲

生罄矣一夕漏下數十刻署中盡熟寐忽剝啄甚侍御驚起以爲寇且發不則御史臺霹靂符也驚起詢則報曰姜生見侍御遣人謝曰分夜矣請以昧爽生訇訇曰事甚急侍御以生得他傳聞意外也急趨迎之執手問故曰我適爲公成一印殊自滿志不及旦急欲令公見也事孰有急於此者乎遂出掌中握視之侍御乃大笑復曰如此印不直一醉耶於是痛飲辨明而去去又於橋上歌會稽太守詞橋側餅師腐家起獨早競來聽之謂此君起乃更早遂已醉耶生意乃快甚生無妻無子常自言曰麯蘗吾鄉里吾印必傳吾之嗣續也吾何憂別侍御返里年八十卒辛亥秋侍御以生所爲印示余予入之譜復檃括樓崗太史述生事錄之於前侍御曰每展玩生印覺酒氣拂拂從石間出生歌會稽太守詞聲猶恍惚吾耳根目際也

李箕山

海陵李箕山穎予聞其名於吾穆倩老友紀贇叟以其譜見寄題其册曰箕山

工詩畫少精篆籀之學攷古金石之文多人所未見深思窮研豁然有得故點畫刀法之妙洞微穿穴人巧極而天工出至於性情高澹超然塵俗之外尤不可及觀命名可以知其人也予因得而敘次之

印人傳卷三終

印人傳附印人姓氏

朱修能 簡休甯人　姜羊石 貞金華人　吳午叔正陽休甯人

胡全子其孝休甯人　吳亦步 迴歙縣人　何不違 通太倉人

龔 坤　丁秋平良卯錢塘人　陳古尊 雷杭州人

朱石臣　歸文休昌世崑山人　王叔卿夢弼歙縣人

張平憲　汪 徵 婺源人　汪先之 銛

程稚昭 晉　陳文叔 賓仁和人　施大千 萬錢塘人

陸仁父 惠仁和人　丁元公 錢塘人　胡克生 湞錢塘人

俞企延時篤錢塘人　高培宗 治仁和人　馬白生 麟仁和人

范若傾 潁仁和人　黃素心 璞錢塘人　全君求 賢錢塘人

李考叔 潁仁和人　周仔曾廷增會稽人　胡蘭渚 馨山陰人

劉漁仲履丁漳浦人　羅宏載 坤會稽人　王綸子 言休甯人

陳元水上善嘉定人　陳簡侯　枚錢塘人　汪無波　如休甯人
倪師留越名江甯人　張雪鷗我法武進人　孫竹民　吳秀水人
何大春延年桐城人　馬西樵　駿山陽人　顧子將　溥錢塘人
葛南閭　潛華亭人　祁天璧　毛子霞會建武進人
范西漢　方彥博雲施桐城人　米紫來漢雯順天人
李石英文甫金陵人　方東來雲晪桐城人　文甫
甘寅東　暘秣陵人　范潛夫　洪元長　武林人
王靈長人龍錢塘人　魏楚山植一字伯建莆田人　錢燕穀昌祚武進人
徐虎侯　寅秀水人　吳不移　寧宣城人　徐東臯　光蘇州人
李渭珍　瑛江甯人

繪事圖章皆先大夫所篤好而好圖章徵異記先大夫自自用圖章外凡名人鐫製有得其印者有得其譜者更有印與譜俱不可得而亦必多方搜索從人印數章或數十章以歸錯列之册子上時時展玩不釋至舉生平著作一切焚棄後人有以文字請屬者先大夫多不之應惟愛玩圖章不少異因更取前之所集依人爲類而鱗次之各識其槩於首一如讀畫錄之傳其人之家世之里第所自訂交與夫染翰之時之地云者但錄成於未焚書之前而傳成於既焚書之後耳然一以人未全而得全其書一以書得全而未全其人正復相等不孝在浚從卷册纍纍中手自繕錄敬而登之梓後之君子其亦知先大夫謝絕文字因緣時猶不忘情筆墨若此乎嗚呼先大夫是時固以隨手筆記自娛樂不復作文字觀而數月之間遂成一書若此使先大夫得至今日觸緒俯仰抒寫胸臆即可爲誌林說部之編者當不知其幾矣而遂絕筆於此焉能無感痛於中腸也乎康

熙歲次癸丑清和不孝男在浚記於讀畫樓之廬屋

續印人傳八卷

葉舟社長重刻是
傳網羅閎富蔚為
大觀屬為題首聊
記綴語以誌欣忭
庚戌夏五善化唐源鄴

唐源鄴

敍

金石藉人而傳人亦藉金石以傳非金石之壽果足爲功於人也扶輿清淑之所鍾實有其必傳之實雖經水火兵燹之厄族冑世代之遙艱危備歷而卒無可泯滅者不啻麗金石以並壽則固存乎其人之能自壽其傳究非金石能與人爭力矣同門友汪駕部秀峰先生素嗜金石篆刻蒐輯歷代古印上溯秦漢晉魏以迄 國朝其精者且復逾萬熊熊奕奕古澤常新曩讀集古印存一書許爲空前絕後軼古超今之作藝林同志絕不以余語阿好視宜和印譜等編摹沿失眞悉可屏劕餘別爲飛鴻堂印譜諸書不下數餘種則又薈萃時賢精手可企頡古人者仿周櫟園先生成印人傳若干卷述其出處始末率手能製印人印偕彰胥一時之雋也蔚乎盛矣君自少壯游歷江浙間交契皆海内名宿繼耳車馬之跡大半天下詩筒酬報聲重雞壇聞見既多蒐羅日富歷官府邸公餘風雨不輟著書故其述作較盛此其一種間以示余云所癖在發揮原

委討溯實隱與印存相表裏特不自詡其必傳也余謂從來不朽之業挺作相爭識大識小何一非斯道所存其游藝之因時因地而著者雖上哲亦不能以掩苟可表見方來爲精神所溢寄何弗錄以示後藝無弗傳其人亦益以傳然而不容苟也必核其人其行資幹超羣或藻望爛然或趣尙耿介或落落有片異可標不自汨棄之處則不惜筆以傳之若夫粥粥偭規妄矜一得爲庸耳俗目所豔不克軌就大雅輙拒勿濫登蓋其愼也由是觀之古來法書名畫之垂靡不視其人之可久可慕而始足膾炙人口獨篆刻乎哉是書之成足勵夫天下後世之以藝傳者無自苟其所尙即謂之篆史亦無不可是則作者善善從長之微旨也夫

乾隆五十四年春二月之望華亭門愚弟王鼎拜手書

續印人傳目錄

古歙汪啟淑訒葊編次　仁和葉銘葉舟校刊

范安國　吳　鈞　金嘉玉　桂　馥　朱宏晉　聞鐵橋
吳士傑　仇　塏　陳詩桓
卷四
欽　岐　朱文震　周　芬　杜世栢　陳　渭　張錫珪
王　轂　余國觀　徐　堅　董元鏡　汪　芬　王世字
董　洵　懷履中　吳　晉　錢世徵
卷五
王睿章　閔　貞　余鵬翀　汪　斌　程瑤田　甘　源
戴厚光　黃　易　蔣宗海　汪　成　南光照　朱　琰
方維翰　夏　儼弟汝霖附　嵇承濬　王　游
卷六
黃景仁　梅　德　俞廷槐　嚴　煜　黃掌綸　花　榜

徐觀海　許鉞　毛紹蘭　杜超　井玉樹　婁煒

翟潢生　金鏐　楊心源

卷七

楊汝諧　岳高　施景禹　張梓　鄭基成　黃埴

鄭際唐　黃鉞　吳樹萱　高秉　趙丙棫　徐鼎

附弟鈺　鞠履厚　江源　孫克述　曹均　袁宮桂

卷八

朱德坪　楊謙　方成培　金銓　陳元祚　錢樹

樊紹堂　迮朗　楊瑞雲　明中　湛性　篆玉

湛福　續行　佛基　吳潤　魏喬　金素娟

續印人傳目錄終

歙縣汪秀峰先生小像

宣統庚戌夏五仁和葉葉舟摹汪氏集古印存本

己巳仲春錢唐馬冲寫

汪訒菴先生小傳

君諱啟淑字愼儀號秀峰又號訒菴安徽歙縣人官至兵部職方司郎中居江蘇婁縣金沙灘癖愛古刻家中開萬樓藏書數千種兼喜篆籀窮搜歷代圖章編成集古印存飛鴻堂印譜漢銅印叢退齋印類錦囊印譜以及各種印譜共成二十七種行世

宣統二年歲次庚戌夏五月仁和葉 銘謹錄

續印人傳卷一

古歙汪啟淑訒葊撰　　仁和葉　銘葉舟校刊

徐夔傳

古來才人文詞卓然可傳不必有其遇不必永其年獨挾此區區爲世俗所不能爭而賢豪差足以吐氣余于徐君龍友重有感焉徐君名夔長洲諸生龍友其字也前明通政徐如珂之曾孫素性伉直戚友有過恆面斥之而不存蔕芥著有裒爽亭詩集寡女以女工所入鬻剞劂而行之歸愚沈宗伯爲之序嘗稱其論詩有曰偏峯側出皆在所貴而獨疾夫平易枯淡以自蓋其陋者此實詩人之金針也序中評其詩曰摭拾奥博而能探其原馳騁變幻而不傷顛蹶不淪荒怪蓋龍友詩之定論云年四十餘始一遊京師不屑時趨不向貴人門投刺時論高之龍友既目空一世世亦目龍友爲狂生羣起毀之獨居旅邸至炊烟不續困而歸乃自悔其北遊之大謬也調膳養母之餘結城南詩課與張子

永夫陳子有九丁子樹芳諸人聚飲酣嬉別白流品縱論古今成敗山川形勢旁及刀槊馳射神仙雜藝荒怪之事高談雄辨往往驚其座人其豪宕不羈如此此甲辰三月應廣南學使之聘甫及匝歲竟卒於粵年僅五十龍友於書無所不窺詩文悲壯間作金石篆刻蒼健秀雅得文何二家法余嘗從歸愚宗伯處獲其數紙今登于譜然世多不知其學殖之厚文辭之豪而但稱其藝事之殊絕爲述其生平梗概俾後世知龍友不專以印人見也

高西園傳

高鳳翰字西園號南阜山人山東濟寧州人也自幼穎異好讀書長而博學經典究精藝術負超卓之才尤豪於詩酒酣耳熱揮灑烟雲往往千言立就究心繆篆印章全法秦漢蒼古樸茂罕與儔匹山水極縱逸不拘於法以氣勝草書圓勁飛動有生趣具經濟才聲華籍甚以諸生舉賢良一等分發安徽歷署歙縣丞績溪令均有政聲及題授儀徵縣丞者讒之謂與盧運使見曾結黨掛名

彈章故南皐有詩云幾曾連茹茅同拔卻爲鋤蘭蕙并傷又云不妨李固終成黨到底曾參未殺人對簿日陳詞慷慨有戴就風概事終得白會抱痺廢諸事尙左手感鄭元祐尙左故事更號尙左生漂泊江湖間放於詩酒性嗜硯所藏皆手琢自爲銘詞卒年六十一著有硯史擊林湖海岫雲鴻爪歸雲等集

周頓菴傳

周整字頓菴浙江仁和縣庠生銀臺公之裔也其先本鄞縣高祖遷杭遂卜居焉家世甲科清白相嬗頓菴賦性聰穎孟年對賓客詩文操觚立就老師宿儒皆憚之遊黌舍有名於時然性不喜帖括以爲敲門磚不値錢未嘗留意焉惟專力於古文及六書與穆門徵君京爲雁行相與切磋討論譽隆隆日起所爲文奇奧深峭有孫樵劉蛻風俗眼觀之輒掩口胡盧而去秋闈鏖戰不下數次而解名時每落孫山外久之不耐塌屋乃絕意自適晚耽禪理珠宮梵宇一笻一笠往往托迹焉壽至八旬而卒其所製印不自愛惜時人亦無有知之者未

獲彙成一譜殊可惜耳

黃孝錫傳

孝錫姓黃氏字備成號約圃吳縣木瀆鎭人木瀆雖吳之一隅地而人烟稠密商賈輻輳土斷者豪侈耽逸樂日徵逐于飲食聲伎間而約圃超然特出於塵埃之外所居左圖右史花藥盈階香爐琴薦忘其在闤闠間也蚤歲席前人遺貲頗饒于財約圃厚自奉養性拓落不繫心於米鹽零雜先習舉子業不喜爲帖括之學獨裒集兩漢六朝及唐宋以下大家詩文讀之輒有所得生平好結客客之遊元墓者經木瀆必訪約圃先生繫籬畔之舟投井中之轄流連款洽相與擊鉢飛觴以爲樂事家有小樓可登眺具區烟波洸漾七十二嵐光明滅皆在履舄之下每酒酣耳熱與客踏梯桄踞檻楯商榷文藝賞鑒尊彝罍洗法書名畫從容寄興意甚得也客有陳陽山者精篆刻工雕鏤蜚聲藝苑常主其家討論古今晰其源流支派獨有悟入處遂棲情鐵筆其所宗尙大約瓣香云

美沈歸愚宗伯及家山樵亟稱之後屏棄一切專精三十年藝益工而家日益落聲名藉甚吳會間得其一波一磔莫不珍庋以爲枕秘求之者屨滿戶外然不屑爲俗予一奏刀以是譽之者半毀之者亦半欲避謗而家置一喙不能也友竹徐君約圃甥也予因徐君得交於約圃嘗造其居縱譚秦漢以來金石文字及後世印譜得失有針芥之合于時樓外梅花盛開香雪霏霏飄墮巾袂新月在檐一杯在手友朋聚處之樂無過於此年華炊黍彈指俱成往事約圃歸道山已二十餘年舊雨飄零墓草已宿能無慨然著有棣花堂印篆譜學二種令子能梓以問世否惜予猶未之見也

朱介傳

朱介字公放初名杏芳字雲栽歸安縣人弱冠即補湖州府學官弟子有聲庠序久困塲屋息機擺欆甲子後不復再赴棘闈遂改今名字山漁自號蕘稗道人蓋自寓其意也放情山水之餘不治生計肆志於金石篆刻猶不足以寄其

嵜嶔歷落之概乃從事於音律凡五聲相逐七均相轉十二律相終始以及九宮三變之微旨數百年來因革是非皆能指析其毫芒故雖身落江湖而名蜚京國辛未春　翠華南幸莊滋圃大中丞撫全吳時延譜迎　鑾新曲膾炙人口一時爲之紙貴盧雅雨運使再至兩淮館于署齋月餘成玉尺樓傳奇一部授之梨園揚州人爭購之于是有井水處莫不知有朱公放矣倘令得志於時獲賦鐃歌法曲歌詠太平則周邦彥之領大晟樂府詎能專美於前耶惜乎畢生偃蹇未伸初志詞人少達多窮古今同慨著有摹印篆一卷印譜一卷山漁刻印稿一卷宮調譜八十卷

袁三俊傳

袁君三俊字籲尊號抱甕江蘇長洲縣人也生而炯介篤志古學居葑門與沈文慤公歸愚師同里閈有戚誼童時在邨塾中即喜篆刻父師訶責不能止宿火甃中人靜後鏗鏘有聲便楚楚可觀故早有聲譽不樂爲科舉文惟肆力六

書研究豐豊東宗之詭章法秦漢兼得顧苓陳炳之神韻品高潔向人不名一

錢非可以貨得更爲時賢所重文愨公嘗有寄懷抱蠢詩云比鄰兼戚友憂喜

兩家同我作移枝鳥君疑斷梗蓬相思俱異地相見各衰翁魂夢難忘處依依

葑水東吳中談篆刻此事獨推袁溫潤存剛健支流會本原古文人莫識小道

爾能尊何日分斯籀樽前聽細論予前在薛徵君雪南園中得識之求篆十餘

鈕迄今鈐用時猶想見其古心古貌求之當世殊不可得已著有抱蠢印稿亦

文愨公爲之序子孝詠字慧音能世其業

沈皋傳

沈皋字聞天浙江歸安縣竹墩人生而警敏讀書一目數行脫口輒能成誦博

聞强記蜚聲黌序間性峭直與俗人處夷然不屑不爲脂韋絜楹之行人多忌

之絲竹篆刻無不精妙而尤工筆刀終歲浪遊田衣山屐相羊於湖山烟水之

中至名勝處輒縱酒高歌聲出金石不沾沾科舉業故屢踏省門輒暴腮而返

其鐵筆最工白文絕類何雪漁蘇嘯民所著有六泉印譜四卷

聶際茂傳

聶際茂號松巖山東長山縣人也性淳篤博學經籍及爲學官弟子終歲潛閉著書不爲苟合詭隨取悅於當世留意六書寄情鐵筆師安邱張卯君以蒼深雅健爲宗高自標許不輕爲人奏刀遇書畫家則欣然鐫贈否則酬以兼金不可得也文戰屢擯於主司居閒處約恆以潔白自守斗室蕭條灑然超絕德州宋蒙泉弼廉使官編修時招至京師河閒曉嵐紀侍郎昀一見獨心賞焉逢人說項遂得游公卿閒名譽翲起畿輔總制桐城方觀承問亭先生好秦漢印聞松巖名延之鈴閣松巖草服敝屩人見長揖就坐總制公以其樸直甚優禮之著有司空表聖詩品印譜北平黃大中丞叔琳爲之序予因其同鄉方主政昂得乞所製數鈕焉

黃呂傳

黃呂字次黃號鳳六山人安徽歙縣潭渡人白山先生之嗣君也白山著作等身名藉藉大江南北間兼通六書工篆刻鳳六舞象時素禀庭訓所製即多遒勁蒼秀有秦漢遺風兼精繪事山水人物花鳥蟲魚縱筆所如皆臻絕妙書法晉人晚年益樸茂每作畫成輒題詩幀首以自所鐫印鈐之人謂具四美焉鳳六詩謝去雕飾天眞爛漫惜不自收拾傳者蓋寡焉其及門有名宗繹字仲覓者亦自幼嫺習篆刻工寫漢隸章法古健索其書者殆無虛日又手畫印章二帙幾與印者無別丙子菊秋予歸耕綿上往還甚密得其詩畫頗夥貯敘書樓中鄰人不戒于火盡爲鬱攸奪去良可歎也

胡志仁傳

胡志仁字井輝號曙湖晚號華顚老人浙江山陰布衣詩有逸材天然高澹不琢不雕工篆刻家貧不治生產輒藉此爲八口衣食得百錢數日給則如嚴君平之賣卜便垂簾讀書類退院僧矣非其意者雖餌以重貲不能得也晚年選

漢印之精者五百鈕手自摹勒成譜又喜周櫟園印人傳爲各篆名字印二方作一譜以傳世剞劂成忽中風卒卒年八十有二歲曙湖具數十年苦心殫精竭思可謂三折肱矣乃黃金擲虛牝垂老無一知者即有一二能道其姓名而要不出於越之間其亦可悲也夫其弟子趙芃若亦善製印欲得其所刻印彙譜以傳而寡媳秘不與後數年家益貧聞悉出以易米于市惜哉

陳鍊傳

鍊玉道人陳鍊字在專號西葊閩之日安縣人流寓華亭樂峯泖之秀遂家焉幼清羸弱不勝衣事帖括輒爲二豎侮乃歎曰命也夫遂甘心爲山澤癯性嗜古每入市見鐘鼎盤杅摩挲不釋手然貧無力購惟嗟惜而已書法懷素有古致可觀學鐵筆悟少陵書貴瘦硬通神之語有所得已而得朱修能譜師其指授以爲篆刻之能事畢矣一日過予予出先秦兩漢銅章數千鈕示之不覺拍案驚駭若遊山者之忽然而登岱觀水者之忽然而汎瀞也則且窮搜博採冥

思默會得之心而應之手遺其象而追其神於是篆法刀法遂直造於古而不拘乎一格時作小詩服膺温李詠物諸什每摘清新句且吟且讀靜坐小窗聲琅琅出環堵第善病經年强半在藥裹中又復米鹽零雜經營八口悴心勞神而且在貧如客無故於親知間作一稱貸謀夷然不屑也當其寂處無聊偶或寄情弦索然歌場酒座則堅匿其技恥爲人知江蘇方伯吳公壇雅慕其鐵筆兼高其品介沈明經珠南屢招之並以屬予西莽以山人不宜干謁貴官卒不往與予交二十餘年始終無間言有愛子聰穎獨絕年方舞象即能繼其學且署款極精雅患小疾爲庸醫所殺益悒鬱無聊病更劇乙未秋竟下世年僅四十有六所著超然樓印譜秋水園印譜又與杜葭軒有印譜合璧之刻皆已風行海內其西莽詩鈔若干卷猶藏于家惜無力付剞劂氏

顧光烈傳

顧光烈字開周號楓林世居浙江之錢塘縣賦性高潔恬澹寡欲幼讀書不喜

章句之學惟研究六書篆刻凡有所作精心扣擊必窮極其根源務取合於古人加以晝夜思索遇會心時始奏刀騞然故求之者不可驟得每云能事不受相促迫也家素饒於貲後中落又善病然淡泊自甘屏除塵累非知己好友即壽以多金不輕受晚得異授鈎稽壬遁之術其推算刻應無不響驗晨光始通占問者履滿戶外日亭午即垂簾讀易不妄交遊乙亥春曾爲余鐫大小石印十餘鈕風韻在蘇泗水吳亦步之間杪秋余歸歙掃墓楓林忽得噎膈症賫志而沒今每過其所居緬懷雅度不勝有人琴之慨云

嚴源傳

嚴源字景湘號素峯江蘇常熟縣人前明相國文靖公後裔也性資瀟灑薄利祿幼習舉子業不耐塌屋苦遂棄去肆力於詩古文詞尤工集唐天衣無縫一時稱之嗜金石文字究心說文玉篇等書且得文靖公家傳古銅玉印暨譜八卷昕夕摩挲食古已深又親承浩菴徐太史指授遂以鐵筆寓其寥落不偶之

踪師尙泰漢不屑屑法唐宋也年旣長親串多慫恿其入都希際遇顧數奇相識中能領方銅紅沬之趣者無幾矧長安居大不易烏能俾旅食峥嵘困而歸爰輯其平生刊印彙爲譜又力綿不能付剞劂錦帙牙籤惟自珍襲之丙子秋予薄遊金閶邂逅素峯於萃古齋書肆傾蓋有水乳之合詫謂肆中人曰源平生今得一知己可不恨矣詰朝予過訪其寓齋琴樽楚楚無一俗物洵可人也舉所藏古印稿並自鐫印譜石章相贈時已老病羸甚自言一生耗心血習此技今識君宜以付託辭氣慷慨欷歔予亦深嗟異之時以他冗越一宿即解維別去其後浪跡萍蓬不至吳中者數月而友人來有識素峯者云已歸道山矣惜哉因攜其所惠譜返新安擬暇日錄識數語存其略辛已戊子兩遭祝融之厄凡所筆述或未竟者咸被六丁取去致蹉跎彈指頃忽數十年未補一傳深悵負此良友頃曝書忽得伊譜副墨展誦其駢體自序恍接謦欬於虎溪烟月間也嗚呼其可感也夫

蔣元龍傳

蔣元龍字乾九一字雲卿號春雨浙江秀水縣人也予於丙子歲秋杪從治堂范明經孝廉魏松濤兩君處早聞其名習知篤學嗜古工詩文精賞鑑究心金石書畫出其餘技寄興於鐵書喜用釘頭隨意鐫刻多白文不假修飾頗饒古趣蓋私淑丁龍泓隱君耳嘗館予宗人鶴儀堂予過訪因得識荆州叩其所學殊有本源益信兩友之賞識不謬春雨隨出賜戴笠圖行看子屬題曾走筆率成五古一章春雨亦以其所製印見貽後予入都別來二十餘年惟聞於辛卯歲僅得副車未獲一第俾其賡歌廊廟良可惜也然其門下士濟濟入詞垣者不一其人且春雨著述甚富信其爲傳人必矣安得遇好事者謀壽諸梨棗流播藝林哉

續印人傳卷一終

古歙汪啟淑訒葊撰　　仁和葉　銘葉舟校刊

丁敬傳

丁隱君敬字敬身號龍泓山人一字鈍丁其讀書之齋曰無不敬浙江錢唐人起闤闠中而矢志嚮學於書無不窺嗜古耽奇尤究心金石碑版務探源流考同異使毫髮無遺憾焉時杖履兩峯三竺間凡遇磨崖嵌壁篆刻莫不手自摹搨著有武林金石錄該博詳審頗有裨志乘之遺漏性狷介不妄取與人以是高之詩古文筆力超雋迥出輩流兼有皮陸之博奧不襲郊島之寒瘦信可流傳不朽矣以其餘緒留意鐵書古拗峭折直追秦漢于主臣嘯民外另樹一幟兩浙久沿林鶴田派鈍丁力挽頹風印燈續焰實有功也乙丑春予因柳漁夫子闌入西湖吟社得訂交於先生垂三十年心折其爲人他不具論跡其長揖果毅訥公之堂力却苑卿江頴長之幣堅辭制府方問亭之徵高風卓然如野

鶴山槧不可羈勒所著詩古文集甚富鄰人不戒災及其廬罄所藏弆盡化黑蝶所流播者蓋幾希矣晚歲學愈老而家愈貧抑鬱無聊往往使酒罵座忌之者亦不少云卒年七十有一

强行健傳

强行健字順之號易窗道人占籍松江之上海縣幼孤家貧志學弗倦母氏篝燈夜績於紡床之側讀書宵分忘倦數奇不得一青衿慨然曰落落研田坐荒歲月不謀生計何以爲甘旨之奉耶同邑有李挨文者名醫也順之從之遊究心靈素及張長沙脉法精微方論閫奥盡得其傳是以出而爲人治病單方重劑應手立瘥一時求療者輻輳其門得所酬悉以奉親然意薄時趨興與古會書類鄭谷口詩法陸劍南應接稍暇輒弄筆墨袪塵俗而悅性靈不求人知然聲譽已藉藉矣篆刻一道師何主臣蘇泗水著有印管十二卷復著印論二千餘言多所發明海內薦紳名流爭與結納咸爲之序歲丙寅浙江潘絜堂方伯

禮延之未入幕前館余開萬樓所夕暢論上自秦漢下逮元明印學淵源凡目睹心存互相參訂頗相浹洽余往來於九峯三泖間順之聞余至必過寓存問劇談竟日爲余鐫大小石印甚夥已選入飛鴻堂印譜其自著則有易窗小草醫心錄醫案學吟小草傷寒直指等書惜無力梓行

徐堂傳

徐堂字紀南號秋竹又號南徐浙江仁和縣人幼孤露家素饒裕然好讀書儲字畫廣交遊弱冠補博士弟子員名噪黌宮既而負笈董浦杭太史之門得其指授學業日進吟詠餘閒講習篆籀鐵筆常語人曰鐵筆雖雕蟲之技然究心於此者必須先識篆法筆法章法而後縱之以刀法非徒尚殘缺粗劣爲蒼古也其議論頗正年來家事漸落又困場屋不獲展其才輒縱情杯罍湖山雪月一篷雙屐往往倒載而返其所製印類皆秀整中含蒼勁昔人云頹若黍稷之垂露蘊若蟲蛇之棼縕此二語可以移贈南徐矣卒年未及五十所著有藉豁

古堂詩集二卷西泠吳隱君穎芳手定者

潘西鳳傳

潘西鳳字桐岡號老桐浙江新昌縣人僑寓廣陵性篤實方古愷悌無甚識見卓越曾受業於良常王虛舟澍之門虛舟十七帖成命桐岡書丹以竹簡勒之名曰竹簡十七帖後歸大內雍正甲辰客大將軍年公羹堯幕時多匡助後有獻可不納即拂衣辭歸矢志以布衣終亡何還越東掃黃岡嶺太保公祖墓偶得奇竹於山麓裁以爲琴而闕其徽爰以竹鬚代調之成聲且清以越蔡邕焦尾不能專美於前矣以其餘技鐫製印章貽諸戚友一時尙之好古之士爭購焉其同與遊者爲費執玉鄭板橋李復堂楊吉人顧于觀李嘯村吳重光諸君也子封號小桐亦善製竹印能傳家學云

劉虛白傳

劉淳字叔和號虛白鐵嶺人曾祖秉權巡撫粵東謚端勤祖思儼侍御史康熙

慕名乙未科武狀元雲南開化鎮總兵官劉賽都號研齋其父也虛白生而穎慧雅好讀書習詩賦學篆隸以漢文秀才赴鄉科不屑爲卑鄙時藝屢爲有司所擯研齋公望子成名心切遂令改途由武生歷雲麾使兼佐領公退灑掃一室惟作畫賦詩以陶寫其性靈兼究心於篆籀摹古印章專意師法秦漢高古蒼健可方駕錢塘丁龍泓且善琢硯後以督造金器虧缺致遭城旦通州杜門焠掌鐵筆更神妙詩文益豪放畫愈奇逸天殆玉成之也瓜期得釋寧家猶自以爲不足遍遊海宇尋師訪友致家業蕩然亦不悔倦歸戢影蓬廬酒盃詩卷超然自得所著有虛白印稿及虛白詩鈔

李石塘傳

李德光字復初號石塘江蘇華亭縣人有負郭田粗可給衣食少年銳意功名赴童子試不利即納粟入國學就京兆試屢困省闈遂絕意進取縱情麴蘗不問家人生產家漸落繼乃耽玩篆刻好金石文字肆力摹古銅玉牙石莫不精

妙乙亥秋江蘇遇偏災盎無餘米桁無完衣窘迫殊甚而債主就索者屨滿戶外因盡棄其產以償夙逋薄裝單舸浪遊浙中愛西湖之勝解榻四聖菴邂逅丁隱君敬一把袂訂爲莫逆交極賞其刀法蒼秀屢言於予延致開萬樓盡出所藏古印及諸舊人譜昕夕討論技益進其鐫玉章與牙石無異不崇朝輒成一鈕腕力最猛然孤潔傲亢之性殊不易近予雖遍爲稱譽而賞音落落期年歸三泖教讀以餬其口然日遊醉鄉生徒星散人多尤之晚年愈侘傺無聊竟窮困以死年已七十其鐵書之衣鉢相傳者聞有十餘人予所知者鍾敬存錢世徵而已

姚奫傳

姚奫字季調自號樗園居士江蘇長洲縣人也賦性孤冷不苟然諾然有雅淡趣工詩文善草隸不喜習帖括絕意進取家素清寒掩關讀書庭蕪繞戶夷然不屑除之親串有規其應試者便自笑曰吾賦形癯陋非簪紱中人偶寄興鐵

筆宗云美顧氏摹漢工整一派然不輕爲貴人富翁奏刀適逢舊雨雲客薛君子升官蘭溪少尹素風雅樗園因裹糧往遊金華三洞予因雲客得與樗園聯榻衙齋唱和頗洽曾爲予鐫十數鈕逮予里門遭回祿恨散失已過半樗園亦終潦倒年未五十遂卒吟稿亦零落惜其高逸乏知音也亟登諸譜而爲之傳其梗概云

張慶齋傳

張慶齋字裕之一字拙餘嘉興諸生賁𡡉先生之冢孫也經笥相授名噪黌宮居張山之麓因自號張山樵夫童時即不好弄愛讀書凡九流百家之說靡不心遊目覽工詩古文爲人倜儻有奇氣善水墨花卉膠山絹海充牣戶牖間而畫蘭尤爲世所稱人因號爲張蘭云兼精通六書專參文氏一鐙雅尙秀勁絕無塵氛氣少遊方朴山諸草廬兩先生之門主吟壇登選拔俱不脛走千里家貧爲人作嫁衣船唇鞍背裹糧而遊嘗經年不歸故里所爲文孤高峻拔不合

時眼文戰每不利遂侘傺以終其身所著有茗雲詩鈔北征楚遊中州草暨玉楮文集羣仙繪幅樓詩餘拙餘印譜行世

陳浩傳

陳浩字智周號芷洲江蘇嘉定縣諸生負超卓才志氣宏放數奇屢試於鄉不得舉因從辟書佐當事咸器重之後患肺疾而歸棄舉子業養痾林泉爐香茗盌惟考核三代古文秦漢篆隸以寄興而摹印尤得同里張紫庭秘授取法漢人撥蠟鑄印一派心摹手追積有歲月於汪杲叔王梧林之外能自成一家幾可媲美趙松雪良常王蒻林題其所著古藤齋印譜曰吳興復見又跋印譜云陳君特起南服續千載不傳之緒洵非虛語也性澂澹澄瑩蕭散不慕榮利家貧無子與二三朋舊豪吟沉飲以陶寫其磊落壯懷晚年撰篆隸源流印章典則二編甫脫藁即下世惜未壽之梨棗焉

俞元之傳

俞元之字貞起號介石浙江金華縣學官弟子餼於庠有聲譽然性豪邁不屑屑尋行數墨羈束才華終歲棲心古籍恥於苟合知交絕少無所標榜詩歌俊逸超羣與其品埒間寄情鐵筆頗高古有致余客蘭江一見結牙期纓石之契且深知予苦心欲續印燈一焰蓋非故爲白眼傲世者也惜竟以諸生老焉

沈世傳

予初識沈卜周於友人處見其落拓不羈無塵俗氣談及篆書古文源源本本頗爲淹貫意其爲士人也遂直造其廬懇爲篆石印數十鈕皆蒼秀渟樸蓋用中鋒鈍刀也甚愛玩之爲選入飛鴻堂印譜既而知其隸於方伯署祖父即居錢塘沈局巷世爲伍伯卜周獨賦性孤介幼讀書而域於令典四色人不許應試故上進無階家貧無以餬口勉承舊業稍藉工直所進以給事畜然惟究心翰墨書法得晉唐人風味詩亦臻宋元家數著有鼓泉集幾卷敝衣糲食怡然自得於隨班應役後歸輒閉戶焚香不問外事同類爭非笑之而士君子皆樂

與之爲友不以身賤而言論或有諂屈也前方伯潘公曾物色之俾鐫名印二方賚以四金辭弗受後令改從纖媚以逐時尚卜周即於廳事前階下磨去之辭以不能潘公知其素性亦不加譴責年甫三十有七抑鬱而死嗟乎欒郤之後降爲皂隸卜今周好學如此特以處賤而不得一伸其志念夫花落茵厠之喻能不重可慨耶卜周名世又字瘦生

印茅齋傳

印學禮字庭又號茅齋江蘇嘉定縣人少問學於玉峯朱徵君以載工吟咏善書法繼從陳智周游究心摹印之學所製多天趣其生平契合者求其技輿酣援筆咄嗟立就非其意者即勢脅之利誘之岸然不顧也性懶慢客有談及朝事輒掩耳喜結方外交每過琳宮梵宇必流連浹旬不去終身不娶後得峪血疾卒于海濱

俞琁傳

俞珽字君儀號笏齋初名培廷同郡婺源人工制藝垂髫應童子試不售即入粟成均以國學生赴棘闈仍見遺遂決志棄舉子業酒酣耳熱發爲聲詩以寫崎嶔磊落之槩留意吏治講習律例遊江浙當事間所至爭延入幕聲譽籍籍暇復肆力於六書古文師法雪漁爾宜深鄙俗刻纖媚有　上諭十六條印譜一卷行世自言冀以化俗勸善間亦游戲作指頭畫可頡頏且園高公後僑居姑蘇之胥門與予族兄芝谿有姻誼相契好芝谿訪舊遊吳必下笏齋之榻抵掌縱論古今輒窮晝夜予因芝谿得締交于君乙亥春予蘭溪歸浙笏齋扁舟過訪爲予篆大小石印數十枚相與提壺六橋散策兩峯極清遊之興次年夏遽得凶問年僅五十餘爾

張燕昌傳

張燕昌字芑堂號文魚浙江海鹽人也幼從笠亭朱明府琰資穎敏讀書日記千言過目輒成誦長而蜚聲黌序品學粹然爲韓城王偉人先生所賞識丁酉

以優貢舉於鄉平生深致推量與俗殊趣慕其鄉孫太初許竹雲之爲人著金粟道人逸事性好金石自周彝漢鼎禹碣宣鼓以及近代高人韻士之遺刻殫心搜羅不遺餘力聞有殘碑斷字在荒烟滅沒中往往襆被越千里窮危崖涉深箐而求之摩挲不忍去集所見爲金石契補前人所未備嗜篆刻爲丁龍泓徵士高弟瓣香何主臣蘇嘯民蕭疎宕逸眞能以鐵爲筆詩家所云羚羊掛角無迹可求而欵識樸茂尤可觀又工飛白書古致磊落所著有續鴛鴦湖櫂歌芑堂印存

方薰傳

君名薰字蘭坻號樗盦浙江石門縣人早歲淸寒能厲志折節讀書然性不慕浮榮儉約瑟居布衣疏食宴如也惟日以詩文自娛尤愛丹青每見前賢眞迹臨摹至酷肖方已苦學有年頗得畫家三昧但見時下刻印罕蒼勁古雅者不稱伊所潑墨爰博覽宣和印史顧氏印藪潘雲杰印範甘暘印正羅王常印統

蘇爾宣印略鴻栖館印選心領神會遂自解奏刀天資既穎用力又勤不數月
即闖入文何之室製名文則專宗秦漢隱迹鄉閭人鮮知之桐鄉雲莊金員外
都門歸一見有水乳之契延至家下榻焉雲莊家藏書畫最富相與考訂鑒賞
蘭坻畫遂日益進然體清羸善痒人求之者不易得所著有蘭坻詩鈔八卷山
靜居緒言二卷幷研齋印存四卷

陸頤齋傳

丹叔侍郎本姓費上祖嗣於陸遂以陸費爲複姓字丹叔一字礎士號頤齋晚
年自稱吳涇灌叟浙江桐鄉縣人三世祖以後代有偉人頤齋生而穎悟學語
時曾祖抱於懷中敎以門閭春聯十字即能識及長敎授經書常出意解業師
朱開周許其必能顯揚乙酉春　聖駕南巡召試一等第三名　恩賜舉
人內閣中書丙戌成進士官翰林院庶吉士已丑授編修　方略館纂修八月
恩科充順天鄉試同考官山左周永年先生出其房時稱衡鑒精確甲午正

月　賜內廷大臣茶宴丹叔和　詩稱　旨於常　賜硯石茶甌如意外又
賜唐寅梧竹圖一幀乙未陞翰林院侍讀學士丙申晉詹事府少詹提舉　文
淵閣甲辰陞禮部侍郎丙午轉左後以四庫書有撤毀未經奏明落職家居闢
一閣曰枝蔭左圖右史匜鼎羅列庭中富佳卉奇花極享文雅之福庚戌秋進
都恭祝
萬壽將及歸以微疴卒於京邸丹叔自幼讀書清暇寄興丹青究心篆刻所見
古章既多故奏刀深得秦漢人法以予爲知音曾鐫數紐見貽然丹叔文章事
業炳照青史豈合置於印人傳中蓋不忍沒其知己之誼耳所著有頤齋賦稿
枝蔭閣詩文集

續印人傳卷二終

續印人傳卷三

古歙汪啟淑訒葊撰　仁和葉銘葉舟校刊

沈祚昌傳

沈祚昌字乘時原名御天居木瀆之虹橋因自號虹橋居士爲江蘇吳縣學名諸生自幼穎異嗜古文不屑爲科舉學研討六書究心碑版金石篆刻師法顧云美陳虎文蒼勁中含秀雅深得古趣詩宗王韋古澹高華麗而不雕濃而不膩絕無酸寒蔬筍氣有集藏於家隸書臨曹孔楷法摹褚柳皆能窺其堂奧非僅得皮毛而已弟兄三人極友愛尋山釣水蕭然自得吳中詩人黃野鴻性極嚴冷傲睨絕俗不輕許可人見虹橋所製印輒嘖嘖稱羨不已作詩以贈並丐其篆法爭藏弆之其技足珍於人蓋可知矣予因蘭初沈君天中得訂交契得其所製甚夥辛巳春山齋被鄰火所延鬱攸收去幾半後其門人范立方業集伊所鐫印成譜曰虹橋印稿

張鏡潭傳

張鏡潭名鈞字右衡安徽歙縣水南鄉人去予邨甚邇家世力田清白相嬗鏡潭生而頭角崢嶸舞勺時甫入家塾即有志古學稍長經書外惟洛誦史漢古文師傳授以制義不樂也然室無奇書又苦貧困偶負笈遊漢上遇一道人笑謂之曰子好古而不識字將何所入門耶因稱貸戚友購覓陳倉石鼓禹穴嶧山諸碑忘餐廢寢昕夕研究而討論焉遂兼工製印刀法即蒼勁古雅殆天賦也性復淳樸取與不苟有邗溝族人某雄於貲重其誠實延佐理財鏡潭亦藉以少裕遇親串近支竭力推解絕不吝與予交幾十五載所倩鐫印甚夥惜遭胠篋亡失過半後復不戒於火災及伊室所藏古碑舊刻周匜漢鼎法書名畫所留娛老之資盡化黑蝶飛去由是抑鬱憤懣境漸艱窘不數年遂病卒所著有鏡潭印賞十卷

王青山傳

王公子順曾號青山直隸宛平縣人敬哉相國之曾孫也幼岐嶷負儁才讀等身書任情不羈性機警詩文倚馬立成赴童子試一不售即納粟入成均才豪氣猛自謂科名可唾手致乃屢躓棘闈遂屏棄舉業放懷於山絛水葉間日飲酒賦詩以其餘暇棲情篆刻弋志丹青意度灑落生產事絕不營念中年家遂落益抑鬱無聊冀得祿養以太學生考職得候選州司馬待久未銓常自戲鐫一印曰何州司馬境雖艱而詩筆益進飲量愈洪惜無好事常得載醪問字者每杖策浪遊有笑語投洽者酒酣耳熱無論夙好亦爲奏刀染翰苟逆其意即豪華賞鑒家亦唾棄不顧故衆論常少之然崖嶔嶔磊落無城府人也丙寅秋予從錢塘王澹園明府席上訂交曾爲予製數印別忽三十餘年音塵間如其近況未知能較勝於前否當訪悉而續書之

王小山傳

王燮字理堂號小山安徽蕪湖縣人少年任俠負氣呼盧縱博臂鷹走犬白打

之戲拋堶之事無不爲之又嗜飲使酒罵座旁若無人兄弟妻孥殊不堪之瑟居無俚仰屋咨嗟因游戲於篆刻師法程穆倩得其遺意挾三寸鐵繫鞋出門楚尾吳頭燕南趙北踪跡殆徧焉通州牧龍公舜琴其同鄉也寓書招之館于州廨勸其折節讀書兼習司空城旦之業然性喜金石文字而薄刑名法術爲不足學乃浪游燕京僦一廛於脩門白眼視人無所遇甲午春予抵其寓訪焉見其章法刀法近爾宜因出蘇氏印略俾摹仿不浹旬盡通其義用刀亦蒼莽署款頗饒古致著有理堂印譜八卷

沈硯亭傳

沈承昆號硯亭浙西烏程縣人世居烏戍家傳淸白力田讀書硯亭生而岐嶷性復澹蕩十餘齡即好遊每杖藜獨往尋壑經邱日暮始返愛讀書不耐爲淹通貫串之學涉獵蓄蘊其大凡而已屢赴童子試不售遂棄帖括學丹青篆刻頗能深入堂奧然厚自矜貴俗人以金帛餌之岸然不顧也至於絲竹管絃彈

棋六博莫不嫻習時爲小詩便娟妙麗直通中晚多不存稿亦不輕示人予曾記其秋望一律閒折花枝作酒籌醉來獨倚水邊樓鴻飛碧宇新排字月印澄江笑學鉤叢鞠散金三徑晚井梧零葉一聲秋西風吹斷高城角吾且微吟遣四愁辛卯秋慕長安之樂西向而笑襆被入京無所依倚寄僧寮有求其鐵筆者奏刀劃然皆臻絕妙但賞音落落技雖工曾不能以餬其口性兀傲不肯投刺豪貴門即鄉人之宦於京者裹餉往則受之無端而乞監河之米攫訣墓之金不屑也生平未嘗名一錢乞一絲山雌捽茹泊如也戊戌冬竟窮餓客死旅邸鄉人醵金以殮之嗚呼此誠古之所謂獨行君子也

唐材傳

唐材字志胥號半埜江蘇嘉定縣學官弟子幼孤遭家難流離萬狀四壁蕭然泊如也年十三自知向學刻苦忘劬執經芷洲陳浩之門作時藝吐辭命意迥絕流俗膠庠頗有聲譽間爲聲詩愛賈島孟郊寒瘦之體習鐵書博考篆隸及

秦漢唐宋以來諸印譜析其源流窮其正變攷求章法刀法沉潛日久彙所製
印文若干就正於王虛舟先生虛舟嘆曰此松雪眞傳也即書額以弁其首并
示一切篆隸法退即深思力索又積有年乃不懈而及于古往歲從其兄宦
遊畢節歸詩益宏放學業愈進仿吾竹房學古編意作游藝贅筆四卷摹印說
一篇年未及五旬即下世未能大成爲可惜耳

范治堂傳

范君治堂名安國祖籍廣陵僑居浙江秀水縣之韭溪橋治堂其自號也幼穎
異讀書五官並用博聞强識十三經注疏皆成誦旁及諸子百家莫不留意補
博士弟子員即食餼高文巨製名雋一黌凡操琴彈碁寫生八法風鑒堪輿方
診六微河洛推步悉心領神會其鐵筆尤動與古合即專門名家者不能過也
入棘闈屢薦屢躓遂縱情詩酒一寓其卓犖不羈之氣雖儒素舌耕爲常然風
流跌宕頗多逸致豪情絕無寒儉態晚遇親串以私財委代持籌歲久而不欺

其親感戢乃分潤之家得饒裕鶴田酒庫日就月增且書籍甚富有南面百城之樂予自戊寅春與松濤魏君攀龍同訂交誼越二十載得所製印較多今皆登之飛鴻堂譜云

吳鈞傳

吳鈞字陶宰江蘇華亭縣人詩人六益先生之元孫也性閔默終日可不語尙節介不爲苟合詭隨取容於當世家世工詩陶宰復肆力漢魏力超六朝尤工樂府脫去幾社壬申習氣隸法初唐亦蒼勁秀潤摹印則專師何雪漁僕嘗謂當世惟吳漫公可方駕之賦性淡泊寡營不屑爲科舉之學昕夕究心古籍退藏山澤萃然而吟蕭然而詠境雖困乏鍵戶讀書勤處隱約恥問家人生產日卓午爨突無烟晏如也曾偕予遊白岳黃山故得所製印甚夥欲選泖峯眞氣集樂府篋中集諸書百里借書徒步往還重繭而累蹠眞有心好事者惜貧無力授梓著有獨樹園詩稿鼠樸詞陶齋印存若干卷

金嘉玉傳

金嘉玉字汝誠世居安徽之新寧祖業鹽筴因僑寓浙江之仁和縣嘉玉性愛澄寂榜其讀書處曰靜齋自號靜齋居士從父爲納粟入國學居恆誦習不以佔畢爲事唯究心六書嘗曰士人爲學必先窮理必先讀書必先識字明六書然後能讀六經也嘉玉既雅無雜好惟時以鐵筆爲遣興取法何雪漁蘇爾宣刀法蒼莽其得意之作古勁嚴整即雜置蘇氏印略中不復能辨尤善擘窠篆書有求之者對客援筆立就擬諸王虛舟不少遜也然賞音未遇寥落不偶納粟得巡司小職授江右都昌縣周溪司斗粟淹留幾二十年竟未展其所蘊爲可惜耳

桂未谷傳

桂馥字冬卉號未谷山東曲阜縣人也髫齡負岸異姿性機敏捷爲學官弟子有聲黌舍嗜古學以爲讀書必先識字歎近世小學多忽略因研究八體源流

寄興鐵筆慨摹印一燈欲絕譌僞日滋得見秦漢風範者惟銅玉章遂集錄古印得若干字以唐韻次之釐爲五卷存繆篆之一綫甚有功於藝苑愛藏書硯田所入悉置縹緗與同志周編修永年竟集至數萬卷以一儒士而好古不勸者如此由明經貢於京師授官學敎習時留心六書者爲筍河朱學士筠東原戴吉士震懷祖王吉士念孫諸君子皆心折之撰續三十五舉以補吾子行之不及爲文何功臣然不輕易爲人奏刀予幸同官又同痂嗜故丐得其所製數鈕焉

朱宏晉傳

朱宏晉字用錫號冶亭江南長洲縣詩人朱愷若先生之子性機靈巧温厚和平與人交不翕翕熱亦不落落凉以故人多樂就之家貧親老不得已擺棄舉業服賈江湖間藉餘貲以奉甘旨然孜孜好古不少輟尤嗜籀隸摹印凡見篆書雖斷碑蠹簡必購得之心識手鈔寒暑無間鐵筆之技日臻工妙於是求索

者聽之不置戶限幾損繼因給事大中丞署中戟門森嚴優游清暇焚香摹帖洗竹科松屏居謝客或有責其嬾散者遂榜坐臥處曰敏齋擬諸韋絃之佩其虛衷受善又如此中年專肆力於摹印凡金銀瓷竹牙角無不擅長而刻玉尤精絕江皜臣未許專美於前也予初從醫士孫君慶增處見其一斑因造其廬坐談甚洽旋招遊武林冶亭惠然肯來爲予製大小石印數十枚皆有款識余已登之譜其金玉諸刻則另列印類一編余奔走南北別冶亭已久近聞其年雖邁精神日旺而技日工凡刻玉款識花草及雕漆諸作皆妙入纖微不可方物古所稱刻楮之巧偃師之藝不是過矣每酒闌燈灺展玩其摹印輒緬懷風格獨嘆其有才如此困於境而不得使杜門養高爲可惜云著有漱芳草堂印四卷李客山處緩堂吳敬亭皆爲之序

嚴鐵橋傳

嚴孝廉者浙江仁和縣人名誠字力闇一字立菴號鐵橋幼即穎異好讀書家

貧其尊甫急圖治生置鐵橋於市肆習會計暇仍讀書日爲制藝灑灑千言因
反儒服列膠庠聲譽藉甚尤孳孳不勧研經讐史旁及諸子百家莫不肆力焉
文師韓昌黎詩法韋蘇州畫宗黃大癡隸學蔡伯喈咸古致秀勁澄瑩蕭散非
僅得皮毛者繼而究心六書寄興篆刻見龍泓丁隱君敬身所鐫印遂規橅之
便能逼肖後過予閒萬樓縱觀所藏秦漢銅玉章其技益進而另變創一格頗
蒼潤古雅但不輕爲朋侶奏刀惜所留傳者甚少性豪飲精通音律醉後常高
歌以自適乙酉秋舉於鄉北上就禮部試一時名公鉅卿見其著作多願與遊
有高麗使臣之從子洪大容者亦極嗜經藝一日遇諸書肆就坐各相問難遂
訂交契共數晨夕與哭別有願他生同聚首之約裒其疏筆述唱酬諸稿名日
下題襟集歸而得峪血疾屢治不瘳踰二載卒年僅三十有六所著有小清凉
室遺稿乃其友人朱生文藻編次者藏於家

吳士傑傳

吾友吳漫公者名士傑字雋千居歙之邑城性傲兀恥受塵縛人因目之曰漫而澆薄輩遂稱之曰漫兒君亦無所嫌竟自號漫公云幼從同邑吳天儀通六書精篆刻復善於詼諧其瀟洒不羈一見而知爲高人韻士於是爭相結納一郡莫不知有漫公者座屨恆滿所入金多購法書古物亦隨手施去不治生產有時炊烟不舉枯坐終日晏如也庚午春予以事牽歸歙對簿閉關却軌謝絕親朋而漫公謬信時譽數叩門欲見一日直入寢榻前余方抱疴力疾與之討論者竟日漫公以半生無知己獨許余爲賞音於印章一道名雖藉藉然好之者盡如葉公龍耳惟余識其派別高古刀法秀雅迥異時流相與抵掌歡笑竟忘在憂患中凡爲余作大小十餘印自具本家來面目頗臻三橋主臣妙境絕不類天儀之作所謂冰寒於水青出於藍者耶余事白後歸錢塘而漫公亦改業授徒時戲爲人鐫剔硯銘亦超出時輩求之者復紛然幾欲鐵爲戶限矣復不樂去客金陵日被酒遊于桃葉渡燕子磯雨花臺下襆被蕭然影質幾盡而

不倦也友人某勸之歸遂附其舟而返乙亥秋予歸省墓君重訪余于綿上迫歲除始別去其製印更蒼老而各體俱工於文何兩君外另開生面且金玉晶牙瓷竹無所不善其欵識尤精絕皆可傳也曾許余爲購月中娑婆木經時杳然人皆以爲妄無何而一緘突至木亦與之偕來片言必踐雖倜儻不羈而硜硜之信又如此

仇壿傳

仇壿字遐昌自號霞村湖州歸安人滄柱先生曾孫也幼負不羈之才立身孤冷攻舉子業一不售即掉頭棄去寄情篆籀肆力聲詩刀法蒼勁中饒秀雅一見而知出文人之手兼能刻晶玉章絕不假借藥術而游刃有餘乙亥冬偕沈宗伯歸愚之維揚適雅雨盧公得程荔江所藏漢銅印千餘枚將欲充貢霞村日若入內庭人間安得復覩耶呵凍編成印譜攜之歸寢食坐臥未嘗少釋手其篤好也如此詩筆淸遠五言尤圓潤有王孟風著有霞村印譜歸愚宗伯既

爲之序復題二絕云禹碑宜碣刦灰餘誰剔荒崖訪漢書賴有霞村瑚玉手赤文綠字見黃初君家祖德本儒宗遊藝功深與道通刪盡俗書摹古篆肯拋心力事雕蟲然霞村初不以目前聲譽自足金石文字之外濬經究史孳孳力學不倦蓋未可限其所至明德之後必有偉人信不誣也

陳詩桓傳

破瓢陳君者名詩桓字岱門自稱石鶴道人江蘇華亭縣人兄枚精於繪事嘗
憲廟賞識供奉　內苑石鶴亦工丹青兼善章草髫年氣秀烟霞發情聲詩才思敏捷從兄客修門早有聲譽然性孤潔傲兀不諧於俗鬱鬱而歸家徒四壁閉門飲水讀書好古昕夕不怠親串間不聞石鶴齒及阿堵物亦未嘗以學問眩人故名不顯於閭里久之有見其零縑尺楮者莫不訝嘆至於鐵書特其寓懷遺興之作然已高古蒼雅闖入兩漢閫奧晚歲專作水墨畫非宜素名箋不苟寓筆所著有禪堂詩略惜貧無以付梓所膾炙人口爲十破詩而破瓢一

篇更精緻人因呼爲破瓢先生亦因之自號云

續印人傳卷三終

續印人傳卷四

古歙汪啓淑訒菴撰　　仁和葉　銘葉舟校刊

欽岐傳

欽岐字維新號支山世居浙江吳興縣之任安山徙烏墩少跅弛不羈就家塾部章句不肯竟學喜拳勇與武林之行教者金石雲王大倫相友善講明內家外家之學執友張師范規其所爲近於游俠不足以嬗後乃大悔其少年跋扈凡一切瞋目語難之輩謝絶不與往還薰其和者皆折節爲善究心六書有族人名蘭者擅摹印維新傳習其章法刀法遂工篆刻得心應手傾其時輩後抱奇疾十年始瘳終身不娶貌羸瘦頎然而長骨稜稜見衣表力敦古處遇公憤則義形於色怵以利害屹不爲動以朋友爲性命俗流委瑣摒絶限域小阮名義字師王緝賓鼎齋印組多經其訂正不失雅飭云

朱文震傳

朱文震字青雷號去羨山東歷城人也早孤家徒四壁然岐嶷好學不倦尤肆力於六書八分不屑作科舉文字獨遊曲阜徧觀孔廟秦漢碑刻如歐陽率更之見索靖書布毯坐臥其間者累月由是篆隸益精歸復就學於族叔祖冰壑先生家更得指授用筆用刀之法技益進名亦藹起慕太學石鼓枚策來京師爲　紫瓊巖主人所賞識而所見古人法書名畫遂廣初學寫意花卉翎毛繼則擅長山水幾奪麓臺石谷之席其卓犖不羈之才一寓於詩以太學生充方略館謄錄議敘州同選授廣西西隆州州同知政聲甚美上游方器重欲卓異之去羨以路遙母老不能迎養恆慼慼及乞養歸斑彩板輿奉侍數年克盡子職旋丁內艱服闋北來候銓會開四庫全書館需善校篆隸之員本館總裁保奏改授京員得詹事府主簿充篆隸校對官卒年六十予恨相識甚晚僅同官者匝歲故所得無多著有雪堂詩稿若干卷

周蘭坡傳

周芬字子芳號蘭坡浙江錢塘縣人也家素業工技芬生而凝重雖處闤闠好讀書近筆墨其父兄因附鄰塾習儒業惜不遇名師迄無成棄而學鐵筆試奏刀輒與法合似有夙契者不數年其技大進會頓菴周君捐館貞甫胡生未到省垣頌之者頗多予與其兄望衡對宇故識芬最早豐頤便腹偶坐終日無一言一笑其神情質樸如此予出所藏前賢印譜百餘種示之樂而忘歸下予飛鴻堂榻者數載臨摹揣習廢寢忘餐工致蒼老遂靡不能其仿古尤逼眞毫髮無爽署款亦蒼秀工謹製鈕頗別致雅馴人乍見多笑其肥碩粗笨而細玩則極見思致兼善造巧樣錦匣裝潢册頁日久平正如故鐫硯銘最得古法迥異輩儕與人交久而能敬予相處幾四十年未一齟齬卒年七十有八子咸字啟賢能世其業焉

杜世栢傳

杜世栢字參雲江蘇嘉定縣南翔里人祖父世居其地種竹甚茂里中所謂竹

園杜氏也屋東偏適際斷港葭菼叢生秋林蕭騷故自號葭軒髫齡即嗜篆刻研究八體探討石鼓壁經冥收碑版長而氣宇靜樸閉門屏息惟文史是耽其技遂日益工家世寒素自以筋力致養潔白自持檢身惜福感異夢常齋繡佛前信果報輪廻之說嘗析陰隲全文刻印楷書釋文以規勸人頗稱精妙近復工撥蠟法鑄銅章直逼秦漢今年僅三十餘志力彌銳學古不劃充其所造不難於楊顧諸君之後高置一席也所著有葭軒印品四卷與陳西菴合刻以問世者名合璧印譜

陳桐野傳

陳首亭名渭字桐野浙江平湖縣人幼失怙恃養於兄嫂桐野弱不好弄賦性穎異讀書無煩夏楚目覽心記日誦千言尤好學古究心六書研討始一終亥之義不喜作帖括應童子試一不售即棄去寄情於聲詩鐵筆詩格頗澹遠五古近韋柳風旨鐵筆宗何主臣蘇嘯民甚古健蒼秀自以少遭孤露風木銜悲

未遂烏鳥之私爲恨兄嫂已有嗣遂終身不娶經歲舌耕所入館穀盡遺諸兄嫂性雅馴愛淸遊自適於山岨水涯琳官梵宇恆托跡焉得妙悟解通禪悅然豪於酒能徹夜暢飲不醉工隸書不吝人求興發頃刻揮灑百餘帋檇李人家屛幛往往多其筆墨卒年六十餘所著詩數卷其小阮輯而藏之家惜其鐫印無好事者亦彙成譜云

張錫珪傳

張錫珪字禹懷一字雨亭自號遜雪江蘇震澤縣學官弟子氣尚剛傲任情不羈嘗陋近人以識字爲小學而易視之於是篆學失傳幾如廣陵散矣惟印章一燈不絕如縷因研講始一終亥左形右聲之義探本溯源肆力甚專暇以鐵筆自娛師法顧苓陳炳心與古會下視門攤市集耳傭目僦之夫夷然不屑也尤嗜漢章見有藏者必傾囊倒庋購之雖家人告米盡不顧也或勢不能得必假歸以素箋摹印積久屆[illegible]成册朝夕把玩尋繹其旨趣於是駸駸技日上矣

繼館於蘇臺文氏得盡觀其家藏先世印章手摹心追幾忘寢饋大宗伯歸愚先生彭大司馬芝庭先生交稱賞之爲序其印譜雨亭兼工韵語精書法明窗晏坐鋏筆與詩筒摩挲不去手著有印體便覽若干卷而名其譜曰雨亭繆篆

王轂傳

王轂予同郡黟縣人也字禦幹號東蓮家素力田轂生而好學髫齔竊聽於鄰塾歸執一卷效咿唔其尊甫見之因延師課誨然性流動泛覽九經涉獵諸子粗知大意便另習他藝又不愛作科舉文入泮後有聲黌序戚友咸規勸其專力帖括而轂獨嗜臨池精鑒賞訪求周彝秦鼎法帖碑版不遺餘力且復從事六書棲情鐵筆日與漫公吳兆傑家明經肇隆遊研究始一終亥之義急鑿緩鑄之道章法刀法莫不大雅丁酉秋棘闈偶躓即負篋北遊冀以他途進身會開四庫全書館需工八法者侍御硯廬張公霽見其書端謹莊秀保送効力筆墨餘暇留神吏治見事明敏頗具判斷才期滿叙勞得職選授荷澤縣縣丞年

尚未及四十學業政事造詣正未可量也

佘石顚傳

佘國觀字容若號竺西又號石癲直隸苑平縣人原籍安徽歙縣父熙璋善畫爲麓臺王司農高弟供奉　啟祥宮遂寄居北平焉石癲生而機巧性流動愛習六藝遂世傳其家學尤工蘭竹兼好鐵筆討論六書淵源宗何雪漁蘇爾宣專尚蒼健秀雅與朱青雷聶松巖遊聲華籍甚以國學生給事平定準噶爾方略館後議叙選授雲南曲靖府屬巡司調繁及委署諸務皆稱職大中丞午橋裴公宗錫雅有印癖愛書畫見其所鐫圖章頗加賞識惜覊職守不能昕夕共事會石癲困二豎遂以疾退中丞招入鈴閣養疴得專力鐵筆兼工鐫晶玉章予於己亥秋始相識於金臺其所著有石癲印草

徐友竹傳

徐堅字孝先號友竹江蘇吳縣人幼即機警穎異讀書善於强記好古學立志

窮經不屑習科舉帖括舞象之年便有能詩聲居瀕太湖穹窿縹緲諸峯烟雲變幻時在目前遂工丹青專宗大癡筆法兼嗜六書研究鐫印之藝臨摹秦漢官私印幾千餘鈕詩學盛唐規模宏大無纖巧卑弱句性愛遊覽復優濟勝具武夷三竺雪竇蘭亭九峯三泖在處有杖痕屐跡焉乙未春獨遊華山布襪青鞋窮極藍田秦嶺之勝舊識秋帆畢大中丞適撫全陜聞其至招留鈴閣頗相推重會其甥殿撰張公書勳聞知寓書迎之入都求詩畫鐵筆者戶限幾斷有欲薦之四庫全書館校對篆隸及繪圖者以病辭飄然出都去其恬淡如此所著有友竹詩鈔若干卷西京職官印譜若干卷

董石芝傳

董元鏡字觀我號石芝漢軍正黃旂人祖天機直隸廵撫父泗儒戶部江南司員外石芝生而沉靜警敏長耽六書古文終日臨池孜孜沉研八體專以漢印爲宗兼師文氏純正一派選入官學頗有聲譽時泗儒公乞休避靜屯中頻寢

療石芝遂告假侍左右備極奉養溫凊之暇惟以鐵筆寄情章法刀法皆渾厚
樸茂技遂日進乾隆戊辰春　特旨開盛京賦篆字館家文端公由敦爲總裁
素器識石芝因舉薦上館仿寫道肯大師三十六種金剛經效力者數年書成
議敘銓授大理寺筆帖式繼又以漢文應試得茂才例可外選別駕而石芝自
以迂拙向平之累未畢甘守其舊繼升都察院都事歷戶部陝西司員外放衛
歸坐斗室仍於故帋堆中考訂蟲魚以遺興與鑾儀衛雲麾使劉九淳漢軍間
散甘大澹詹事府丞朱文震友善鐵筆各相雄長絕意奔競人以是高之

汪桂巖傳

汪芬字桂巖蟾客其自號也爲余族姪世居歙之漳岐村祖父素業鹽筴贍於
財桂巖童時藉先蔭絕不知世事之艱後家日落乃奮意讀書制義之外研究
詩古文辭旁及篆刻歲乙亥春應童子試署令李公拔冠一邑就學使試屢被
斥年近三十始得入泮丙子秋余歸綿津掃墓桂巖過存下榻予齋朝夕相與

討論時有新意發人所未發作詩亦頗清晰因將大小石印數十枚俾鐫刻并語以考別古文繆篆出示所藏古人印譜而技益進其印組題跋亦瀟灑有致閱歲聞失偶更遭喪明之痛窮愁落寞境日潦倒而閉戶讀書學詩好古加故亦可爲知分安命異於世之蠅營狗苟者矣惜不永年卒無所成耳

王世字傳

王世字字蘭亭號寫蕉湖廣東湖縣諸生潛心學古名噪膠庠兼工彈棋投壺丹青諸藝事荆楚號爲通材少學琴於荆山陳君尤嗜金石文字眞草隸篆昕夕臨摹硯石爲穿追踪二王蓋不忘高曾之規矩也余從龔光祿學海處即聞寫蕉名心竊嚮往丁丑春始獲見於蘇臺之仰蘇樓初揖其風貌次聆其緒譚繼讀其篇章藹如粹如望而知爲瀟灑出塵之士旋示予自若堂圖書譜四卷頗具苦心惜其僻處宜昌未遇名師得參正眼法藏予又匆匆邂逅雖略引示摹漢一燈次日爲余製數鈕即漸近自然其天分之高如此別忽忽十餘年未

識其盡脫向時結習否爰登予譜而爲之傳云

董小池傳

董洵字企泉號小池浙江山陰縣人性機超穎卓詭不倫從鄉塾中即摹習篆刻應童子試一不售便棄去帖括佐其嚴君宦遊平樂簿書餘暇研究聲詩考訂摹印之學及畫蘭竹篆隸後因給事部曹優敘得銓授四川寶縣主簿遇有檄委查勘田土監散賑濟不惜殫心力頗著能聲然性傲亢終以失歡督郵撫微過廁名彈章遂落職蕭然携琴書遍遊蜀中名山川而詩益鴻放畫逾雄奇偶訪舊雨重入修門瑤峯梁相國秋室余太史見其擘窠篆書大稱賞之一時聲名藉甚酒酣耳熱常以絲竹寄其慨慷每度一曲梁塵俱飛與人交頗熱衷故咸樂與結納摹印上師秦漢旁通唐宋及有明文何程蘇諸家莫不精妙而欵識蒼古工緻俱可愛著有小池詩鈔董氏印式諸書

懷履中傳

懷履中字庸安一字慵菴號蘭坡居士江蘇婁縣人生而岐嶷就家塾日課千言留心經史子集探源窮流靡不該洽作文貫串鎔鑄深探理窟能于章羅後自樹一幟弱歲隸金山衛學試輒冠其曹然數奇屢困塲屋因自謂境不能救貧才不能濟世非人傑也遂專究治人書於岐伯俞跗之旨有夙契研精內經素問討論東垣丹溪諸書起人無算遂以醫名又性耽吟詠得儲王神味游戲丹青所謂樂意相關禽對語生香不斷樹交花兼領其妙素工六書明始一終亥之義善鐵筆遇風人彥士鐫贈不吝否則兼金亦不可得也年踰古稀而終著有譜惜未壽之梨棗

吳晉傳

吳晉字進之號日三原籍安徽休陽僑居江蘇婁邑幼讀書性淵雅樸茂不喜帖括屢躓童子試因納粟入成均然性嗜古金石之文惟究心六書八法稟尊甫衷白先生遺訓貴尚淸儉雖籍豐履厚而無紈袴裘馬習氣時寄興於鐵筆

瓣香何長卿蘇爾宣蒼勁一派篆書宗王篛林筆法淸秀圓健餘興亦畫墨筆
山水烟潤蒼雅饒書卷氣不輕與人長日杜門焚香啜茗靜居一室手不釋卷
蕭然自樂以致大損目力遂謝絕交游養痾索處以蒔花種竹爲娛逮後
聖主右文宏開四庫書館從姪竹橋太史槐江鴻臚少卿屢勸駕入都冀圖際
遇日三保志安分以疾力辭所著有分類印譜四卷知止草堂印存二卷

錢雲樵傳

士有德醇養粹而不爲之傳以述其梗概致令一鄉善士舉世莫知可乎哉其
人號雲樵姓錢氏名世徵號聘侯江蘇婁縣人也居極西市梢鄰並皆耕夫市
儈雲樵髫年知自立願就塾攻書性凝重文章孤峭屢應童子試不售遂寄興
於鐵書研究始一終亥之旨向爲余鐫石印甚夥間寫蘭竹雅韻可喜及娶室
朱靜芳亦通經工有韻語予已選入擷芳集中家世淸寒爰就舍啟館雲樵課
徒於外繼生子廷獻偕嚴課督之頗有文譽而苦遭擯棄不得已將所積修脯

納粟入成均裹糧赴北闈試復顚躓然思得寸祿以娛親適宏開　四庫館寫書效力事竣議叙選授山左莒州吏目廷獻乃迎養雲樵於署會遇　覃恩贈如其子之職莒州雖荒陋雲樵結籬藝卉居多暇日爰理舊業成含翠軒印存四卷白華先生爲之序今行年屆杖朝矣返櫂里門付梓問世以廣流布雲樵行誼清超胸次磊落平居杜門却掃不妄交遊然遇人急難則極力爲之排解雖身未通籍而賢嗣克振家聲不可謂非種德積學之報而亦雅託交契者之所當述也

續印人傳卷四終

續印人傳卷五

古歙汪啟淑訒菴撰　仁和葉　銘葉舟校刊

王睿章傳

王睿章字貞六一字曾麓號雪岑翁江蘇上海縣人世居航頭鎮髫年即采泮芹有聲庠序數奇屢困場屋家貧藉鐵書以給饘粥章法雅妥刀法樸茂純渾雖不能及何雪漁蘇嘯民然古氣磅礴自具天趣又工韻語而嬾自收拾存稿甚少尚記其賦得他鄉逢七夕一篇云酒慣因人熱愁偏逐我侵一鈎今夜月千里故園心未乞天孫巧徒穿少婦針微凉生短葛抱膝且長吟予初從黃唐堂先生席上相識時貞六已年踰七十而視聽不衰陸續爲予製數十印皆端莊大雅無纖巧習氣年幾百齡始化去鐫有花影集印譜

閔貞傳

閔貞號正齋其先江西南昌人祖某始遷廣濟縣武穴鎮父崑岡精青烏之術

貞生十二而喪父母及長痛不獲養其親思繪形以奉之由是學繪事追摹其父母像效丁蘭朝夕奉祀焉間亦狀人形貌無不酷肖者近遠知名且有孝子之稱繼而旁通山水花鳥設色別具幽趣而潑墨尤高古澹雅其白描羅漢士女則幾奪龍眼之席又寄情篆刻專宗秦漢印史印藪之後不屑師承用刀純正秀潤絕無劍拔弩張之態爲人敦厚溫雅一望而知爲古君子也歲戊戌思觀
皇都之壯遂裹餱杖策來日下予始得交焉朱竹君翁覃溪兩學士亦器重之咸有閔孝子傳及詩歌贈之其名譽遂噪修門矣

余鵬翀傳

余鵬翀字少雲別號月邨安徽懷寧縣人家貧力學九歲即善屬文應童子試邑宰疑其僞命坐案前賦燕語詩一百韻援筆立就宰大奇之由是遠近知名年十七補博士弟子員讀書研求精旨爲文不屑膚末兩赴鄉試不得志於有

司養親心切乃橐筆從事幕府遊四方遍歷吳楚燕趙歎崤函度沙漠雖年甫弱冠而車轍蹄痕已半天下乾隆丁酉秋入都遊成均應北闈試薦而不售直隸制軍楊公景素延掌書記繼而四庫全書館開分命纂緝諸君子爭招致以分其勞月邮性機警敏雖筆墨叢脞而揮灑自如故能兼習諸材藝年方二十有三涉歷既廣見聞益深吾不知其所限量矣

汪斌傳

族弟斌字宸瞻號芥山家世古歙六世祖愛錢塘西湖之勝遂卜居焉父椿別字灝亭精刑名之學不苛不濫一時稱善手遊幕閩中樂其土俗遂占籍於侯官縣曰自我爲此邑人可耳芥山生而聰慧頭角崢嶸灝亭筆耕所入悉具膏火延師教之然芥山不煩課督自刻苦勤學甫冠即列學官弟子員有聲庠校繼而遭大故家事漸凋落不得已遂世其術雖簿書鞅掌月午更闌孳孳習帖括不少倦戊子登賢書時主試者自詡得人常以偉器目之屢試禮闈薦而不

售芥山恬淡自如絕無毷氉態性嗜韵語時以吟詠適其趣與大興方國學維翰曾同筆硯維翰素工篆刻因亦棲情六書臨摹文何却不落許有介李根輩閫中窠臼頗饒書卷氣味不自以為工罕為他友鐫刻庚子春公車北來與予一見如舊相識敘世數恰雁行禮闈被放後偕維翰弟維祺時相聚首倡和故予得其手製有數十鈕後大挑分發廣東癸卯春題補曲江縣頗著能聲

程瑤田傳

程瑤田字亦田生而有文在手曰田其尊甫故名之五十以伯仲因字曰伯易安徽歙縣人世居縣城之荷花池遂自號葺荷性誠篤齠齔歲凜然如成人及就家塾不待勉勵卓然有志於學讀書研求精蘊為文根於性道不肯作膚末語弱冠補博士弟子員與胡太史珊潘孝廉宗碩家副車肇瀠吳上舍兆傑為文字交時朴山夫子掌教紫陽於二胡三方之外亦極稱其文筆高古乾隆癸未春過醉翁亭時年三十有九恰同歐公自號醉翁之年且慕醉翁行誼文章

遂自稱葺翁既而傷心怙恃繫念蓼莪間亦署葺耶蓋欲終其身於子道之意研討經史餘暇棲情篆刻一以秦漢為法又留心音律考辨琴聲著有琴音備考素工八法頗得晉人筆法著書五篇以概其指其一曰虛運篇次二曰中鋒篇次三曰點畫篇次四曰結體篇次五曰頓折篇庚寅秋　恩科舉於鄉次年赴禮部試入都桐城張總憲若淮聞其名延課諸子遂留修門聲譽品望一時翕然雖屢困春闈而恬淡自如安素樂天人多稱其長者戊申年春大挑選授江蘇嘉定縣教諭

甘源傳

我道人甘源字道淵號嘯巖藉隸正藍旗漢軍曾祖文焜官雲貴總督殉吳逆之變贈兵部尚書謚忠果祖國基官河南布政使父士瑛官湖北同知源其長子也性喜讀書恂恂儒雅以騎射為苦然伉爽有志節善詩古文詞工行草書與劉海峯薦青山人李鍇陳石閭鐵冶亭諸君唱和興至輒寫山水以自娛餘

力摹刻秦漢印然頗自貴惜非其人不輕與亦能飲酒不甚好雖終月不舉觴亦無嫌也生平遊歷幾半天下再入蜀留西域者四年歸而　某郡王重其才品延至邸第衣食之遂成其高雅所著有長江萬里集西域集母張太夫人素工詩遍覽百家之書貫通諸史人謂源之學其淵源蓋出母氏云

戴厚光傳

戴厚光字滋德號花癡安徽休甯縣人幼習舉子業父早世養母乏甘旨藉筆耕遊藝江湖間船唇鞍背仍孳孳讀書學古文詩詞不倦性機敏落筆灑灑數百言愧齒加長不赴童子試納粟入成均又屢困棘闈課弟引光克紹書香髫齡即釆泮芹花癡欣悅遂肆志烟霞放浪詩酒興至則染翰寫山水人物花鳥考究六書仿古秦漢印以寄其瀟灑雅澹之趣癸巳秋因家楞伽山人得相識於海湧峯頭袖出花癡印鏡下問於予幷乞弁言適冗於事未踐諾乙亥夏五偕其弟引光來應北闈試過予寓見其近製則刀法更蒼勁秀雅並讀新詠極

典雅流麗筆頭日益進矣年僅三旬餘其所造正難量定能爲傳人也所著詩名江湖賸稿予曾爲題二斷句

黃易傳

黃易字大易號小松浙江仁和縣詩人黃樹穀松石先生之子也母梁孺人亦能詩名字字香小松生而穎悟又禀庭訓自兒童凜然如成人即知向學然家徒四壁松石歸道山後仰事俯育無所獲小松雖敦讀以奉養而不能給去習刑名之學常佐人於蓮幕藉藉有聲善古文詞又工丹青得董北苑關仝正法眼藏研究六書刻印專師秦漢曾問業丁龍泓徵君兼工宋元純整諸家款識亦古雅清苑素稱繁邑小松入幕時又屆兵差文移鞅掌能以詩筒鐵筆與簿書律例迭進仍不廢其風雅居停甚德之因貲其行囊遂急公川運軍需得官山左主簿歷署汶上縣尹及茌平尉題補陽穀縣主簿皆以廉能稱愛才大吏拂而拭之騰驤正未可限也

蔣宗海傳

蔣宗海字星嚴號春農江蘇丹徒縣人體幹魁梧性資靈敏識量不凡望而知爲棟梁之器垂髫應童子試輒冠其曹偶乾隆壬申春以　恩科舉於鄉是年秋即成進士出江右裘文達公之門官內閣中書馴雅該博聲譽噪日下攻古文師家鈍翁隸書摹漢桐栢廟碑精賞鑒老骨董不及也工篆刻文秀精雅蓋專摹文國博而參漢印之純整一燈者不輕爲人製獨許予爲知音曾鐫贈數鈕又善丹青頗具蕭疎雅澹之趣不屑蹈襲畫家窠臼與同邑夢樓王太守文治齊名爲時並重尤篤內行年僅四十即乞養里居歷二十餘年不出或甘旨不繼賣文以自給所著有春農吟稿若干卷

汪成傳

族姪成字洛占堂麓大兄之長嗣也世居江南歙邑之徙原距予綿上舊居一峯之隔耳天性聰敏幼習舉子業一試不售即撥棄肆力古學尤銳意於摹印

甲子歲予持服里居時時過從相與討論六書獨於文國博一派更切嚮慕焉丙寅秋堂麓兄令蒼梧洛占省親走萬里假道錢塘下榻予飛鴻堂者幾匝月常面試之其用筆布局文秀中頗具古雅之趣予因盡出所藏諸名人印譜俾之流覽得其竅奧而技以日進前爲予作數十印皆有可觀後從父宦遊粵西別將十稔及堂麓兄去官復隨侍南逾嶺表北度居庸仰皇都之壯溯江漢之廣胸次豁然得江山之助復著爲歌詩以寫其客懷鄉思寓興而作有淸新可誦之句自丙寅別後雲散風流竟未一晤今年夏洛占展墓旋歙予適有事於五茸三泖間而洛占乃息軫於金牛湖上以俟予復得聚首者匝月非特印章之章法刀法更臻妙境而蠅頭小楷亦駸駸乎入古人之室矣洛占年未三十凡所爲皆本乎性情而又能篤好不倦故其所成就已有大過人者因書以志喜

南曉莊傳

南光照字麗久號鏡浦一字曉莊雲南昆明縣人幼失怙從其祖提督公宦遊占籍湖北之江夏母年十九即寡矢志守節教育曉莊俾克成立宗黨稱之曉莊生而敦篤自知向學既長氣度閒澄之不清撓之不濁以蔭補官得某州司馬洊歷司曹居恆好學尤嗜金石文字寓情摹印刀法蒼莽別具天趣予從方介亭孝廉處得締交焉

朱琰傳

笠亭朱明府名琰浙江海鹽縣人舞象之年即采泮芹涵濡經史志學古文見異書手恆鈔寫較勘再三丹黃滿卷又以世俗少習小學至遇古碑法帖則茫然如盲人究心始一終亥之義遂工摹印宗師何主臣而規橅漢印[illegible]蒼勁古雅善丹青尺紙小幅有蕭疎澹遠之趣詩學錢劉而細膩刻陏不落晚唐窠臼乾隆乙酉歲舉于鄉丙戌成進士出江右裘文達公之門文名藉甚歷主金華吳江諸書院孶孶教訓日夕不倦經其指授者卓有可觀乙未年選授直隸阜

縣專以撫字爲本恥以奔走趨奉爲勤期年而口碑載道越兩載方報最遽嬰疾以卒囊無餘貲闔邑欽其廉介所著有續鴛鴦湖櫂歌金華詩粹笠亭文鈔詩鈔若干卷生前即壽梨棗流傳藝林矣

方種園傳

方維翰字南屏號種園行二直隸大興縣人性姿伉直最孝友舞勺之年隨父宦遊維揚玉井閔徵君華棕亭金博士兆燕咸賞歎期許之既長苦志力學潛心經史而敏捷超穎才思騰逸筆勢縱横視靑紫易如拾芥屢躓場屋鬱鬱不得志寄興六書棲情繆篆與子聰吳某小松黃易霞村仇塏諸君子昕夕討論其技遂臻堂奧而種園思與諸子別開生面見時下習程穆倩者絕響因專師之惟用九經及孝經等古篆規橅酷肖洵爲傳作而印識小楷書尤精妙絕倫殊鮮其偶又明習吏治比年佐其兄維憲任龍溪令頗著廉能之聲半由種園匡襄力也後効力四庫館得議敘選授浙江藩司經歷女芬八歲能詩善畫亦

有聲藝苑

夏守白傳

君姓夏名儼字□□善公孫龍子守白之論遂以爲號浙江秀水人也性誠篤爲學官弟子文品深湛峻潔知音者希以致屢躓棘闈悉居寡歡遂襆被遊齊魯燕趙名區酒酣耳熱作歌詩灑灑千百言間亦寄情鐵筆陽文宗李長衡朱修能白文宗王梧林歸文休古雅秀致又善仿古製硯藝進乎神然不輕爲人琢所著有寒碧齋集二十四卷桐下雜鈔十三卷菭譜三卷畫眉譜二卷□□印譜□卷弟汝爲字予宣號鷗船又稱笠漁散人幼亦聰穎博洽强記惟不嗜制舉文工韻語愛丹青藻繪見前賢眞跡臨摹忘倦寢食幾廢而求之者戶外屨滿然不屑易朱提杜門養志兄弟倡酬惟以詩酒爲娛亦嘉禾中兩奇士也所著有□□集□卷

嵇導崑傳

城嵇承濬字導崑號□□江蘇無錫縣人相國嵇文恭公從子也幼聰穎負高

志一經相嬗眈學若天性不勞督課習舉業暇有志於古以爲讀書必先識字

遂究心六書留意金石文字從同邑華半江遊半江爲虛舟王先生高足弟子

篆書甚工因勸導崑精研經學以證說文之義博覽漢人銅玉古印師承章法

及採芹有聲庠校繼得凡民沈司馬所搨贈漢銅印稿三千餘紙昕夕摹仿半

江又授以鈍刀中鋒訣順其自然戒勿趨時俗學遂大進然遜志於制舉之學

日從事經生家言不輕爲人製印曩年予從文恭相國處求鐫數紐今介松濤

魏明府更作馮婦之請導崑欣然復爲奏刀今皆登之飛鴻堂譜導崑能詩與

晴沙顧觀察相酬唱文亦高古峻潔望而知爲學純養粹之儒他日窺中秘翱

翔　禁闥抉奇呈奧月異而歲不同其著述正未可限量則余之愛而欲把

玩之者又將不一而足也所著有□□齋印譜

王游傳

王游字景言號鏡巖一字素園江蘇金匱縣人幼受書法於虛舟王吏部拙存蔣老人又學鐵筆於同里侯君越石苦心研究造詣皆得神髓而操行方直姿性誠篤相國嵇文敏公延入幕中後相國尹公暨兩高公皆器重之因勸入仕乃就南河効力官通判鳩工集材實心版築頗著能聲年屆杖國乃解組歸尙手不釋卷臨摹古帖二百餘種裝潢成名青箱閣臨古帖與予訂交幾三十年其居林下予每過梁溪造其齋談論輒竟日己酉邑宰郭公舉鄉飲以鏡巖爲大賓年至八十三而卒有四本堂印譜第三子霖字雨蒼號□□能世其家學官浙西少尹庚子春

翠華南幸敬鐫　古稀天子小璽進呈會邀　睿賞于是在浙當事爭乞雨蒼印章焉撫軍瑱公招致署中俾襄事筆墨以卓異薦於　朝會丁憂去亦爲予篆數紐入飛鴻堂譜云

續印人傳卷五終

古歙汪啓淑訒葊撰　仁和葉　銘葉舟校刊

黃景仁傳

黃景仁字仲則自號鹿菲子江蘇武進縣人四歲而孤家從壁立母課之書能刻苦力學不沾沾帖括古文則肆志史漢詞賦則專心文選九歲應學使者試寓江陰小樓臨期猶蒙被臥同試者趣之起曰頃得江頭一夜雨樓上五更寒句欲足成之毋相擾也其恬澹之槩如此既入泮名噪膠庠少長遍游閩浙諸名勝以爲未足每讀離騷欲弔屈原所自沉處遂襆被獨遊楚南經年始歸著有浮湘賦老宿咸稱之年始二十餘得詩已二千餘首歲丙申　今上東巡狩獻賦蒙　賜宮綺二端得校錄四庫館遂留都門時與朱竹君翁覃溪兩學士唱和兼長鑒古以其餘技旁通篆刻文秀中含蒼勁間仿翻沙法製銅印直逼漢人氣韻惜天不永其年所著有鹿菲子詩鈔若干卷西蠡印稿若干卷

梅德傳

梅德字容之號庚山江西南城縣人初就傅讀書目數行下誦習不出聲以默識之作爲文章頗有奇氣應童子試受知蔣明府有道年十五隨舅氏宦京師遂入成均肄業舅氏亡幕遊趙北燕南爲餬口計乾隆癸巳春　聖上廵幸天津　親閱永定河工迎　鑾獻賦與　召試下第重入修門大司空裘文達公頗期許之保薦四庫館謄錄遂移家累僦居京華五年期滿議敘優等以州倅分發山右方其少時帖括之暇酷愛鐵筆寢饋其中者歷幾寒暑始宗三橋繼仿梧林刀法雅秀欵識亦極嫣潤予得其數十鈕已彙入飛鴻譜中其旅寓京邸也八口之家米薪糅雜支撐不易磊磊皆從十指出不屑向親友乞貸一錢尺帛迨得官後貧無以就道遂點檢舊時藏弆碑帖畫幢割愛售去終不肯以貧累人其狷介亦足以風矣

俞廷槐傳

犖山俞文廷槐字拱三浙江嘉興縣人世居角里街幼而岐嶷入家塾即日誦千言不數載四子書易詩書三禮三傳盡通大義爲文自出機杼穿穴經籍弱歲補博士弟子員旋以高等食廩餼自是每試輒列前茅試藝恆膾炙人口性躭六書凡古文鐘鼎篆岐陽石鼓離奇光怪手自規撫工摹印白文宗程穆倩朱文宗朱修能仿舊章人莫能辨眞贗予曩年過禾中往訪焉已衰老尚爲予製數鈕已彙入飛鴻堂譜中旁通星命象數之學推算十中八九爲人孤高耿介家徒壁立不名一錢居常筆耕舌織雖年逾杖國猶授徒講貫不少勧中年因人罣誤髣髴秋谷所謂斷送功名到白頭是已著有犖山印略惜無嗣惟一女亦工篆刻有女能傳業故人擬叔皮之有班昭中郎之有蔡琰云

嚴煜傳

雲亭嚴子煜字敬安江蘇嘉定縣人世居槎溪幼失怙年逾弱冠未嘗學問日遊嬉徵逐與里鄙惡少蹴踘拳勇爲事精悍强毅人頗憚之後稍稍自悔就村

塾師問字義恍如掫獲遂娓娓不倦刻苦自向學數月熟四子書又期年而習經傳覆誦如瀉瓶水因通文義然不由敎迪其天分之高如此中年肆力於金石六書工摹印凡岣嶁蝌蚪壁經石鼓文原原本本考核精詳刀法則宗何主臣頡蒼古又從周芝巖學刻竹器盡得其秘饒朱三松李長蘅之精妙比年旁及山水卉鳥俱瀟遠生動不落畫家窠臼爲人儻蕩無町畦受人託必忠所事不愧爲血性男子予約略其生平悔過似周處晚學似蘇洵頓悟似陳際泰博古似吾邱衍質諸同人當不以予言爲河漢也

黃掌綸傳

吟川黃生名掌綸字展之福建龍溪縣人世有隱德鄉里稱通德黃家自幼沉潛敦篤屆尼滿室佔畢咿唔歷寒暑不少勌賦性和粹冲夷人樂與之交金石文字尤所酷嗜遠而石鼓壁經近則嘯堂集古吾邱學古諸書枕葄其中故鐵筆輒與古合迥越時流然非道義契交不肯輕爲一製工詩參晚唐細膩一燈

樊川丁卯之後別暨旗幟書法行楷俱有古致刊有香樨堂法帖旁及繪事宗師荊關取法甚高用墨嫣潤布局寬閒頗饒大家風度然數奇屢躓塲屋因赴北闈遂僑居宛平與予寓爲比鄰故得其所篆幾數十鈕亦登諸飛鴻譜中矣所著有吟川詩鈔若干卷

花榜傳

花榜字玉傳江蘇長洲縣人居蓬萊巷吳門七子中有贈詩云人住蓬萊即是仙蓋志美也氣秀芝蘭性鍾高潔丰神娜婀中剛健自存所到處掃地焚香亦濯濯如春月柳矣予嘗艤棹胥江步屧過訪一畝之宮環堵儵然無闤闠市暄小庭蒔花種竹藥臼香爐茗鼎詩瓢相掩映具見雅人深致予徘徊而不忍去玉傳幼嗜六書究心歷有年所所摹印宗三橋杲叔娟秀一派盎然溢書卷氣雖小章必窮日方成非至契不易得也又嫻聲律之學每當風清月皎情往興來則潘安仁所云絲竹駢羅抗音高歌人生安樂孰知其佗畢生劇饒清福捐館

時已年踰花甲每出遊必整飾衣巾無點塵汚其耽潔愛好如此

徐觀海傳

徐觀海字匯川又字䌷東號壽石又號幼菴浙江上虞縣人僑居錢塘高士湖烟霞嘯傲頗得湖山之助博學方聞鈎深致遠八法寫生撫琴彈棋莫不精妙早年涉筆突過耆宿故有西湖才子之稱又篤友誼嘗有琴師張君泗水者客死錢塘䌷東爲之棺含殮具棺衾招其子來賚以朱提遣使伴送其櫬歸里人多稱之庚辰領鄉薦考充景山教習旋徵入內廷方略館修書銓授定邊縣歷汚縣安岳諸邑革弊起廢皆有治聲安邑有唐詩人賈島墓歲久湮蕪冢傍地悉爲人侵占䌷東爲之淸理並築亭墓傍顏曰瘦詩白華吳廡子省欽撰文勒碑亭上繪圖沈淸任太守爲作歌紀其事金川小醜跳梁䌷東從參贊劉公以偏師駐促拉角克軍書旁午皆揮毫立就見者咸服其才會將軍溫福師不戒夜聞寇警䌷東以書生匹馬往返其間凡三晝夜不食幾瀕于殆而卒以

自全既而金川平袖東以從戎功晉秩司馬平居棲情籀篆古樸蒼勁中具文秀儒雅之致誠印林中逸品也著有看山偶存鴻爪集印譜袖東詩話諸種與予有朱陳之誼故知之稍詳

許鉞傳

許鉞字錫範號口口居士安徽歙縣人髫齡時即穎敏異常兒出語能驚其長老就傳後日課千言弱冠通十三經兼及史漢八家下至刑名錢法之書無不涉獵以前茅補博士弟子員有聲庠序試輒高等應省闈屢擯於主司因喟然曰峨冠挾冊決得失于一夫之目縱掇青紫無能救旦夕緩急遂跳身出遊挾司空城旦術佐當事几案大江左右大湖南北所至輒賓禮之借前箸而籌倚若左右手昔崔翰在汴州則佐董晉石洪溫造在河陽則佐烏重允大用大效小用小效誰謂古今人不相及也餘技兼工篆刻規撫雪漁穆倩修能諸家而能自出機杼脫去作家窠臼曾爲予製數鈕聞今里居技更精進矣

毛紹蘭傳

毛紹蘭字佩芳號雲樵一字溥堂浙江遂安縣人檢討毛際可之曾孫也佩芳稟承家學負岸異姿研究經史博通藝術與中表弟金楹互相砥礪詩宗益都趙秋谷及常熟二馮麗而不雕濃而不膩第形貌清古賦性孤潔不屑與庸俗子爲伍善摹印一以秦漢爲法用刀蒼莽頗自珍貴非素好及韻士縱力求之終歲惟庋寘而已丁酉以拔貢入京師赴　廷試朱學士筠王廷尉昶吳通政綬詔黃殿撰軒甚賞識之後失意有司賦詩四章有也將姓氏通前輩終是頭顱媿後生等句嘖嘖人口飄然去長安病卒師張閒舟次幸與金光祿棨吳庶常蔚光偕行皆係姻婭爲經紀其身後事初佩芳信輪迴之說纂有不疑錄及病劇時謂同舟人曰昨夢使者延至一所具公案就之讞獄五起旁有披髮鬼卒侍立殆不祥也古人有言生而正直聰明者死則爲神其或然歟所刊雲樵詩鈔惜非全稿耳

杜超傳

杜超字越倫一字月舲號南岡散人江蘇婁縣人也世居壓蕩浜杜氏自唐宋元明以來科第蟬聯簪纓鵲起爲雲間巨閥南岡生而恬退性好閒靜視華膴蔑如也養母居鄉扃鍵茅舍爇香彈琴栽花種竹遇良辰美景風和日煦奉板輿而尋樂暇則二三知己或挈榼或提壺擘箋分韻角隻字之工盡一時之興醉墨淋漓頗獲幽閒佳趣又善培植盆樹瓷斗中數寸之木皆具拏雲千霄之態平素究心六書耽篆刻凡秦漢印藪印統宣和印史諸譜搜羅購覓晴窗臨摹深得昔賢三昧以故章法筆法刀法動與古會著有鏡園印譜及鑒定顧商珍冰玉齋印譜行世

井玉樹傳

噫栢亭井君還世已數年矣予欲爲立傳未悉梗槩遂閣筆中止庚子冬姪倩朱內史文翰赴補來京自言得指授于井師予因詢其顛末先生名玉樹字丹

木栢亭其自號也順天文安縣之右族尊人以明經舉于鄉任學博書名重一時栢亭少即岸異傲睨珊珊博覽羣書不屑爲舉子業甘以布衣終老工八法精篆隸與同邑紀王程三君子稱四大家紀以詩名王程以文詞雜藝名栢亭獨以善書名淵源家學時人比諸恆之有玠羲之有獻也素嗜鐵筆不規規摹仿自合秦漢法度刻有栢亭鐵戲印譜居常求無不應案積磊磊奏刀殆無虛日晚年兩臂力衰患風痺不能舉人謂技至超凡入神造物忌之厄以末疾其信然耶又善丹青山水大幅尤妙絕然能事不受相促迫求之者每於淨几明窗掣榼提壺以俟迨飲至半酣濡毫噀墨揮灑淋漓若有神助幾奪高南阜之席舉丈夫子三人皆有聲庠序能以品學世其家

姜煒傳

姜煒字若彤居江寧上元縣之杏花邨性敦樸弱不好弄輟讀經書惟嗜籀篆於六書之法討究甚精摹印規橅自先秦兩漢而下靡不肆力焉金陵故多收

藏家知若彤好古皆樂與之交時時出所畜金石碑版以資臨摹品藻故若彤雖不能散金廣購而所見甚夥目耕心織數十年不倦遂得蜚聲藝苑且予若女習熟見聞莫不工鐵筆焉風雅萃於一門亦足侈已歲丙寅予薄遊金陵惜未知其人後簡齋哀太史嘗爲予稱道弗置欲一泛剡溪之櫂以塵事牽率未果戊子秋族兄聞頤赴省試予始寄花蕊石數鈕乞篆若彤聞予名不日皆爲鐫寄且以印譜見遺予時爲摩挲賞玩想見其爲人他日重過白門把晤若彤於三山二水之間傾倒當更何如也

翟灝生傳

岸舫翟灝生字容清安徽涇縣人岸舫其自號也清閣公之第五子世居桃花潭岸舫生而敦篤孝友性成胸無町畦又稟庭訓潛心力學且畊且讀不慕榮利家學工青烏之術明撥砂倒杖諸法爲人卜牛眠頗有聲譽繼而從金陵田公遊究心六書研討始一終亥之義善書小篆頗得杜少陵所云瘦硬之旨非

其人不輕爲奏刀即厚聘亦勿往啜粥咀羹焚香賦詩恬然自守詩宗晚唐清勁拔俗不染肥穠著有岸舫詩鈔語古堂印存以布衣終身子賞祖號懋齋天性淳樸口無擇言能讀父書世其業亦工鐵筆有聲庠校戊戌秋予相識於金臺謬許予爲知音昕夕過從不時爲予鐫十數鈕兼得其尊人佳製焉

金墜山傳

金鏐字鼎臣號墜山世居浙江山陰縣之觀仁里傍徐天池青藤舊居矢魚洗竹相羊其間家世青箱藏弆甚夥墜山幼年即補弟子員聰頴强記造詣日深進尤嗜古文六藝百家九流昕夕菲枕涉獵不沾沾制舉業數奇不遇伯兄昌世季弟傳世甲辰戊辰先後成進士墜山青袍黯淡恬然安命無鉏鋘容愛畜古硯明窗淨几羅列燦然摩挲賞翫竟日無勌也暇則究心青烏之術浼涓日者幾穿戶限又性耽謳吟常擁鼻作洛下書生詠詩專宗杜少陵蒼勁工細著成卷帙惜無力壽梓狼藉篋衍中鼠齧蟫穿其傳不傳未可知也至于鐵筆乃

其寓興餘事耳

楊心源傳

楊心源字復夫一字修堂號自山江蘇金山縣人也幼承家學弱冠即遊邑庠頗有聲譽己亥歲仲兄懌甕領鄉薦自山亦爲碭山令黎陽董公所賞識以額滿見遺人多惜之凡學使者校士每列前茅補廩膳旋貢入太學婁邑纂修縣志總任採訪殫心搜羅發潛闡幽當事稱其能事自山有從祖鄉貢進士錫觀精於篆隸之學家藏碑版及明人印譜甚富故少時即習篆刻研究六書前輩如覃溪翁侍郎耳山陸大理見其所製咸交口稱譽而爲之序其印稿顧性頗癖初法蘇嘯民何不違旋學朱修能梁千秋而折衷於文何上則窺測秦漢許實夫以下皆鄙以爲不足觀是故賞音甚稀著有修吉齋詩文類十卷文秘閣印稿四卷芸軒鐵筆四卷

續印人傳卷六終

續印人傳卷七

古歙汪啓淑訒菴撰　　仁和葉　銘葉舟校刊

楊汝諧傳

揚汝諧字端揆號柳汀江蘇華亭縣人生而警敏髫髻時即頭角嶄然讀書目數行下強記博聞尤嗜說部典故詞華之學詩法香山放翁如彈丸脫手不煩繩削而自合家素封以貲授別駕銜居常遇古搨名畫不惜重貲購畜每當麗日和風窗明几淨硬黃臨仿或行或楷居然入海嶽香光之室游戲丹青涉筆便秀氣撲人眉宇大癡倪迂繁簡皆工饒書卷氣飲興最豪大似畢吏部之通倪瀟灑共杯斝者不必盡屬鴻儒雅士也即厮養狗屠時亦略去形迹脫巾歡呶裸臂搏拳不少讓精音律幾於無絲不彈無孔不吹所謂揚激徵騁淸角亢音高歌爲樂之方者非歟閒暇亦寄情篆刻不專師秦漢隨意揮灑自以爲非專門而丰致蒼秀迥非俗流能及所著有沖簡草堂詩鈔

岳高傳

岳高原名載高號雨軒浙西歸安縣人世業醫洞視垣一方邑人賴以存活者無算每晨就診者切踵摩肩門庭如市雨軒嗜潔有米海嶽倪雲林之風髫年嚮學耽于韻語每届試期始扆戶習佔畢弱冠遊上庠爲高材生視科第如摘頷髭之易然命遭磨蝎屢試秋闈輒籠東而退居常蒔花洗竹蓺菊分蘭鼓琴作畫縱酒豪吟風日閒美則櫂雀舫駕鹿車翺翔乎白雀道場烟霞之窟清暇棲情篆刻摹秦漢印以寄興常與人言幸逢　聖世爲天地幸民若不自樂負此身多矣終日在醉鄉中性寥蕭簡澹不作求田問舍計人以時高之句詩畫者往來如織搖毫伸紙頃刻立就輒饜其所求而去今聞年近杖國而視聽不衰神明湛然眞有谷神之養者所著詩名雨軒小稿

施景禹傳

施景禹字濬原號南畇江蘇如臯縣人髫齡即聰穎日可誦千言然不樂佔畢

無意進取惟日以先世所藏古法書圖畫昕夕仿摹致忘寢食家貧屢空宴如
也尤潛心於篆學習摹印私淑文氏三橋饒嫣潤秀逸之致與朋友交多肝膽
氣誼胸無町畦人以是重之爭延致蓮花幕中客外者十餘年旣以親老歸里
奉養卜居於鄉搆竹籬茅屋幽靜之室數椽顏曰小停雲曰寄廬花樹分列烟
水環繞門前有小橋三疊因自稱三橋居士蓋亦瓣香壽承家風耳板輿將母
樂志之餘月夕花晨時集雅人墨客歌嘯其中日夜不知倦也寫花卉於徐熙
沒骨法尤妙鮮艷如生乙亥春訪舊燕臺余從春浦劉明府貢座上始相識之
其沖和淡雅藹然可親洵與平日所聞悉合所著有小停雲館印略

張梓傳

張梓字榦庭號瞻園江蘇上海縣人也性循謹慎言笑舞勺之年不待勉勵卓
然有志於學博聞彊識詩宗勝國七子摹揣初盛唐風氣作古文寢饋歐蘇無
繁艷儈俗之語隸書仿曹全碑工謹而古致盎然復精堪輿向背陰陽土脈水

派撥沙倒杖瓶解出人意表非如世之規規八五經者岐黃得李夔文衣鉢訂經脈爲標之謬揭肌胸腹胃限痒者日期之誤正七情六氣房勞刀杖爲內外三因之訛三折肱來頗費苦心尤篤嗜鐵書究心大小篆懸針臨摹眠餐俱廢者幾三十年刻印宗同邑沈學之文秀嫣潤繼仿王梧林歸文休諸子灑然超絕積久成譜婁東毛宣夔吳門蔣恭棐嘉定王通侯海上曹劍亭爲作弁言咸稱許之

鄭基成傳

鄭基成字大集號東江先世家於閩爲漳南長泰人後遷江蘇青浦縣齠齔時即矯矯不羣稍長益自顧藉矩步規行讀書枕經傳葄子史下帷攻苦夜以繼晷曉行者過之窗燈熒然未滅也每自謂作文之法取材宜富用意宜深富則充實光輝深則曲折沉著然富非堆梁之謂深非幽晦之謂工於文者知之早歲蜚聲黌序歲科兩試輒列前茅屢困秋闈每得而復失嘗戲謂同儕曰吾小

戰則勇大戰則怯爲之軒渠性躭金石文二十餘年來窮巖絕壁披荆榛剝落蘚手自摹搨證以志傳以故篆刻私印章有程刀有法字字師承秦漢

黃堉傳

黃堉字振武號丙塘安徽歙縣人胡太史珊高弟也生而頴異就傳後即能屬對耆宿戚器重之甫成童九經史漢八家不特覆背如瀉瓶水且能貫串融會妙義環生目素明瑩每以焚膏繼晷枕經葄史不辭劬瘁視日以近幾於覿面不識人爲文取法過高賞音者稀致久困童子試嗣因諸父業鹽筴于浙以商籍補博士弟子員然嗇於遇省試屢薦屢躓不獲一售鬱鬱以卒卒年祇三旬外爲人通侻瀟灑胸中不設町畦與人交熱衷耐久工大小篆八分書畫墨菊頗饒幽致寫蘭竹則又雙管交飛解悟昔人怒喜行筆之旨復寄興篆刻宗蘇嘯民吳亦步章法刀法古樸蒼勁會館予家故得其十數鈕也

鄭際唐傳

鄭際唐字□□號雲門福建侯官縣人自幼頭角嶄然頁岸異姿出語驚其老宿刻苦向學經史諸子百家潛記默識作爲文章出入唐宋八家不懈而及於古其他浸淫乎漢氏矣書法由歐顏而米蔡臨摹無間寒暑幾於右手生胝求之者戶限爲穿早歲登賢書已丑入詞垣　聖天子愼選師傅官劉文正公于文襄公交章薦之遂供職尙書房淸華則玉堂金馬品學則師保疑丞身置雲霄望重泰山北斗儒生稽古之榮韓昌黎所謂名聲隨風而流功業逐日以新豈不偉歟少時曾隨其諸父鹽運副使肆業武林署中游藝旁及摹印貫串六書沉思專精章法刀法皆文秀殊異於世俗之所爲鐵書者然此亦雲門之餘藝耳

黃鉞傳

黃鉞字□□號左田一字左軍安徽丹塗縣人童丱時即穎慧過人讀書日以寸計作時藝不屑爲凡近語補博士弟子員才旣高達論尙新奇名噪黌宮善

聲詩樂府歌行灑灑千言左田亦自負不羈之才莫肯俯首下心由是見惱於先達貴戚屢赴省試而名頻落於孫山之外與世闊疎鮮所諧合遂寄興於丹青山水花鳥人物點染咸有味外味究心六書明始一終亥之義摹印師承秦漢不尙訛鈌剝蝕以爲古娟秀中具剛勁頗契文氏三橋眞傳得心應手設起尹子汪君云美顧君於九京亦應讓此君出一頭地矣近充四庫館校錄然蛟龍終非池中物也著有左田詩鈔若干卷

吳樹萱傳

少甫吳太史江蘇吳縣人初名傑更名樹萱中翰鑫齋之胞弟甲午北闈舉人庚子　恩科族姪如洋榜進士授翰林院庶吉士少甫自幼潁異即能讀等身書目數行下過即成誦性淳篤遇不如意事亦從無幾微鬱艴見於顏面長身鶴立玉瑩珠光令人彷彿如見王恭雪下披鶴氅時詩古文詞鎔經鑄史春容雅大可以榮名可以壽世視島瘦郊寒不啻淵霄之隔已亥歲楊制軍景素

聘主保定蓮池書院都講濟濟不惜口授指畫爲文章悉有法度可觀異日銓掌文衡爲　國家樂育菁莪送登楨幹所謂桃李盡在公門者余拭目以竢之餘技工篆隸摹印師承秦漢尤愛顧云美塔影園譜蒼秀古雅洵足珍賞然於少甫則爲賸事也

高秉傳

高秉字青疇號澤公一字蒙叟漢軍鑲黃旗人先世從　龍豐功偉伐銘在旂常王父恪勤公諱其佩立　朝勛歷具有本末事蹟詳載　國史父綱歷官太守青疇生於華閥幼即穎敏好讀書不染紈綺習由官學生得恩監屢試棘闈不遇遂飭身修志樂於閒散不作彈冠計逍遙詩酒託興丹青春花挈榼冬雪圍爐夏招北戸晚凉秋挹西山朝爽或聯屐分箋或孤吟獨酌自謂阮劉不足儔蘇石不足伴也其摹印雖不拘拘學步秦漢而奏刀皆合古法文三橋何雪漁嫣秀蒼健兼而有之遊歷甚廣輪蹄幾遍宇內予官水曹時曾相識因乞製

數鈕所著有青疇詩鈔若干卷惜無好事者梓以壽世

趙丙械傳

趙丙械字芄若號養拙居士一字卬才浙江山陰縣人閥閱素封綺年即好學無紈袴習從胡曙湖劉楓山童二樹諸君子遊性嗜古攷覈精詳商匜漢鼎唐縑宋楮名人筆跡入手能辨眞贗無論市集門攤眼光所注無留良焉尤篤好古書不惜重貲購得惟躭麴蘗止則操卮執觚動亦提壺挈榼殆劉伯倫所云捧甖承槽銜杯漱醪無思無慮其樂陶陶者與出則模山範水不屑求田問舍家遂中落而技益工小篆宗李陽冰隸書仿韓擇木嘗於卯酒初醒湘簾棐几臨摹古搨數十種裝潢成册二樹童君弁其籤曰金石文章摹印初師曙湖繼學勝代朱修能後又一變而宗程穆倩古拙中含蒼秀捐館時年五十餘子不克家所藏彝碑版書籍及文玩印章半值鬻弃於人良可惜也

徐鼎傳 鈺附

徐鼎字丕文號調圃江蘇華亭縣人勝國文貞公後裔父淞字齊南潛德不仕精究象緯於西洋測量制器之法無弗洞徹調圃髫齡即失恃家又清苦不獲專攻舉業以博科第每鬱鬱焉對客藹然可親耽靜退斗室蕭條寂坐終日劬嗜六書習摹印秉善文何兩派俊逸健雅頗饒古趣而於漢人翻砂撥蠟淺深輕重有得心應手之妙早年喪偶不復續絃人以義夫目之淡於名利即米鹽偶缺晏然自安弟鈺字席珍號訥菴性穎敏能紹其家學通勾股算法凡樂鐘日表及日規扇神工天巧悉從十指出分晷不爽纍黍工刻石碣波磔處毫髮無遺憾秉善鐫晶玉銅瓷章識高於項力大於身可奪江皜臣之席著有訥菴印稿四卷

鞠履厚傳

履厚姓鞠氏字坤皋一字樵霞又號一草主人世居江蘇奉賢之南橋恬度里夫里以度重度以恬名叩其里居梗槩亦可想見矣樵霞弱不好弄出語即驚

其老宿就傅後日課千言經史子集博洽淹通爲文步趨八家詩宗主選體入國學以攻苦得疾中年羸弱愈甚不能角逐名塲爲人謙和端謹持身儉素樸質無華尙氣節重然諾至其孝友睦婣任卹尤出天性約指一二端如刱建家祠以妥宗祏刊修族譜以篤本支每遇奉賢邑人輒嘖嘖稱譽則其交孚者素也夙躭六書尤精摹印瓣香三橋追跡主臣名噪一時性好客戶外屨滿樽中酒盈況年僅不惑其造詣正未可限也所著有印文考略一卷坤臯鐵筆二卷餘集一卷

江源傳

士有入孝出悌非道義一介不取與而其材藝之精能又有以異於人者此固從古所難而今世尤所希也予於雲間得一人焉曰江源君名源字豫堂號修水其先世與予同新安歙邑高祖中理公始遷旌德籤於庠素有文名 國初再遷松江專治喉科世傳曾祖曁大父皆精其業活人無算父諱式之松郡

庠增廣生好學工書頗有聲譽修水生而聰穎讀書成誦後能不遺忘甫髫齡入婁學補增廣生名雋黌序然數奇未遇賞音君亦不急急榮名日惟研究方診六徵之技暇則寓興篆學追摹秦漢而擷香前明朱修能吳亦步又善撫琴純古澹雅疏越遺音感人獨至其事繼母孝撫弟友立身大節又如此若夫鐵書特閒情之所偶寄耳其所著有口口印譜口卷

孫克述傳

孫克述字汝明號口口安徽黟縣人性嗜學幼即通文史所作必求合乎古人不屑屑事帖括年甫冠已有詩文譽姻族强之就童子試瑤峯梁相國奇其才拔列泮宮愈益名噪然終以所務高遠不宜於時輒困塲屋抑抑不得意遂究心六書栖興鐵筆常至郡城與吳漫公家稚川程易田巴雪坪諸君子討論始一終亥之義追踪秦漢章法刀法高古渾樸超絕時流暇則臨池學書以晉人爲師深鄙纖巧側媚之態又善鑑古求其審定者戶外屨恆滿亳州梁進士巘

見其書與其所鐫印心折之嘗寓書極獎許焉然非深相契者求其隻字亦不可得雖餽之多金不受也年來家計凋落以舌代耕一室之中左圖右書諷詠不倦年僅三十有九其所成就正未可料也

曹均傳

曹均字大同一字治伯號平階祖籍上虞縣高祖始遷居於秀水曾祖曁祖與父皆列黌宮克承家學治伯幼孤露母吳孺人通經籍能詩文以十指供家給教之成立弱冠深知刻厲鎔經鑄史授徒閭里以佐饔飧繼爲惺園王中堂賞識拔置縣學爲文討探源流不蹈時趨旋餼於庠石君朱大中丞復舉優一時聲名籍甚然性嗜金石古文精研考據工八法見舊石刻及前賢墨蹟雖無貲必質衣相易歸則昕夕臨摹故小楷一時稱爲能手閒亦寄興篆刻宗秦漢不屑習時俗纖媚書卷氣盎然流溢春圃袁方伯贈詩有芸閣香濃藏典册墨池春暖走龍蛇之句今君年方壯盛造詣所至又烏可量哉

袁阮山傳

袁君名宮桂字□□阮山其自號也江蘇無錫縣人尊甫上簡性倜儻善劍術從虛舟王侍讀遊精小篆工漢隸阮山世承其學兼擅帖括早歲採芹名振黌序善體尊甫意勿令分心鐵筆惟專精制舉文字刻苦研求但文格峻潔孤峭不合時眼賞音甚寡尊甫棄養家中落無以奉萱堂甘旨之需乃課藝外遊友人有乞其製印者始勉應之稍獲潤筆以供色養而自奉極薄故人稱其孝無間言後屢躓棘闈益無聊賴遂放情於酒狂吟弄筆每每闌入醉鄉然賦質素稱醇謹不類灌夫罵座於刻印明大小二篆不可混而爲一刀法甚蒼秀可愛篆書彷彿虛舟所著有□□詩鈔□□印譜

續印人傳卷七終

續印人傳卷八

古歙汪啓淑訒菴撰　　仁和葉　銘葉舟校刊

朱德玶傳

朱公德玶字叔玉號藉山行三世居江蘇碭山縣之蒲盧里賦性敏慧讀書頗強記齠齡即嗜篆刻摹秦漢印奏刀輒與古會學翻砂鑄銅章頗蒼雅少長暢朗玉立傲睨當世雅好游藝居恒投壺擊劍彈棋縱博賭酒藏鉤日在歡場間則控紅叱撥驟金埒引十石弓左右射無虛發自喜機巧見於眉睫既而悔之乃折節讀書遂工韻語兼善繪事丹青潑墨各臻其妙繼而愛游聞人說及名山勝跡一筇一笠悠然便往終歲不問家人生產其天懷浩落如此以貲得官浙江嘉興府司馬勵志吏治頗有能聲且年未四旬其造詣正未可限量也

楊謙傳

楊謙字吉人江蘇嘉定縣人少年力學究心於詩古文詞不拘拘爲帖括家素

封入貲授州司馬職好結納交游遍江左座客常滿且不屑求田問舍家計遂凋落居恒抱膝慨然曰士生一世不能濟人利物雖生何爲時岐黃家無精外症者澂心研討徧選良方妙藥寄跡邗溝凡疑難險惡之症或以鍼或以刀或以藥餌無不應手立愈活人無算竹西人無論知與不知咸德之戶大豪於飲當夫簫笳發音於後觴酌陵波於前鳳觀虎視旁若無人竟能徹夜不醉子建與吳質書云食若塡巨壑飲若灌漏巵頗可移贈游戲篆刻尤工牙竹印師文三橋汪杲叔秀雅一燈然深自抑損不以所長驕人謙謙君子其人其名適相符契云所著有外科諸集及某某印譜

方後巖傳

後巖方成培字仰松世居安徽歙縣之橫山性沈默頴慧髫齡即能文體弱善病日在藥裹間父兄規其毋刻苦力學遂閉關習道家熊伸鳥戲導引之術越十餘年疾始瘥恥赴童子試專肆情於詩古文尤嗜長短句倚聲筆力柔豔才

思幽麗仿白石玉田格派雜之本集中幾不能辨且氣度閒雅飄飄然有逍遙遠舉之致一見而知爲雅人韻士也又好游雖乏濟勝具遇名山佳境策杖攜詩瓢茗盌必黽勉峻陟冥搜幽奧累月經旬亦忘返暇則出其餘技託興鐵書工秦篆一家極古致磊落然非賞音工書畫佳石舊凍不屑奏刀以久病遂明岐黃之學研討內經考究四家所偏執頗具卓識所著有聽奕軒詞稿後巖印譜

金野田傳

野田金君者名銓字汝衡直隸天津縣人也生而謹信誠篤雖家無居業甘苦志力學旣采泮芹品行爲膠庠冠靜居一室研經譬史糞除流埃惟以爐香茗盌暢其幽趣性耽道藝不屑屑於應舉文字時游意六書章草寄情篆刻一以秦漢爲宗其刀法蒼莽秀勁則絕類何雪漁蘇嘯民與李放亭定業高青疇秉爲時並重年踰四十即絕志榮念不赴棘闈舌耕自給惟與念湖吳明府人驥

相倡和遇俗子傖父縱餽以兼金欲乞一鈕印尺幅書掉頭振手而去杳不可得予向從小池薰主簿洵處即耳習其名壬寅秋乞假南歸道經直沽維舟訪之其高致疎野瀟洒溢於所聞及見所著野田印宗則名實相副又承畢所製數章見遺因登之譜而爲之傳畧云

陳元祚傳

陳元祚字師李號西麓浙江嘉興縣新豐鎭人也祖之濤嘉興縣學官弟子胞伯觀歲貢生均以工時藝教授生徒爲世業西麓少穎敏雅有思智弱冠補博士弟子員膠庠頗富名譽於舉業之暇棲情篆刻弋興詞章從崑臺徐廣文游得其指授復與同里曹種梅江山毛天巖昕夕討論益臻堂奥頗饒蒼秀圓潤之趣幾可接跡徐白榆虎侯喬梓求刻鈴記者戶外屨滿因裒集爲西麓印譜嗜酒狂吟家雖屢空宴如也及年踰不惑潛心經術殫心註疏屏棄一切鄙雕蟲小技爲不足傳賦自述詩三十韻以見志予耳其名巳非一日今秋在金匱

縣張公衙齋遇松濤魏明府聞與西麓契好正欲煩伊介紹乞鐫一二鈕印歸櫂過鴛湖晤海六鐘明經始悉西麓亦雅慕予曾將少壯所製花蕊石章十餘方交海六以見贈蓋神交已歷寒暑矣可不爲之立傳哉

錢梅簃傳

錢樹字寶庭號梅簃浙江仁和縣人方伯湘蓴先生冢嗣也生而頴異凝重自兒童凜然如成人不待勉勵卓然有志於學及長貧不覊才方伯甚鍾愛焉急欲見其成名納粟入太學屢赴北闈不得舉因不自聊寄情韻語斗室中屏絕纖塵爐香茗盌率然而吟蕭然而詠又善畫終日沈酣於膠山絹海間又嗜篆刻私淑龍泓丁隱君遍訪其所製搨而裝成册時臨摹之終無以展其雋思幽憂致疾遂瘦類東陽因自稱瘦居士方伯愁之會蜀中用兵因轉餉急公得分司滄州方伯勉之曰司馬長卿亦由貲郎顯章自奮發以報國梅簃屏去夙好一肩行李遂赴任即纖細公務皆不假手友人庚子秋委解甘肅餉於船脣鞍

背始復理吟事得詩一卷名西陲紀游適逆回不逞頓滯道路頗著勤勞其所著印一以小心落墨大胆用刃爲則而隸書欵識最精况年在方剛其造詣當不囿於小成也

樊紹堂傳

硯雲姓樊氏名紹堂一字筱香江蘇長洲縣人居楓橋漁航衖曾祖天溥任河南汝甯府別駕祖世楷蘇州府學官弟子父質煌國學生硯雲而骨格聰穎年十五習帖括無時俗氣暇則寓興丹青弋情篆刻又喜賦詩落筆超逸頗得前賢風趣能三不惑曾隨從父航海至日本途中賦歌行近體成卷帙歸遇颶風漂入薩摩國有乞其詩畫者隨手揮洒應之彼國甚爲珍庋越歲始得歸學益進太府鑑泉胡公因延入署爲記室逮錢唐簡齋袁明府遊吳門見其詩亦稱許錄爲門下士且採其詩入詩話然硯雲體素羸弱善病甲寅初秋以微疴預作慰別詩十二章以不獲終養嚴父爲憾其餘與師友句多含悲緒字字從至

性中流出及既望病劇尚取素箋臨曹娥隸字碑貽其室人中有誤筆親洗刷而重書書畢語其室人曰樊硯雲從此逝矣遂兀坐而瞑嗟乎硯雲有才無命良可惜也予始於竹堂吳山長處見硯雲所刻印繼於簡齋袁明府寓中讀其詩復於蘋洲林太守席間識其人惜返櫂倥傯不暇奮袖縱談分牋角藝丙辰春薄游金閶至楓橋訪焉而硯雲已赴玉樓之召矣尊甫耕蘭慨然以硯雲所鐫印數鈕見貽亟登諸飛鴻堂譜中而爲之傳以傳之

迮朗傳

迮朗字輝庭一字卍川江蘇吳江縣人幼讀書强記及爲學官弟子蜚聲庠序然文體尚刻峭峻厲不合時趨以致屢困場屋繼聞宏開四庫館裹糧北游有援之者得厠寫書旅食辛勤數載已獲議敘得官而銜恤南歸矣因歎命途多舛自知非簪紱中人服闋後遂伏處鄉里日以香爐茗盌詩文自娛尤善駢儷高者宗德六朝初唐次亦不失陳其年章豈績矩矱又善丹青獨出匠心恥蹈

俗人科臼問亦託與鐵筆受業於兩亭張錫珪守顧雲美陳陽山一派望之知爲讀書人所製無纖毫塵俗氣予承之農曹因得聚首談藝曾蒙鐫贈數十紐已登飛鴻堂譜中至伊所著有□□詩鈔□卷□□印譜□卷□

楊瑞雲傳

楊姬瑞雲字麗卿江蘇吳縣人幼穎慧嗜學針黹之餘搨衍波臨池撫唐賢小歐書娟娟秀挺多逸致癸未季春歸予簉室予以其嫻靜更字之曰靜娥時予有幽憂之疾方寄情絲竹以自陶寫姬見獵心喜偕諸姬肄習不匝月凡聾婆蕭阮釆庸之屬皆精通從予受古才媛文百餘篇自檢說文釋其大義歷歲餘矮牋短牘皆嫻雅可觀隨予三次歸歙掃墓道經佳山水對林巒幽峭溪流潔折或禽鳥弄聲野花爭笑輒低徊留之不忍去與烟霞泉石若有宿契者胡姬佩蘭莊姬月波皆余侍姬也佩蘭嘗即景爲小詩姬羨之思與抗衡遂手抄唐宋詩分古今體爲數帙昕夕吟誦講習研解至忘寢食遂有得時與月波莊姬

相唱和刻意求工慮佩蘭之竊笑脫稿後輒焚棄之故存者絕少余所蓄歌兒
素雲欲習寫生有工惲家法者單君書巖因延致之俾素雲學習已浹辰尚茫
然姬旁睨皴染之法會其微旨壁間適有虞山蔣文肅相國宜男花條幅姬諦
視之輒申藤吮翰點渲合度予奬借之益專心臨摹終日孜孜不倦體素羸弱
又善病計樓鏡檻間畫幀筆牀與藥裹參爐相錯置因予有印癖且時同檢校
六書故亦琢石學篆刻頗秀潤娟靜楚楚可觀後與予小住虎林病日甚而浙
東苦無良醫僦舟至吳門從薛徵君一瓢求治卒無效不及至家歿於舟年僅
二十有一云

釋明中傳

大恒禪師本名演中後改明中字大恒號烎虛浙江桐鄉縣施氏子生而厭辛
葷七齡祝髮於秀水楞嚴寺師祖含明教之讀儒釋兩家書有宿慧過目成誦
雍正甲寅遊參　輦下受具　皇戒　世宗憲皇帝於千僧中選留有

根器者四人侍講佛樓師在其列　聖意於師尤篤手敕數千言言明本地
工夫幷　賜杖鉢如意法帖等物　恩賚甚隆　今上龍飛六年出而
主席西湖聖因寺繼移智杖乾峯天竺淨燕諸道場禪力堅凝十方欽企
翠華南幸三次　賜禁　御製七律彈指仰賡幷進　南巡頌皆蒙
睿鑒得邀　賜詩一章刊石淨慈穹碑矗立雲漢昭回從來住持未有之
遭逢也五十一臘示化時有披蓑赤脚千峯去不問蘆塘舊釣舟之偈師秀而
腴天性冲和能以儒通佛德旁及繪事大癡之縝密雲林之疏秀師兼有之間
亦寄興篆刻古勁中含文潤尤長於詩發微妙音證無畏義乙丑歲與予暨月
田江聲穆門樊榭堇浦諸宗工結吟社相酬倡所著有芡盧詩鈔堇浦杭太史
詩序所云骨格蒼而思力厚誠確評也山舟梁侍講與恆公槩莫逆因鏤版行
於世

釋湛性傳

釋湛性字藥根一作湛洗字藥菴姓徐氏江蘇丹徒縣人幼祝髮棄家爲僧後駝錫楊城祇園菴狀貌淸癯容色爽朗廣陵故繁華地富商巨賈擲財役貧而富公之僑寄於斯貴客之經行於斯者冠蓋往來無虛日藥根閩戶禪坐泊如也然有文字結習雅好與名流賢士游東南名宿多與訂方外交性尤嗜詩所詣淸雄雅健悲壯激昂無瓢鉢氣又性敦孝友其集中笑父省慈晤姊數作皆近世衲子不能言者至於懷古諸篇則時出特識得題之竅要發前人所未發書法精美絕類秦劍泉且工篆刻蒼勁中蘊含秀雅然頗自貴惜不輕爲人落墨生平訪參所歷甚廣常從金陵迎江而上來往湖湘掃塔牛首西禮五臺道出燕東文園李學士中簡邀館閣暨諸名士集就樹軒賦詩以孟襄陽微雲疎雨句分韻藥公拈得微字即席成五言古十四韻一座盡傾爲之斂手推服後直隸方宮保宜田延主靑蓮禪院踰年圓寂其徒歸骨仍塔於南論者謂藥根淸才逸致彷彿唐之賈閬仙惜無韓退之爲收斂而冠巾焉遂令放睛世外懷

才終老然其流風餘緒亦可於祇林中高置一座矣所著有雙樹堂詩鈔

釋篆玉傳

釋篆玉字讓山號嶺雲浙江某縣某氏子髫齡即從某師薙染性敏悟梵書經典一覽溜亮兼通儒學性嗜聲韻柳柳州所謂以儒而通佛者闡大乘法排竿蔬筍解脫繫縛絕無寒乞之相歲乙丑月田顧明府之挺結西湖吟社諸耆宿外北山則恆公南屏則讓師也時予亦參末座聯吟刻劃湖山之勝極一時風雅董浦杭太史墮話集題詞中已詳言之矣讓師道風秀世戒律精嚴發微妙音得詩家正法眼藏善書深明撥鐙之訣由顏入手摹雲麾將軍碑雄健古致閒涉摹印不沾沾於仿秦臨漢別出機杼有雪漁嘯民蒼動之趣而無劍拔弩張霸氣眞能以心印印世者然不輕易贈人予結香火緣幾二十年亦僅得其數鈕耳著有讓山語錄墮話集皆梓以行世

介菴上人傳

釋湛福號介菴雲南昆明縣某氏子幼祝髮習浮屠能參文字禪桐山方望溪先生嘗稱許之駐錫日下傳經院作墨雨堂歸愚大宗伯沈夫子爲之記善八分有史晨孔和遺意小楷絕肖鍾元常恆書栗里飲酒貧士諸詩勒諸貞珉人爭購之鼎彝尊卣名章古畫寓目立辨眞贗間亦寄興鐵筆惜無受之正傳然別具天趣頗自寶貴非其人不輕與奏刀也予因雲亭舒明府瞻得訂交契爲予曾製數鈕介菴既擅衆技復詠諸瀟洒故王公貴人爭樂與訂交遂竊名一時云

釋續行傳

釋續行字德原號墨花禪俗姓羅氏江蘇昆山縣人也幼祝髮習浮屠學掛錫於青浦縣珠溪之圓津菴菴在闤闠中禪扉晝扃梵唄冷然頌經淸暇得印心之解擺脫塵凡冥心獨造遂工摹印宗文三橋汪杲叔秀潤一派樂與文人墨士游有文暢之風雲集生平所篆印爲墨花禪印譜蘭泉王方伯昶曾爲作序

稱其人古質敦樸足爲禪門圭臬而於篆學淵源頗有心領神悟之妙師嘗謂予曰吾之於摹印也未嘗規規焉摹擬分寸爲之得於心形於手因以寄吾之興而已豈與世之誇詡爭名者比哉蓋師固超乎語言文字之外者刻印特雕蟲餘技禪悟之一端耳未可以概其生平也

釋佛基傳

瞿曇氏佛基號鬖花道人安徽歙縣梅邨葉氏子生而茹素聞辛葷即作嘔因祝髮於古巖寺苦志焚修兼有文字結習中年遊參徧覽名山古刹愛浙西靈隱據明聖湖全勝遂駐錫焉時巨公方作道場主佛力堅凝文采豐贍在彼法中爲獅子兒交遊既廣詩文竿牘亦復不尠巨公一切委掌之翰札則下筆如飛頃刻數十函和句則短製長歌以寒拾爲本師以皎晝爲程式遵華嚴之法界衍魚山之梵音既工且敏午夜事佛子事其供養則蒼松瘦竹白石清泉也其功課則經行晏坐灑地焚香也予託桑梓誼又結文字緣每出城相與對牀

翦燭瀹茗聯吟在昔廬山心璧爲新城心折盤山拙菴爲商邱秀水忘年友投契亦不過爾爾迄今過冷泉亭物是人非不特湖山耆宿如穆門如樊榭如堇浦零落凋殘即方外之交頹唐若是輒不禁凄然淚下矣

吳潤魏喬合傳

吳潤字大潤江蘇婁縣人幼讀書不成學丹青父母故不能自立鬻身予家憐其羸瘦且恂恂然委典琴書架上排甲乙頗井井有條使抄錄書籍遇訛處解請啇去取見予嗜篆刻座上恆多善鐵書者遂學習摹印似有夙緣初爲落墨使之鐫便能不失規矩期月後便解章法能自篆配僅半年已楚楚可觀又勤學遍覽予所藏諸印譜孳孳不倦畫山水學陸日爲蘆雁草蟲頗得散逸雅趣魏喬字嵩年號壽谷江蘇如臯縣人家樸莊觀察之青衣也幼使伴讀自知向學遂麤通文義小楷甚整齊畫蘭竹亦具蕭疏之致觀察素好客有江甯筠溪左君名亭者善八法尤工六書篆刻常客觀察家嵩年從之受刀法且能摹印

不染江湖習氣觀察嗣君爲霖官比部挈之入都予因倩鐫數鈕附之譜中蓋嘉其咸能有志耳

金素娟傳

金素娟江蘇長洲縣人幼多病弱不勝衣旣失父母無以自存鬻於予家憐其羸也不任洒埽織紝使與侍姬葉貞爲女伴葉姬素善歌工絃索暇時授之時曲上口輒悟敎之操縵安絃皆能領略似具有夙慧者比長舉止嫺靜嬾傅脂粉令識字作書博弈投壺稍稍涉獵俱中程式一日予偶以鐵筆遺興素娟侍側閽人報有客至予遽起出外肅之素娟乘閒取刀試鐫成之雖人工未到而天趣渾然是性成者因篆石命鐫縱橫如意竟不失繩墨及傳以小篆章法刀法能解悟期年後殊有可觀特選其數鈕亦登之譜中幷附小傳蓋憐其有志好學不自暴棄非敢以康成之婢自詡也

續印人傳卷八終

再續印人傳三卷補遺一卷

庚戌夏至 王壽祺署

蒨廬

西泠印社印

仁和葉葉舟

敘

葉葉舟仁和人工鐵筆專宗西泠諸家刻碑亦臻絕詣撫拓彝器尤得六舟秘傳蓋其於金石之學殆有天授嘗嘆印人自周亮工汪啓淑兩書之後未有著錄乃搜輯史傳旁采志乘以及私家紀載昕夕鈔纂孜孜矻矻竭十餘年之力上起元明下至近代得六百餘人爲三卷補遺一卷得一百餘人上下六百年來浸以大備網羅之富編集之勞蔑以加矣夫吾人生於今日不幸國家多難士大夫方岌岌孜求國際法政之不暇而於金石六書之微幾莫或措意此印學之所以式微也葉舟生長西泠耳濡目染見聞既

夥學養尤深又況篤好印學出於天性積功既久效力益顯故能成此巨觀蓋其所由來者遠矣書成因記之於此幷告世之有同嗜者宣統二年山陰吳隱石潛甫拜敘

再續印人小傳目錄

卷一

仁和葉　銘葉舟編次

璩之璞　朱之瑜　朱蔚　朱鎡　朱欽　朱鷟

朱修齡　朱書齡　朱鶴　朱逢丙　朱藉山　朱鑰

朱銘　朱方增　朱簡　朱芬　朱應辰　朱爲弼

朱瑋　朱堅　朱熊　朱士林　朱志復　胡鍾

胡光筠　胡唐　胡琳　胡培　胡震　胡義贊

胡良銓　胡钁　屠宗哲　屠倬　吳迥　吳履

吳良止　吳暉　吳坤　吳逵　吳肅雲　吳鈞

吳鑄　吳晉元　吳育　吳雋　吳南薌　吳文鑄

吳咨　吳廷颺　吳重光　吳廷康　吳鳳堦　吳傳經

吳誥　吳播　吳滏　吳溥　吳大澂　吳俊卿

盧貝乘　蘇爾宣　瞿元鏡　瞿中溶　瞿應紹　瞿樹本

兪時篤　兪企賢　兪廷諤　兪寰　兪歈　奚岡

來行學　陳　助　陳豫鍾　陳　賓　陳　炳　陳洪疇
陳鋶桐　陳蘊生　陳　鍊　陳祖通　陳　延　陳于王
陳觀瀾　陳乾初　陳寅仲　陳成永　陳戴高　陳聲大
陳　佑　陳　均　陳鴻壽　陳春熙　陳　塤　陳蟾桂
陳祖望　陳允升　陳　雷　陳　治　莘　開　文徵明
文　鼐　文及先　文　鼎　殷用霖　溫　純　溫汝揚
孫朝恩　孫一元　孫　衛　孫　羈　孫　坤　孫　盦
孫光禮　孫星衍　孫三錫　孫　均　孫錫晉　孫義均
孫雲錦　袁　桐　袁　馨　韓韞玉　韓　潮　韓鴻序
潘恭壽　潘廷輿　潘　俊　顏　炳

卷二

錢思駿　錢元章　錢志偉　錢　仲　錢　坫　錢　泳

錢善揚　錢以發　錢　松　錢　式　全　賢　姚　銓

姚寶侃　姚孟起　喬　林　喬　昱　巢　于　包　容

包世臣　包子莊　陶　琮　陶　濬　曹宗載　曹世模

曹世楷　曹大經　高鳳翰　高　翔　高　植　高日濬

高　徵　高　塏　高心夔　高行篤　高　邕　毛　庚

羅鴻圖　羅　聘　何　通　何　鐵　何元錫　何其仁

何　嶼　何昆玉　沙神芝　巴慰祖　查璇繼　楊當時

楊恩澂　楊　剛　楊　陛　楊式金　楊敏來　楊　法

楊大受　楊　澥　楊慶麟　楊辛庵　楊沂孫　楊　峴

章壽彝　張　淵　張　貞　張在辛　張　澹　張　熙

張　敔　張　模　張　圻　張智錫　張　琛　張宏牧

張　濤　張安保　張純修　張慶善　張　溶　張文樊

張曙 張與齡 張鏐 張沆 張逢源 張春雷
張日烜 張奇 張上林 張開福 張嗣初 張瑜
張嶼 張辛 張定 張子和 張熊 張光洽
張國楨 王寵 王穀祥 王時敏 王玉如 王兆辰
王澍 王錚 王瑾 王光祖 王旭 王桐孫
王蔚宗 王世永 王宜秋 王錫泰 王錫璐 王澤
王用譽 王素 王應綬 王雲 王道淳 王禮
王爾度 王同 方絜 方濬益 方鎬 梁登庸
梁雷 黃周星 黃宗炎 黃庭 黃恩長 黃德源
黃正卿 黃壽鳳 黃士陵 唐英 湯綬名 汪士慎
汪啟淑 汪炳 汪徽 汪以濤 汪濤 汪士通
汪鴻 汪之虞 汪潭 汪西谷 汪文錦 汪鑅

汪行恭　彭　年　荆　青　程以辛　程士璉　程德椿
程坎孚　程東一　程庭驚　程　嶠　程培元　程秉善
程兆熊　丁元公　丁元薦　丁　杜　劉衛卿　劉運齡
劉穉孫　劉　漢　劉鳳岡　周亮工　周天球　周　道
周　蓮　周　昉　周紹元　周　閑　周丹泉　周　經
周之禮　侯文熙　林　黼　林應龍　林　鴻　林　臯
金　湜　金　農　金申之　金作霖　金雲門　金邠居
金　度　金　鑒　金爾珍　談懷壽　甘　暘　嚴　栻
嚴　坤　嚴　翼　嚴漢生　閻左汾

卷三

董漢禹　董　熊　孔千秋　項炳森　項綬章　史　榮
史　煥　紀大復　李流芳　李文甫　李希喬　李樹穀

季開生 魏闓臣 顧藹吉 顧元成 顧蕙生 顧振烈
顧仲淸 傅 山 蔡召棠 蔡 照 蒯 增 蒯文摩
戴啟偉 戴 熙 戴以恆 戴並功 戴滄林 萬允誠
萬承紀、邵光詔 邵 潛 邵士燮 邵士賢 謝廷玉
謝黃山 謝 庸 夏允彝 夏寶晉 華半江 鄭 梁
鄭 燮、鄭之鼎 鄭公培 鄭魯門 孟毓森 鄧 琰
鄧傳密、繆日淳 繆元英 陸 鼎 陸震東 陸學欽
陸古愚 陸元珪 陸鳳墀 卜陽昌言 祝翼良 祝 昭
濮 森 岳鴻慶 屈培基 屈頌滿 葛師旦 葛繼常
葛 唐 薛龍光 郭紹高 郭允伯 郭雲村 郭上垣
郭家琛 石韞玉、石 麒 柏樹琪 弋中顧 葉 承
葉廷琯 法嘉蓀 石 橋 丁 學 佛 眉 宏 夢

竹堂、見初　達受　野航　寶珍　衡山道士

妙慧　許延礽　周綺

補遺

童大年、馮有光　龐元暉　鍾紹棠　鍾以敬　余鍔

徐堯　朱一元　符翕、胡之森　吳悅　吳隱、

吳徵、黎簡、都榮　雷悅　陳書龍　陳大齡

孫梁　姚汝錕　羅朗秋　何溱　何維樸、華復

張廷濟、張惟棫　王左　王宇春　王壽祺、黃鑰

黃樹仁　唐源鄴　姜翔　汪良澤　汪厚昌　程世勛

丁仁、劉懋功　林從直　譚錫瓚　嚴錦　李二木

李嘉福　李輔燿　趙詰　趙慈屋　沈振銘　沈忠澤

鄭叔彝　郭鍾嶽

再續印人小傳卷一

仁和葉　銘葉舟采輯

童昌齡號鹿游冒襄同人集題印史册云印史焜煌點畫新射穿老眼見精神

知君絕藝能千古一册能昭歷代人

童　晏字陶齋號叔平崇明人松君先生之子工畫受業於任阜長人物及雙

鈎花卉均如其師中年以後書畫並摹惲南田墨梅尤工餘事刻印文何正

軌摹刻何雪漁七十二侯印譜晚以病顛人咸以童瘋子呼之

馮　塤號訥哉桐鄉人孟亭先生之孫也自幼即喜弄鐵筆爲印得漢人遺意

馮𧾷奎字木天號文甫嘉興人魯巖先生之曾孫也生於華胄年少翩翩有稚

尚無紈袴習工鐵筆秀潤可喜

馮承輝明經字少眉號伯承婁縣人嗜篆刻上規秦漢篆摹石鼓隸學史晨校

官碑旁通畫法兼善人物花卉尤喜畫梅著有古鐵齋印譜印學管見歷朝

印識金石莉等書

馮大奎字西文號涇西由廩生授例亳州訓導保舉龍谿縣丞署平和詔安等縣爲人通達明幹豪邁自喜鐵筆學文三橋書法神似吳興

馮時桂原名霦字璘友號秋巖工詩詞篆刻遊歷西江南粵間晚寓吳江之平望最久

馮繼輝字眉峰涇西公仲子也與笥山先生兩窗相對治經之暇日以摹印角勝爲樂事省試得病未幾遽赴玉樓可勝浩歎著眉峰遺文行世

馮迪光字惠堂號蕙塘幼時從涇西先生宦遊頗得江山之助爲人通倪明練工鐵筆隸楷

洪元長武林人洪太保兩峰之裔也有印譜一卷行世

翁方綱字正三號覃溪大興人乾隆壬申進士官至內閣學士左遷鴻臚寺卿重宴瓊林書學永興長于考證金石有復初堂集

翁　陵字壽如自號磊石山樵福建人善畫山水人物尤善篆隸小楷

翁大年號叔均廣平子吳江人居鶯脰湖善刻印工秀有法出自漢印與曹山彥同工而異曲也

翁　樂字均儒吳江人與石門李笠漁遊攷訂金石晨夕無間刻印尤高古

鍾　浩字養斯號小吾長興人歷官全椒桑植縣以指墨畫名工詩能篆隸長鐵筆

鍾沈霖字雨林嘉興歲貢生鐵筆工候頗深兵燹後官廨廟宇碑刻多出其手

鍾　權字石颿諸暨人壯歲猶及與鄉先輩陳曼生交故刻印一以浙派爲宗工分隸著有漱石軒印譜

江　恂字于九又號蔗田儀徵人昱弟貢生官徽州知府由選拔爲鳳陽知府藕花華湛可愛工詩善篆自楚中謫官皖水平反大案廉使至去位署亳州地方陡遭水災報憲不候批示開庫出錢買麪覓小舟不畏風雨赴鄉散給

麪餅活民無數有蔗畦詩鈔

江德量字成嘉號秋史儀徵人乾隆庚寅殿試第二人及第官至監察御史蒲褐山房詩話秋史爲江賓客昱從子父于九好金石秋史承其家學蒼雅篆籀靡不綜覽尤工八分所書武成王廟碑爲時所貴兼能人物花卉以北宋人爲法卒時年四十餘曾注廣雅又輯泉志未成藏有漢太尉劉寬碑及漢唐碑舊搨宋版書甚富惜殁後皆散失

江德地字墨君工篆刻兼善隸古

江士珏字荔田居徽州善鼓琴能擘窠書精於刻石住黃山數十年號天都山人

江濯之字漢臣徽州人所刻晶玉印甚佳名重公卿間曹秋岳先生延之上賓後游閩卒石刻不概見

江介字石如杭郡學生本名鑑工寫生逼近白陽書法歐陽率更間作山水

亦得元人閒冷之趣兼工篆刻詩入上乘與仁和宋茗香相抗

江尊字尊生號西谷又號太吉錢塘人好篆刻爲趙次閑入室弟子浙中能刻印者故多能傳次閑衣鉢者惟尊生一人而已晚年寓吳中壽至九十康健不異少壯焉

施萬字大千別字汗漫子錢塘人家祖虎林棄韜鈐尙四聲當時潘臬若王世貞李攀龍皆折節賓友之萬以詩名尤善篆隷摹印在何震陳士衡上嘗隷八駿字與兄子之駿云異日見手澤當知吾意傳明府巖萬舊友也走婺州避迹山谷間萬歷險往從之知不可脫與巖決別曰吾可以去公不可以不勉其持正如此卒無後士類傷之

施　犖字澗芝石門人喜吟詠擅鐵筆其詩阮文達公已采入輶軒錄中

施士龍字石農別字三复生餘姚人流寓杭州刻印師鄧完白兼善製印泥至今浙人多取法焉後卒於伏虎廟

伊念曾汀州伊墨卿太守子字少沂任浙江縣倅工隸法善山水梅花篆刻

祁豸佳字止祥山陰人明天啟七年孝廉論者謂其書不在董文敏右畫則入

荆關之室詩文塡詞皆有致能歌善奕尤工圖章隱於梅市

祁子瑞字穀士又字虛白初名階蕡松江貢生擅篆刻工山水宗香光寫雜卉

翎毛得周服卿遺意尤工繪貓

歸昌世字文休崑山籍移居常熟太僕有光孫工詩古文書法晉唐兼工印篆

與李流芳王志堅稱三才子蘭花墨竹均臻神妙

余鵬年原名鵬飛字伯扶安慶懷甯人乾隆五十一年順天舉人豪飲能詩善

拳勇刺擊之狀所著有曹州牡丹譜枳六齋詩稿

余應元字守白江都人由縣佐從事軍營殉節浦口善於刻符少時喜爲綺麗

之詩

徐貞木字士白號白榆秀水人性亢傲不苟同時趨恆欲靑白眼睨天下士工

於詩周篔谷稱其典贍淹貫非虛譽也小楷法黃庭可稱具體至於篆刻海內宗仰實出程邃許容之上子寅字虎侯號秋田能世其業孫掄元字不夜號南薑以文行著歲貢官甯海訓導隸書法漢魏照字城玉亦工篆刻有印譜行世

徐弈韓號豫堂婁縣人以拔貢生官夥縣教官工書精篆刻

徐　堅字孝先號友竹吳縣人山水得子久意工隸書善篆刻挾術游公卿間無不倒屣工詩有覩園詩鈔

徐　年號漁莊婁縣人布衣專心繆篆者五十年得何雪漁吳亦步兩家元朱文之妙古逸秀潤兩擅其勝爲潘榕臯王惕甫諸先生所稱賞

徐　霖字子仁號髯仙金陵人韻石齋筆談鐵筆之妙如徐髯仙許高陽周公瑕皆係書家旁及篆體印文章法心畫精奇李長蘅歸文休以吐鳳之才擅雕蟲之技銀鉤屈曲施諸符信典雅縱橫

徐在田號處山婁縣人工篆刻畫梅花作艱澀詩文父母亡衣墨衰終身勿嗜
酒多放言

徐寅字虎侯秀水人白楡之子名重京師過於乃翁其所刻印雖多斧鑿痕
未造自然然循循乎規矩不失家學之傳

徐鼎字峙東號雪樵吳縣優貢生頴敏好學工鉛槧敦氣誼早歲即聲溢里
閈曹地山宗伯校士玉峰詩古文制藝書畫皆第一名重江左薩公厚菴撫
吳時延爲西席甚加敬禮令嗣滕安榮安從學多年今皆貴顯其寫山水得
眞髓于謝林村先生鬆秀而不薄沉著而不滯胚胎一峰別精締構識者珍
之所著有毛詩名物圖說及靄雲館詩文集予久熟雪樵名而從未識面庚
戌夏五始相晤于柏庭方丈讀畫論詩遂成莫逆

徐必達字東明號星橋華亭人詩文外旁及陰陽樹藝臨摹篆刻未娶卒年四
十

徐　僖字松坪婁縣人明司冠陟五世孫工篆刻子奕蘭世其學並擅分書

徐熙景字唐運上海人工詩善書長於繆篆性迂僻乞其書即素交亦不肯作
興至縱筆數十幅不倦

徐念芝浙人嘯虹筆記念芝遇虎文於鄭中丞座念芝固名手即席從虎文學
焉

徐錫可字鄰哉號可叔嘉興貢生工書法得鍾王渾穆之氣兼善隸篆又精鐵
筆俱稱能品以詩鳴于時有得洒趣齋詩草

徐　鶴號青田終歲以訓蒙自給擅刻竹木所摹鐘鼎欵識極精

徐籀莊同柏原名大椿嘉興歲貢生舅氏張叔未解元指授六書研精篆籀多
識古文奇字未翁每得古器物必付籀莊攷證有從古堂欵識釋文援据博
而甚辯惜未梓行未翁所用私印多有出籀莊手者又能詩著從古堂吟稿

徐　楙字仲繇號問蘧錢塘諸生本名茂本幼即與兄秋巢承叔祖心潛先生

之敎嗜書畫金石篆隷後更友人之力益進矣著有問蘧廬詩詞鈔

徐　康字子晉號窳叟長洲諸生工詩畫篆隷刻印峙黃靡不通曉尤精於鑒別凡法書名畫金石碑版古本書籍以及文房古器奇珍皆洞悉源流楊嶺翁以宋商邱稱之箸有前塵夢影錄神明鏡詩心太平軒醫集子熙字翰卿別號斗廬亦精刻印

徐三庚字辛穀號井罍又號袖海上虞人工篆隷書王象碑尤佳刻印上窺秦漢於吳讓之趙撝叔諸家而後別樹一幟近時刻印多宗尙之

徐惟琨字鍔青平湖人諸生工篆隷棄工治印子拜昌善問饒有父風

徐士愷字子靜石埭人官浙江候補道嗜金石精鑒別清秘之富足與兩罍軒城曲草堂抗衡晚寓吳下與諸名流攷訂金石以相娛樂刻觀自得齋叢書

諸葛胙號永年蕪湖人能鐫銅章練銅鋼皆自爲之鹿文敔有詩云

璩之璞字君瑕上海人楷法妍雅善畫山水翎毛及水墨花卉筆致矜貴精於

摹印在吳門文氏伯仲間人品高潔不趨榮利士多論之

朱之瑜字魯璵號舜水明浙江餘姚人父正字存之母金氏封安人先生其第三子也以萬歷廿八年生穎悟夙成九歲喪父哀毁踰禮及長精研六經特通毛詩擢自松江府學學生舉貢生天啟以後綱紀廢弛絕志仕進僑居舟山時清兵渡江天下靡然從風先生義不食清粟乃浮于東海至天和二年四月十七日卒年八十有三

朱蔚字文豹泗涇人萬歷廿九年武進士善畫蘭工篆刻時姚裕字啟甯魯畫草蟲有陳淳遺意

朱鉉字震伯江都人精隸書篆刻法鄧完伯筆意生動殊有士氣負性傲斥不屑肩隨熙載之後又不願見富室達官以是揚人不甚知之

朱欽號逸雲吳江人工篆隸圖章壬辰歲莫蒙君見訪以印投余與之言冷雋有味畸人也旋里月餘遽聞道山之赴惜哉

朱鷺字白民吳江人少有雋才家貧教授生徒以養父母牀頭恆貯數十錢曰
買笑錢父死乃謝靑衿芒鞋竹杖獨遊名山所至畫竹以自給常游華嶽登
天井黃緇道服長髯等身見者皆以爲異人也結茅蓮華峰下年八十卒葬
華山祀三高祠其爲諸生時每談革除事輒涕下網羅遺佚作建文書法擬
又著頌天臚筆行世

朱修齡休甯人倣漢銅頋入妙但生動之中不無太過

朱書麟字詩舲一字尼瑞別號胥母山人又號大悲庵主洞庭人工詩善畫蘭
鐵筆不輕爲人作得蔣山堂古茂樸雅之神爲雲和典史

朱　鶴字松鄰一字松齡華亭人徙居嘉定工行草圖繪尤深篆學印章之文
刻畫精工旁及雕鏤小玩罔不稱絕以高雅名爲陸祭酒深客

朱逢丙原名伯鳳號桐生華亭人性敏慧鐫石幾奪簡甫之席餘如印章刻竹
無不精雅可人書兼眞行隸篆比來槖筆出游有聲蓮幕洵後來之秀也余

見其所刻吉金樂石圖屏幅流傳頗廣

朱籍山碭山人鐫古印一似漢人爲宗嘗聚古銅而自倣鑄號翻沙刀法蒼勁雜之漢印幾莫能辨爲括蒼令

朱　綸字郁文號霞川江甯人徐承烈聽雨軒雜記郁文明齊王榑十一世孫世居秣陵文德橋謙厚誠樸古之君子也詩文音律鐵筆篆書俱妙冠當時

朱　銘字石梅震伯之弟工鐫碑版

朱方增號虹舫浙江海鹽人辛酉進士官至閣學爲人謙沖和藹引掖後進惟恐不及喜爲刻印之技筮仕後卒卒不暇然茶熟香溫偶爾拈得猶興復不淺

朱　簡字修能號畸臣休甯人訪漢銅頗入妙但生動之中不無太過傳汪如字無波號桐阜亦西門人朱文圓勁生動白文摹漢銅精妙入神可謂青於藍

朱　芬號香初官別駕才華富麗意氣慷慨上古篆刻嘗從軍黔中游華山賦

四支全韻人呼爲朱四支

朱應辰字文奎與楊維楨游洪武初辟掌敎爲文繁而不猥詩工長句篆籀法

古嘗命書符印

朱爲弼字右甫號茮堂平湖人嘉慶乙丑進士官漕運總督金石之學上追歐

趙刻印神似秦漢又工花卉得白陽逸趣隸篆有渾厚勁折之致

朱　瑋字皐亭號季衍嘉定人績學敦孝友家貧客遊四方所交多韻士詩畫

篆刻時稱三絕

朱　堅號石梅山陰人工鑒賞多巧思沙胎錫壺是其創製著有壺史一册偶

寫墨梅亦具蒼古之致尤精鐵筆竹石銅錫靡不工

朱　熊字吉甫號夢泉秀水人工花卉用筆爽健可與奚蒙老頡頏尤精篆刻

竹石瓷銅偶一奏刀無不蒼秀得古法

朱士林字譔莊湖州歸安人江西知縣歷任德安新建後以知府至廣東被議
留滬上工分書精篆刻胎息秦漢駸駸乎入撝叔之室矣

朱志復字遂生無錫人趙撝叔高弟也工刻印撝叔刻字曰遂生印款云蝨如
車輪技乃工但期弟子有逢蒙之句又贈魏稼孫詩云送君惟有說吾徒行
路難忘錢及朱錢謂錢式朱謂朱志復也

胡　鍾字蘭川號晚晴江甯人乾隆丁酉舉人官至遵義府知府山水深得大
癡法而篆隸之妙一時更無出其右

胡光筠字小秋江都人博學精於隸古尤嗜金石

胡　唐又名長庚號城東居士歙縣人宗法自秦漢而下至程穆倩無不逼肖
入徽篆學尤深

胡　琳字與眞太倉人工書畫又善鐫刻圖章

胡　培字養田上舍西麥廣文之孫也幼隨先大夫授經工詩博古印法曼生

胡　震字不恐浙江富陽人別號胡鼻山人好古文篆隸八分之學習摹印見錢塘錢松所作乃大驚服同治紀元六月卒

胡義贊字叔襄號石查晚號煙視翁河南光山人光緒丙子舉人以大挑分發浙江知縣歷權海甯等縣書學趙吳興畫學董香光篆刻學陳曼生搜藏書畫金石甚富所藏九字齊刀文潞公字卷趙子固蘭花卷並希世之珍

胡良銓字衡甫績谿諸生官廣東大浦縣有政聲工篆隸治印得完白山人神似

胡　钁字匊鄰石門諸生工詩書治印與吳蒼石大令相驂靳雖蒼老不及而秀雅過之嘗鉤摹宋拓聖敎序仙壇記醴泉銘均不失神韻著有不波小泊吟草晚翠亭印儲子小匊傳緗亦諸生克承家學媳吳氏靜娥伯滔之女亦善刻畫金石

屠宗哲列朝詩選張宣鐵筆詩云四明乃遇屠宗哲

屠 倬字孟昭錢塘人原籍紹興之琴鳴即以爲號嘉慶戊辰進士官江西九江府工詩古文旁及書畫金石篆刻靡不深造著有是程堂集若邪溪漁唱

吳 逈字亦步歙縣人董玄宰書其譜曰亦步舞象時氣已吞虎令猶二十許人試以其印章雜之長卿印章不復可辨不知異時復作何狀大都翰墨之事不重久學不輕新進伏生皓首授書何郎白面談易何容置甲乙也亦步才美不名一器吾就印章論亦步云爾

吳 履字竹虛又字公之坦秀水新坊鎮人善山水花卉工詩能書客山左與黃樹穀齊名鐵筆高古款識絕似何主臣考三字爲字者史記則有程伯休甫又張天錫字公純嘏劉儆字中原父古時原有之者着有苦櫧庵詩

吳良止印章之學曰吳良止字仲足與休人何長卿震齊名時有品評之者曰仲足無邪氣長卿有逸品

吳 暉字秋朗樵川人工畫能詩行楷多逸致圖章仿文字以多技稱

吳坤字皆六紹興人工山水印章

吳迭號心禪婁縣人禮部儒士工書畫花鳥尤善篆刻

吳肅雲字竹孫號盟鷗徽州人工山水能篆刻爲人磊落不羈隨父淮陰家焉

吳鈞字陶宰華亭人性孤癖見人無寒暄問窮搜秘籍刻苦爲詩文尤工篆隸入古摹古名印雖吳亦步蘇爾宣未之或先年逾五十遽卒

吳鑄號錦江金匱人朱海妄妄錄錦江弱而穎七歲過目了了工詩精篆刻年三十卒

吳晉元號錫康工製印兼精醫

吳晉字目三號進之新安人後遷婁縣精研字學洞悉大小篆隸源流篆刻亦得古趣

吳育字山子常州人刻鄧派兼與繪事工漢隸

吳儁字冠英江陰人品醇性敏以三絕擅長寫眞尤得古法嘗游京華名動

王公自西園主人以下如戴醇士何子貞張石州諸先生深相器重倦

里不名一錢𧕍行詩畫滿篋笥其高致如此

吳南藩字文徵歙縣人工書畫善篆刻極意摹古皆得神味嘗爲文達公作伯

元小印椎似穆倩同時長洲顧蘆汀文鉷李鐵橋東琪皆精鐫刻

吳文鑄字子襄安徽廣德州人工鐵筆分隸寄寓禾城雅喜與畫家遊學寫花

果濡染有致

吳　咨號聖俞武進人少歲穎悞過人從申耆先生游通六書之學精篆隸鐵

筆畫花卉得雲溪外史神韻弟儆號子愼亦擅鐵筆篆書

吳廷颺字熙載號讓之儀徵諸生善篆隸書於歷代碑碣窮源竟委故能以碑

刻撫印傳鄧氏衣鉢論者謂鄧派既行而皖派遂廢理或然歟偶作花卉亦

有士氣著有師愼軒印譜行世子榛初字雪陶亦能刻印

吳重光字秋伊錢塘布衣博學工詩善篆刻早歲猶及與鄉先輩陳曼生諸公

遊故學有根柢嘗以極薄劣石兩面摹漢印二千餘方無不惟妙惟肖居京師數載無所遇光緒紀元年七十餘忽忽不樂一日屑所摹印徒步出都門去越十餘年有人遇諸峨嵋鬚眉皆作紺碧色後不知所終或疑其仙去云

吳廷康字元生號康甫又號贊甫又號晉齋桐城人篆隸鐵筆直窺漢人有磚癖所藏甚夥輯慕陶軒古甎錄餘事寫梅蘭寥寥數筆金石之氣盎然

吳鳳堦字霞軒仁和人咸豐己未舉人官工部員外屢上春明不售從吳曉帆方伯於滬上范楣孫方伯於直隸多所贊畫性極明幹鄉里義舉勇於從事不辭勞瘁工畫蘭神似板橋尤工鐵筆有味蘭室詩鈔

吳伯生傳經石門諸生精治印篆隸古雅有致

吳　誥字子洛號幻琴錢塘諸生工書畫精篆刻得丁蔣奚黃筆法有遼廬印譜行世善倚聲有纖嫵詞犀香館詩存

吳　璠字菊鄰湖縣人刻浙派寓上海善刻竹

吳　詮字麗生平湖乍浦人專書畫金石畫工治印

吳　溥字芩香歸安人退樓子工篆刻吳讓之入室弟子惜乎天不永年流傳絕少

吳大澂字清卿號愙齋吳縣人同治戊辰進士翰林官湖南巡撫收藏彝器與濰縣陳氏吳縣潘氏相埒精繪事少工刻印尤能審釋古文奇字所著說文古籀補古字說古玉圖攷恒軒吉金錄

吳俊卿字蒼石號苦鐵又號破荷別字缶廬安吉諸生入貲以知縣分江蘇權安東令越月好金石受知於沈仲復吳平齋陸存齋楊藐翁諸公故學有根柢喜學石鼓刻印專宗秦漢渾厚高古一如其書晚年兼工花卉專以氣韻在青籐白陽之間

盧貝乘鍾伯敬云有語石齋印譜

蘇爾宣名宣一字嘯民號泗水新安人姚士愼書其譜曰吾友蘇爾宣氏縹緗

舊業精六書殘碑斷碣無所不窺所至問奇字者屨相錯其印章流遍海內與文壽承何長卿鼎足稱雄然所刻夥不能盡傳聊取近歲游吳所刻裒而輯之曰印略

瞿元鏡字端淑常淑人爲忠宣公式耜子喜花鳥兼篆刻

瞿中溶字萇生號木天晚號木居士嘉定人錢竹汀宮詹壻官湖南藩掾博綜羣籍尤邃金石之學藏弆甲於婁東善花草在白石青籐間篆隸悉有法度行楷學六朝尤工篆印深得漢人之髓著有湖南金石志吳郡金石志等

瞿應紹字月壺號子冶晚號瞿甫上海人諸生援例得同知銜君生於華膴恬雅性成入其室法書名畫樂石吉金羅列左右一牀一几不染纖埃暇時藝花分韻高臥其中非勝流逸士輒拒不納工書畫翰墨流傳人爭藏弆花卉行楷得南田之趣蘭竹有檀園板橋之妙近復專心鐵筆可與朗公長孺爭一席矣

瞿樹本字根之木夫子太倉人師承庭訓書畫皆佳其篆刻多古趣可愛

俞時篤字企延錢塘諸生與章士斐諸君砥礪爲古學同郡許光祚嚴調御皆工書時篤盡窮其妙請乞滿門至廢七箸老而貧頗資之間學畫遂與北苑南宮頡頏嘗自笑曰此中山水清絕僅供俞生饘粥耳詩亦婉麗有法度

俞企賢字新巖仁和人工書畫篆刻尤長於詩梁同書可儀堂詩序略曰鄉先輩俞企賢先生工書畫篆刻兼長於詩俞氏世以科名顯前則瞻白先生萬歷間進士歷宰七縣有惠政沒而爲神後則以徐先生父子迭興文章推海內先生四世從孫蒼石少時即善爲詩有啟觸輒於詩發之困諸生三十年挾筆硯衣食東泝越江北渡揚子客金陵泛秦淮水可喜可愕咸見于詩

俞廷諤初名經字夔千又號葵軒工書法尚精篆刻其得意作入白榆刻中幾無辨也

俞　寰字允甯青郁人樸愿沉靜喜讀書工詞賦醫藥卜筮斲琴刻篆無所不

通然不求人知甘貧求分終歲不一入城府故人亦少知之者世降俗末士大夫汲溺聲利以失其眞者何限鴻冥陸沈如斯人亦可尙已

俞　獻字松琳新安籍仁和諸生善醫工治印著有續三十五舉鐵筆十三法摘抉入微

奚　岡字純章號鐵生又號蘿龕別署鶴渚生蒙泉外史散木居士錢塘布衣九歲作隸書及長工行草篆刻兼通詩詞而於畫尤爲擅長山水上溯元四大家下逮董文敏李檀園王太常皆心摹手追獨得神髓點染花卉亦生動有致海外琉球日本皆懸金購之

來　行學字顏叔西陵人著有宣和印史

按印史官印共六十卷以漢剛卯冠其首自序云余有印癖每抱越楮一帙游於齊楚三晉燕趙之墟總得官印四百有奇已而石箐山畔畊夫從桐棺丹筒獲宣和印史更載官印千二百有奇中間合者什四爰摹勒石草莽就

緒其他封建姓氏次第未遑彙其甲乙尙竢異日後尙有私印二册

陳　助字賢佐崑山人正統初以薦授桐廬縣丞歷臨江新淦金谿知縣寫畓柯竹石精率更書旁曉篆隸漢晉印章通理學里中號爲十鋒

陳豫鍾字浚儀號秋堂錢塘廩生書法工整精六書篆法摹李陽冰尤精篆刻趙次閑之琛深得其秘與黃小松奚鐵生陳曼生齊名時稱浙派喜金石文字氈蠟椎拓積數百卷見名畫佳硯雖重値必質衣購之工畫蘭竹嘗集古今畫人爲小傳求是齋集

陳　賓字文叔仁和人朱高治復呂文倩書云弟向有譜序三五通奉之同好其中原流切要處已少少盡之大約此道登堂推文三橋而何雪漁則敎龐變化搜秦漢之理而舞踏之至陳文叔則精工盡美更秀穩無疵其原出自何而的系相沿不得不以瓣香歸之

陳　炳字虎文吳縣人吳縣志虎文性狷介不肯隨俗而意致高逸詩宗王孟

又好鐫印章類顧苓晚喜效趙宧光作草篆年八十餘卒

陳洪疇字畦㫋號息巢所城人性聰穎凡眞草八分篆刻無不精妙入神

陳銃字兩橋蘭谿人壬辰進士授吏部主事未及半載以怪疾卒於都中工
山水花卉兼治繆篆

陳蘊生字英儒邑庠生畫墨蘭能於何槫庵徐他山二家外自成一格兼擅篆
刻

陳鍊字在専號西庵華亭人能詩善書能以素師法寫古鍾鼎文高古奇雅
章法絕妙其得意者遠過金壽門工篆刻著有秋水園印譜適安堂詩鈔

陳祖通字小鶴泰州人明經子也少工刻符用筆沉着得種榆之遺風

陳延字遐伯潛山人折右臂書用左腕與蕭雲從稱畫院三妙幼而多慧見
技之善即爲摹仿尤精篆刻著孤行齋集

陳于王晉江人能詩畫工篆隸鐫刻圖章尤精雅絕論。

陳觀瀾善印章嘗自論曰非僅以秦漢爲師尤貴師其變動入神耳

陳乾初海甯人精篆刻

陳寅仲海甯人誰園次子也工篆刻蒼潤秀勁雅似子昂有銅香書屋印譜

陳成永號元期庚辰進士讀書中秘篆法三橋惜所作甚尠

陳戴高字山止亦稱山朗號鶴崖仁和人其篆刻的眞三橋雖與白榆友善而實私淑之

陳王石號師黃作印頗秀婉可喜

陳聲大號虛谷西庵先生哲嗣也篆刻得之家學子鳳號竹香印亦楚楚可觀

陳　佑字維孝常熟縣人篆刻尤精亦善鑒古有小篆千文

陳　均字受笙初名大均海甯人嘉慶庚午舉人工詩善篆隸鐵筆尤精山水旁及花卉又嗜金石文字所至捜訪手自推拓著有松籟閣集

陳鴻壽字子恭號曼生錢塘人嘉慶辛酉拔貢爲淮安府同知詩文書畫皆以

資勝篆刻追秦漢浙中人悉中之宜興素產砂壺製作精巧鴻壽作宰是邑
辨別砂質創製新樣并自製銘鐫句人稱爲曼生壺著有種榆仙館集桑連
理館集道光壬午卒於官

陳春熙字明之號雪厂又號膝安秀水人工八分飛白等書篆刻直追秦漢與
楊龍石翁叔均王石香齊名

陳　塤字叶篪錢塘人寓吳中刻浙派咸豐庚申杭城陷殉難周存伯大令傳
以紀之刻入范湖草堂集中

陳蟾桂號子剛秀水廩生嗜金石工篆刻爲禾中曹山彥後一人耳

陳祖望字纘思錢塘人工篆刻師趙次閑得浙派正宗尤工鐫碑琳宮梵宇無
不有纘思手蹟也子光佐字賓谷亦能印

陳允升字紉齋號壺舟鄞縣人善山水氣韻高古工八分書餘事作印亦工整
有法著有紉齋畫賸行世

陳雷原名彭壽字震叔號老蔆因患大癭又號瘤道人錢塘人少卓犖不羣既長遨遊四方無所遇以筆耕餬口食嘗裹糧經華山數月勾留流連忘返書學陳曼生篆刻尤工有養自然齋詩集

陳治字伯平山陰人善申韓之學游幕江西篆書師事孫叔苐祿增工畫精篆刻

莘開字季張號芹圃歸安人專志讀書工八分繆篆兼善寫眞及花卉山水尤精墨竹爲沈芥舟入室弟子篆刻亦有名

文徵明名壁一字徵仲以字行長州人蝸廬筆記文太史印章雖不能法秦漢然雅而不俗淸而有神得六朝陳隋之意至蒼茫古樸略有不逮今之專事油滑牽强成字者諸惡畢備皆曰文氏遺法致爲識古家所薄夫文氏之作豈如是乎

文嘉字休承衡山之伯子也工金石刻爲明一代之冠兼工墨蘭

文及先金陵人自少年即好篆籀從金一甫學印每日吾得之一甫金夫子夫子得之何主臣先生其不忘本源若是

文　鼎字學匡號後山秀水人精於鑒別收儲金石書畫多上品偶作小楷并畫雲山松石則謹守衡翁家法篆刻亦工秀得三橋遺意

殷用霖字柏堂常熟人官安吉縣典史工篆籀刻印私淑楊濠叟

温　純字一齋烏程人幼即受畫法於沈芥舟好儲古人法書名印手自臨摹故兼善篆隸眞草工鐵筆詩古文詞亦靡不究心馮墨香云一齋山水渾灝淵懋力追董巨爲吳興第一手

温汝揚字鳳庭錢塘人刻印師陳曼生旁款尤精美絕倫工楷法然不輕爲人作流傳極罕

孫朝恩字受廷儀徵人詹卿部郎女夫也工刻印喜效種榆兼參龍泓才範以法韻含於刀秀潤自然

孫一元字太初號太白山人印多自製時有方唯一者眇一目而善謔孫爲製一印唯一書轍用之李獻吉戲題其上曰方唯一目印制甚曲信時盲人罔覺其俗唯一知而亟毀之印制乃朱文三字相連而橫界其中寫目字也

孫　衛字虹橋青浦人能書工摹印

孫　羇字棣英號漱石又號怡堂六合人嘗得宣和印譜原本簡練揣摩且十餘載技遂大進所著有漱石印存二卷皆竹根印也爲人雄偉有奇氣負經濟才兼善琴工書韻語絕佳奕品第一爲李書年張古餘諸先生所賞

孫　坤字愼夫號漱生工山水花鳥長鐵筆善製硯士林爭購之

孫　寧字幼安著有印苞（按漱芳齋印苞二卷俱摹名人印成於崇正間）

孫光[illegible]崑山人篆刻書畫爲時推重

孫星衍字伯淵一字淵如號季逑陽湖人乾隆丁未第二人及第授編修官山東督糧道深究經史研精金石碑版工篆刻隸校刻古書最精詩文名著海

外所撰平津館金石萃編寰宇訪碑錄

孫三錫字桂山海鹽人王花卉學江石如疎朗可喜兼善鐵筆官盩厔縣貳尹

孫　均字古雲文靖公孫也富於收藏工篆刻善畫花卉官散秩太臣中年奉母南歸僑寓吳門所交多當代名流極一時文酒之盛

孫錫晉字次裴仁和人篆刻師趙次閑工整爽逸爲時所重

孫義鈞字子和吳縣人博覽羣籍卓有撰述其學以經爲主以小學爲從入之路書品在晉唐間隸古無近人畦逕曼生司馬首推之山水摹宋元花草得南田新羅秘法尤精天文律象下至篆刻陶埴靡不精曉

孫雲錦字質先吳江人書宗米漫士兼法董香光涉筆精腴不詭于正工鐵筆得鄧完白家數著有印禪室詩集印存

袁　桐字琴甫錢塘人又號琴南簡齋太史從姪能詩善隸法下筆奇姿類曼生司馬篆刻師鐘鼎漢磚胎息甚古工爲金碧山水得仇唐遺法亦善寫意

花草

袁　馨字茉孫海昌人工篆刻竹木尤佳浙中以刻竹稱者惟茉孫與蔡容莊兩人而已

韓韞玉字美斯博學好古精深篆刻

韓　潮號蛟門湖州人工篆刻兼精刻竹蠅頭細字毫髮畢現幾近鬼工絕藝也

韓鴻序字磐上秀水諸生治印專學浙派刀法修潔書味盎然邊款亦工近時秀出流輩

潘恭壽字慎夫號蓮巢丹徒人山水舊無師承王震以宿雨初收曉烟未泮八字眞言授之復取古蹟證其畫日大進能詩故畫多含詩意兼寫生濯濯如倚風凝露善人物士女秀韻合古亦虔寫佛像乾隆辛酉生甲寅卒年五十有四

潘廷興字驤雲元和人金石工篆書鐵筆折花卉尤有致喜作焦墨蝴蝶栩栩然飛動

潘 俊字逸伯餘姚人工篆刻得趙次閑衣鉢正傳所作尤能不差累黍與笪曉山交最深曉山印皆逸伯所刻爲多

顔 炳號朗如婁縣人爲人虛懷若谷恂恂自好無縱横氣習水得王茉畦孝廉之傳一樹一石幾乎神似書亦如之兼工篆刻蒼潤有逸致

再續印人小傳卷二

仁和葉　銘葉舟采輯

錢思駿字驥良善篆書兼工篆刻有白榆山人家法

錢元章字子新號拜石嘉定人工古篆隸宗其家竹汀宮詹十蘭別駕兩公法兼精鐵筆善山水花竹俱清逸絕塵著有書三味齋稿

錢志偉字峻修號西溪家吳江之珠溪性沉敏凡醫卜音律書數篆刻之學靡不深造而窺其奧尤精繪事人物花卉粗細皆工晚年專寫山水出入石田石谷之間蒼秀有法著無隱處題畫詩

錢仲字子仲善詩歌精篆籀學有李陽冰筆意嘗游陸詹事深文待詔徵明之門得所贈輙沽酒醉歌

錢坫字獻之號十蘭嘉定人工篆書兼鐵筆亦善畫

錢泳號梅谿金匱人吳越王裔孫也工書隸法尤爲紙貴一時作印有三橋

亦步風格

錢善揚字順甫號几山又號麂山嘉興諸生籜石宗伯之孫刻印疎密相間脫去時下町畦一以漢人爲宗兼工畫而寫梅尤爲人所珍重

錢以發字金章號寄坤海鹽人善研辨書畫金石文字兼工篆刻

錢松字叔盖號耐青晚號西郭外史錢塘人工書畫山水仿江貫道喜金石精篆隸嘗手摹漢印二千鈕趙次閑見其印驚嘆曰此丁黃後一人前明文何諸家不及也咸豐十年賊圍杭州與家人同仰藥死

錢式字次行號少蓋叔蓋次子秉承家學夙工篆刻後從趙撝叔遊盡得其奧與朱遂生並爲撝叔所賞

全賢字君求錢塘人有集何雪漁印譜二卷

姚銓字鷴升號蘧溪常熟人構思敏巧嘗從江聲畫竹間寫花卉兼篆刻

姚寶侃字叔廉秀水諸生幼侍其舅朱翁夢泉獲見漢印甚夥授以刀法力爭

上游不染時習中年服官江蘇後棄去爲人司質庫遂善刀而藏

姚孟起字鳳生吳縣人工書兼治印酷摹山堂秀勁之氣

喬林字翰園號墨莊如皋人工詩畫善篆隸至鐫刻晶玉瓷牙圖章各臻其妙而手製竹根印章尤精雅絕俗

喬昱字丹輝號鏡澤墨莊長子善水墨蘭竹篆刻克承家學

巢于號阿閣蘭陵人江上漁郎印律阿閣著林佶爲序

包容字蒙吉永嘉縣人萬歷間授中書舍人豫修玉牒會典張江陵以玉章相屬使者促之急容怒而還之遂拂衣歸就康氏廢園搆亞綽齋磊石鑿池文窗堊壁別具異致

包世臣字愼伯涇縣人所著安吳四種藝舟雙楫表章北碑甚力

包子莊字虎臣初名乃錕歸安諸生篆隸宗完白山人亦善治印與徐辛穀最相得孫諸生善承字纘甫克承家學作篆後法揚濠叟益遒上有致問作大

篆兪曲園太史極賞之謂與吳清卿中丞相頡頏也惜年不中壽卒

陶　瓻字若予號甄夫順德人甄夫畫欵自署陶者或云湘潭人世襲錦衣晚居金陵長花卉初父澂歿於滇之敎化長官司地瓻攜幼弟徒步六千里歸楚復隻身奉母歸工詩文精書法能篆刻年八十餘卒稱南粤錚士也

陶　濬字牧緣秀水人工書法善篆刻脫胎於吳讓之趙撝叔諸家而一以工整出之故所作悉有矩度一洗印人習俗旁款亦工秀勻整能品也

曹宗載號桐石海昌人桐石古道績學尤工篆刻著東山樓詩八卷

曹世模字子範號山彥秀水諸生精於篆刻專摹秦漢咸豐辛亥自浙藩劉晏亭方伯幕府歸未幾而歿年在花甲外

曹世楷號芹泉山彥之兄精於鐵筆所鐫竹木諸品極盡工緻聲價倍於常者

曹大經字海槎秀水濮院諸生工篆刻碻守文何舊法而刀法甚健

高鳳翰字西園號南村晚號南阜老人亦稱老阜山東膠州人雍正間以生員

舉孝友端方任歙縣丞被劾工篆刻善書畫用左手有南阜山人詩集

高　翔字鳳岡號西唐甘泉人善山水橅法漸江又枲石濤之縱恣亦善于折衷者能詩工繆篆刀法師程穆倩諸菰均可觀惜皆于近人問途徑不若晚之之肯橅古耳與石濤爲友石濤死西唐每歲春掃其墓至死不輟

高　楨號飲江杭州人以申韓之術游幕江左工書法亦喜爲人作印有浙中先輩宗風嘗偕朱君桐生見訪縱論篆刻源流幾忘其日之移晷也

高日濬字犀泉錢塘人陳曼生大令妻弟得其指授故篆刻亦淸勁不俗

高　徵號莅舲高郵人僑厲邗江工書法揚州所刊　欽定明鑑樣本是其手繕曾蒙　睿賞間爲人作印能絕去時下氣習非僅涉筆成趣也

高　塏字子高號爽泉錢塘布衣精八法書法褚柳剛健之中復含婀娜得力於小唐碑居多繼梁學士同書之後嘗爲儀徵阮太傅手寫薛氏鐘鼎欵識釋文題跋時求書者日盈門輒不暇給

高心夔字伯足號碧湄江西湖口人咸豐己未進士官江蘇知縣工詩文善書又擅篆刻專主生峭不落恆蹊於浙皖兩派外別開生面也

高行篤字叔遲號實甫秀水人

高邕字邕之晚號聾公仁和人入貲以貳尹分江蘇書學李北海得其神髓寸縑尺素人爭寶之兼善山水篆書刻印輯錢叔蓋刻印爲朱盧室印賞

毛庚字西堂錢塘人毛扆之後也年十三能作擘窠大字比長遂以書名尤工石刻咸豐寇亂起從戴文節公籌辦團練嘗駐武林頭規制嚴密保訓導銜十一年冬城再陷殉難

羅鴻圖字文河掖縣人康熙壬子拔貢屢試京兆不利乃專精六書之學工於繆篆自號寓意子其金石刻畫士大夫爭購而什襲藏之有鐵筆譜二卷行於世

羅聘字遯號兩峰夫江都人又號花之寺僧冬心翁高弟善畫工詩有鬼趣

圖傳世極爲名流稱賞著香葉草堂詩存

何通字不違太倉人著印史張彛令學山堂印譜姓氏附錄云不違吾州王文肅公家世僕蘇爾宣序其印史云憶余初自學書擊劍以暨脫身走江淮曳裾大人先生門操刀爍石所接勝流有年所梯層厓縋重淵有年所手捫綠圖靑字龍書螺書有年所所遇銅章玉璽斑駁繡蝕寶氣生白虹有年所見好事家裒古綴今點染丹素曰格曰譜爛然成帙盛於海內有年其于此道愧三折肱數未有如不違印史之獨絕者

何鐵字龍若小字阿墨鎭江人流寓泰州精詩畫工篆刻

何元錫字夢華錢塘人博洽工詩尤嗜古印藏弆最富與江秬香同鄉尤深金石之契

何其仁字元長海鹽人由明經官崖州牧長於畫亦精篆刻

何嶼字子萬號紫曼又號印匃松江人工鐵筆又善隸篆皆有古趣

何昆玉字伯瑜高要人精岐黃篆刻宗浙派尤善撫拓彝器與吳中李錦鴻並稱於世客濰縣陳壽卿太史家摋奇嗜古見聞日廣鑒別尤精輯有吉金齋古銅印譜

沙神芝號笠甫嘉興人青巖子也青巖有藝文通覽一書神芝攷据碑版助父校讎而成工篆隸刻印有鶴千六泉風韻

巴慰祖字雋堂號予籍歙縣人侯補中書富收藏通文藝書畫擅一時亦精覈古今文字

查璇繼字寅工號介菴孤貧積學兼工篆籀實著印譜曰大小二篆上逮三代鼎彝銘志源流正變靡不悉具

楊當時字漢卿甬東人按潘氏印範成於萬歷丙午共一千六百有奇潘雲杰所集蘇爾宣楊漢卿同摹

楊恩徵號子珮吳縣人維斗先生裔孫嘗館於劉小峰家所見收藏名印因工

篆刻其印譜陳雲伯大令爲之序焉

楊　剛號榖堂吳江人精摹印頗自矜重不肯輕爲人奏刀以故流傳頗少

楊心源號自山金山縣人歲貢生刻印仿何不違

楊　陛字幼清松江人工金石刻書法二王沈文恪公徒步往訪焉

楊式金常州人鐵書有逸致著渥雲堂印譜

楊敏來吳人　嘯虹筆記敏來汪虎文弟子也

楊　法字已軍江甯人工篆籀至楊州寓地藏庵與小山上人善

楊　謙字吉人嘉定人中年客邗上善詩畫尤精篆刻得李陽冰法與一時諸名流相賡和遇意所合輙一奏刀得之者咸以爲珍其妻任朱烜字丙南傳其篆法爲入室弟子

楊大受號復庵嘉興人工隸書近以賣篆流寓婁東印章多作邊欵字亦疎古

楊　澥原名海字竹唐號龍石吳江人善篆刻爲江南第一名手晚病偏枯不

利捉刀道光庚戌壽七十餘

楊慶麟字振甫龍石子咸豐翰林官至廣東布政使治印承家學

楊辛庵刻印專宗趙次閑得其神似旁款亦幾與亂眞浙中刻印家學次閑者實不乏其人要未有如辛庵者也

楊沂孫字詠春號子與晚號濠叟常熟人善書由鳳陽府歸來專寫大篆人亦彬雅邁倫

楊峴字見山晚號藐翁歸安人工漢隸所藏舊書終日手不釋卷善與人交高朋常滿座

章壽彝字伯和善化人書法宗鄭板橋畫學陳白陽精鐫碑版少游日本通西學善造木製紡織機器篆刻亦師板橋道人

張淵字子靜號夢坡列朝詩集云嘗夢東坡又性嗜坡詩故號焉書史會要云張子靜吳興布衣守道安貧隱居鴻村之野與沈石田友善行楷規模玉

局翩翩有致今夢坡印存者數章而中有自臨何雪漁者其篆秀爽渾推非文何以前之人況石田正德年間之人今日與之友善則謂夢坡居士者盖與張子靜別人矣

張　貞字起元號杞園安邱人康熙壬子拔貢生舉博學鴻詞　召試授翰林院待詔博學好古能鑒別書畫鼎彝之屬精金石篆刻

張在辛字卯君號柏庭山左詩鈔在辛貞子康熙丙寅拔貢生授觀城教諭有隱厚堂遺稿畫石瑣言又云先生工鐵筆嘗爲鐫小印膠州高西園鳳翰閱予印譜見即別之曰此非我卯君不能作也家有寶墨樓藏書畫古玩燬於火詩文集亦燼故傳世無幾焉

張　濬號春水吳江之盛澤鎮人工詩善畫兼精刻印輯有玉燕巢印萃若干卷其論印云秦漢之印存世者剝蝕之餘耳仿其剝蝕以爲秦漢非秦漢也譜之所載優孟面目耳擬其面目優孟之優孟矣舊印可珍者玩其配合之

確運斤之妙樸實渾雅法律森嚴即本來之元氣也云云

張　熙字子和又號紫禾山陰人家豆富寄居金陵其別墅陶谷有六朝梅一本湯雨生都督爲繪圖後家中落因出任溧陽寶山丹徒興化等縣素愛塡詞兼善隸鐫章乃其餘事頗得三橋宗派生平以湖山自娛詩酒爲樂

張　敔字芷園號雪鴻又號木者江甯人先世桐城遷江甯歷城籍乾隆壬午孝廉爲湖北知縣畫無不妙寫眞尤神肖往往不攜圖章竟率筆作印亦精妙爲人聰頴絕倫精眞草篆隸飛白書至若左手竹箸指頭書畫無不造極工詩

張　模字東巖號靈谿平湖人工篆刻亦善蘭竹子烜字掌秋號淡山能世其學著有喬梓合刻蕭閒居印草二卷行世

張　圻字仕一吳興人篆刻多巧思製硯尤良百工技藝試手皆能意匠優於師法也高阜評云張君之可愛處正在通與不通之間

張智錫字學之上海人以鐵筆見稱渾老遒勁有蠆尾盤曲之勢自謂秦章漢篆得之心而應之手云

張　琛字貞白松江人蘧仲玉名之璞朱文豹名蔚姚叔儀名秦張公玉名其琛楊長倩名士修其中惟公玉不甚行世余每惜之長倩住泖上所刻亦少

張宏牧號白陽山人名諟儒林刻印亦仿白楡但刀法欠精神耳

張　濤字青田號子白嘉興人能篆刻尤精刻竹閒作點染花卉亦多韻致

張安保字石樵儀徵人刻印以秦漢爲宗工詩著有味眞閣詩集十八卷

張純修字子敏號見陽古梗陽人畫得北苑南宮之沈鬱兼雲林之逸淡蓋其收藏富而多所取資也書法晉唐尤精圖章

張慶善字心淵嘉興人篆刻工潤著有安雅堂印譜八卷行世

張　溶字鏡心號石泉婁縣人工花鳥無俗韻精篆刻鐫銅玉章稱絕製鈕亦妙

張文燮號友巢吳縣人以醫名摹印以圓整秀潤爲宗晚年頗自矜重不輕應
請

張　曙號玠菴上海人篆刻甚蒼老名盛一時

張與齡上舍字芳遐號杏初又號涵虛吳江人子工寫生似惲甌香兼習分隸
篆刻收藏古人名印甚夥輯清承堂印賞錢塘趙次閑爲之序

張　鏐字子貞號老薑布衣通篆隸工鐵筆善山水筆意古秀多參篆法道光
紀元陳雲伯大令宰是邑欲以孝廉方正舉辭不就旋病歿

張　沅字德容號仲綏叔未之兄也性耆書畫尤工篆刻有淳雅堂印譜

張逢源字石渠從公儀厲昭陽善製印法漢秦意到筆先摹皇象書尤爲古秀
鄧完白後當爲嗣響

張春雷字安甫邵埭人畫梅法金壽門亦善刻石工穩秀麗見賞曼翁因以篆
隱名其居

張日烜字載之又字小同叔未之姪孫也長身玉立聰穎過人比長詩文之外
兼善設色花果亦妙解絲竹管弦且精篆刻有同隱書屋印存半野堂畫景
金石小補諸書
張　奇字心甫廣陵人善畫山水人物花卉兼工篆籀印章
張上林字心石叔未從子好金石篆刻喜吟詠叔未有清儀閣雜詠有和永寧
甎詩
張開福字質民號石匏海鹽諸生徵士芑堂先生子家苦寒貧時出游吳會所
至搜訪殘闕於荒烟叢棘中偶有所獲必欣然手拓以返故論石匏之學亦
以考證金石爲深少時工於韻語頗爲前輩激賞畫蘭克傳家法欲毫瀋墨
清韻獨絕
張嗣初常熟諸生私淑楊詠春刻印能得漢法早卒無嗣
張　瑜字瑤圃揚州人篆刻古雅可喜

張嶼號玉斧江陰人恂恂儒雅心細如髮寫鐵線篆刻顧云美一派搨金石刻碑版向館兩罍軒刻適園宋元明畫冊之萃山乃其父也橋梓多材後先輝映吉金樂石中稱爲佳話

張辛字受之海鹽人芑堂從子嘗爲張叔未先生刻印先生極賞之先生爲東南耆宿清儀閣中收藏金石文字甚富受之得窺珍秘其業日進後客京師刻楊椒山諫馬市疏工竣歿於松筠庵

張定字叔木江蘇婁縣諸生善隸工畫刻印得秦漢法

張　字子和海鹽人石匏先生子工篆刻能鐫碑

張熊字壽甫號子祥又號鴛湖外史秀水人居毛家坊至道堂堂右小室以有銀籐花一本因名銀籐花館工畫山水人物花果蟲鳥無一不精至篆刻八分乃其餘技所蓄名蹟骨董甚夥年八十有四卒于滬

張光治字又峰錢塘人好金石工篆刻與吳閑在師友之間畫山水尤入奚鐵

生之室時戴文節以書畫爲海內所重一見君畫稱爲畏友片楮尺幅至今人爭寶之

張國楨字鼎臣錢塘人以巡檢隨宦入閩身弱多愁幼遭亂離納貲爲未秩工吟詠善鐵筆時趙撝叔在閩名重一時故刻印以撝叔爲師頗有具體之譽性簡傲不輕爲人作及壯年遽賦玉樓故流傳尤少

王　寵其先本吳江章姓以父爲後於王遂爲姓字履仁後字履吉號雅宜山人吳人以諸生貢太學隨筆點染深得倪黃墨外之趣詩好建安三謝及盛唐文學還固甚似之書法酷摹大令晚出己意幾奪京兆價徵明後推第一讀書石湖之上非省視不入城市資性穎異風儀玉立溫純恬曠與物無爭人擬之黃叔度弘治甲寅生嘉靖癸巳卒年四十著雅宜山人集

王穀祥字祿之號酉室長州人嘉靖己丑進士入詞選仕至吏科代郎中司選事寫生渲染有法度一枝一葉俱有生意爲士林推重中年絕不落筆傳者

贋本居多書倣晉人篆籀入體幷臻妙詞致清雅抄錄古文至數千卷司選事時尚書汪鋐秉銓不公穀祥持法不阿因數與忤念母老乞歸而其兄故在鋐用例格之謫眞定通判遂歸養母幾三十年持身峻潔不妄交一人李默爲尚書徐階當國先後奏起之不赴或勸駕者答曰豈有青年解綬白首彈冠者乎人有清望年六十有七

王時敏字遜之號烟客又號西廬老人太倉人文肅公孫以蔭官太常兵後隱于歸村畫山水法大癡得其神髓爲　國朝畫苑領袖工分隸精鑒藏有西田集

王玉如字聲振號研山松江南橋人自題其譜云余幼好觀古文奇字既長愧學業無所就輒因性所近摹擬金石籀篆試之以刀筆聊用自娛既又請益于從父曾麓翁尤得擴所見聞秦漢以來鐘鼎碑版暨元章子昂徐官吾衍諸公所論著有通悟親友因以朱白圖記見屬謬爲稱譽又云吾家雪蕉中

翰延曾麗翁刻花影集爲圖章名其譜曰印賞居堂黃宮允序之行有日矣
讀者當知余淵源所自云

王兆辰字康民吳人丁丑進士現官潁州教授工書法摹印亦雅整猶子心谷
諸生亦擅是藝

王澍字虛舟號篛林金壇人查昌岐論印絕句鄭塡徐貞木絕技擅同名程
遂許容他時號國工最愛金壇王吏部雕蟲游戲亦通神

王錚原名鑑字幼瑩號鞠人上海人善蘭竹精篆刻工詩

王瑾字亦懷常熟人其先自閩遷常熟畫筆直入古人之室王翬極稱之兼
篆刻

王光祖字雲湄吳人工山水清腴可愛兼長點染作篆書鐫刻玉印精琴理通
音律明數術醫復有名

王旭字赤城書法類香光鐫印似文三橋畫不多作露蟬烟柳深得晚風殘

月之致

王桐孫字穉堅號約夫長洲人鐵夫先生之弟子也工印刻之術惜弱冠遽歿
名未甚彰

王蔚宗字亦顯號春野澹淵明府之父也屢躓秋闈僅以優貢生授宣城主簿
篆刻在雪漁亦步之間

王世永號琴舫直隸眞定人椒園廉訪之次子也工鐵筆

王宜秋鎭洋人喜篆刻師王寄亭

王錫泰號秋水吳江人以孝廉官國子監助教摹印蒼莽中有逸致深自秘重
不輕爲人奏刀

王錫璐字均調號墨癡震澤人幼入塾即好寫生游庠後歷試不得意遂棄去
專心於畫得白陽山人遺意兼習篆刻

王　澤字潤生號子卿蕪湖人辛酉翰林典試滇南出守徐州調江右移疾歸

畫擅山水精篆刻箸有觀齋集

王用譽字士美號鷺客嘉定人以副貢就職指副揮昔玉溪殿撰有畵狀元之目君承家學妙於點染作印章亦古茂

王　素字小某維揚人工士女花卉

王應綬改名申字子若麓臺司農第十九元孫世傳畫學海內推婁水正宗兼擅篆隸鐵筆皆能闖入古人堂奧應萬廉山刺史聘爲縮摹百漢碑於硯背與原碑不差毫黍誠傳世之作墨林之鉅觀焉

王　雲號石香蘇州人工篆刻直逼元明精書法多宗六朝爲吳中名手生性孤介終身不娶嘗以道院爲家亦奇癖也

王道淳字利仁別字巖求江南人少工篆隸不輕以酬應竹垞朱君往見固請不可人咸以爲迂細詰其情乃曰吾寶吾技人知爲何哉後竟不復見人悉心篆刻删定史籀年四十六歲以布衣終

王禮字禮仲江都諸生嗜古學尤研心六書篆宗張謙仲吳承嘉八分行楷擘窠正草靡不精妙一時隴墓碑版金石之文多出其手

王定字文安無錫人更善製鈕與楊玉璇張鶴子齊名

王爾度字頃波暨陽人篆書刻印一以鄧完白爲師嘗摹仿鄧印爲古梅閣印賸絲毫無間張玉斧嶼爲雙鉤邊款摹刻於木時稱雙絕

王同字同伯號肖蘭晚號呂廬仁和人光緒丁丑進士官刑部主事以親老告歸工篆隸精小學石鼓曹全諸碑尤得神髓長於校讐之學著有塘棲志呂廬詩文集

方絜字矩平號治庵黃巖人精於鐵筆刻竹尤爲絕技凡山水人物小照皆自爲粉本陰陽坳突鉤勒皴擦心手相得運刀如運筆也

方濬益字子聽、桐城人耑寫六朝藏金石弃官後行道吳門

方鎬字仰子號根石又號斅讓生儀徵人篆隸刻印皆摹仿吳讓之槖筆遨

游過吳門見吳昌碩能得其奧窔揞金刻玉尤工絕北魏書亦佳有斆讓生印譜惜早卒

梁登庸號惕菴高郵人著陋室銘九如百壽共三集後附篆要八則

梁　雷字曼雲芷隣中丞之兄文達公會闈所取士也工書法深於金石之學兼精篆刻又傍通繪事偶作寫生花卉以惲南田設色太濃每以淡遠相勝然不多作零縑片楮人皆寶之

黃周星字九烟江甯人崇禎庚辰進士官戶部以文章名節自任擅篆籀工圖章性骯髒難合雖處困窮不改其操君子高之後自溺水死

黃宗炎字晦木一字立谿餘姚人人稱爲鷓鴣先生忠端公次子崇禎時明經甲經後隱遊石門海昌賣書自給宗小李將軍趙十里工繆篆善製硯著有周易象詞尋門餘論學圖辨惑讀書

黃　庭字夢珠號寶田錢塘人樹穀子著蕉餘集綠萍集江炳序略曰亡友黃

君松石有令子曰夢珠年少勵學才致橫溢發爲歌聲駭奪時輩以貧故奔走燕趙齊魯間與四方前輩名宿上下其議論排韻角逐莫之或先也朱文藻云簣田先生居武林門外散花灘嘗以事累遣塞外終小松司馬兄也

黃恩長字奕載號蒼雅長洲人花卉宗南唐徐氏人物山水工細學仇十洲尤精篆刻有敦好參印譜千頃堂畫譜

黃德源字茂叔洞曉音律嘗於市中得古鐵簫品之有異聲因爲號工山水蘭竹寫生善篆刻

黃正卿能詩雅逸清超勝者儲孟之間而古文摹印自成作者近代何朱之學無以過之要不離乎秦漢者近是

黃壽鳳號同叔吳縣諸生刻石仿文何篆書學錢十蘭

黃士陵字牧父安徽人好金石工篆刻客吳愙齋中丞幕府愙齋輯十六金符齋古銅印譜裒集椎拓皆牧父與尹伯圜手定者也

唐　英字俊公一字叔子號蝸寄老人漢軍人粵海關監督工宋人山水人物能書詩有淸思權兩淮九江珠山昌水見之筆墨者爲多曾主官窰事製器甚精今稱唐窰嘗親製書畫詩付窰陶成屏對尤爲奇絕著陶人心語

湯綬名字壽民武進人雨生長子襲雲騎尉工篆隸行楷鐵筆墨梅山水幼即工琴年四十五卒有畫眉樓摹古印存

汪士愼字近人號巢林休甯人流寓揚州善墨梅又畫花卉與張乙僧金馡齋名工詩有巢林詩集

汪啟淑字愼儀號秀峯又號訒菴歙縣人官至兵部職方司郞中居婁縣金沙灘癖愛古刻家中開萬樓藏書數千種兼喜篆籀窮搜歷代圖章編成集古印存飛鴻堂印譜漢銅印叢退齋印藪以及各種印譜共成二十七種

汪　炳字虎文休甯人其先人官京師虎文又燕產也于書法特有家學焉甲申以後挈家南還僑居武林見朱修齡印譜即仿之一捉鐵筆即能度越其

妙再游維陽遇程穆倩彼此出印譜相證穆倩歎服握其手曰子既以此得
名矣吾又攘其美吾不爲也

汪　徽字仲徽婺源人詩極壯麗工八分書性傲岸時以方盧梗云

汪以洊休寧人篆刻爽秀精勁尤工鐘鼎

汪　濤字山來休甯人多膂力人呼爲夢龍將軍眞草隸篆以及諸家法書無
所不精大則一字方丈小則徑寸千言鐵筆之妙包羅百家前無古人岳陽
樓額字徑丈乃濤所書也

汪士通字宇亨號東湖黔人爲蕭山知縣山水仿董巨精眞草篆隸鐵筆居官
頗著循聲崇祀鄉賢私謚文潔先生

汪　鴻字延年號小迂休甯人錢塘陳曼生官溧陽袁浦小迂皆客幕中故其
所學咸得力於曼生工鐵筆凡金銅磁石竹木甎瓦之屬無一不能奏刀花
鳥尤長以南田新羅爲師

汪之虞本名照字騶卿桐鄉人爲徐問渠壻少年好學嘗從西梅石如攻閑諸

君游書畫鐵筆俱有師承惜早卒

汪潭字靜淵號夢鶴錢塘人工於刻竹與同里盧君倩相伯仲偶涉筆石章

亦佳

汪西谷又字快士以賣印篆爲遊貲旣足卽不能得矣著有黃山印篆遺册

汪文錦字繡谷善詩詞書篆籀精於鐵筆

汪鑅原名蔚字嘯霞長沙人精鐫碑版善篆刻嘗以丁黃印撫刻爲帖幷旁

欵均不差累黍名曰壽石山房印存

汪行恭字仲行號子喬錢塘人光緒乙亥舉人官內閣中書廣交游善飲酒意

興豪邁精於許氏學下筆無俗字說經專主鄭司農庚辰卒於都門年僅二

十有九著有景高密齋經說

彭年字孔嘉號隆池吳人以文行舉郡諸生尋謝病免書法初工小楷繼習

行草酷類子瞻兼精繆印

荆　青字藥門丹陽人能詩工篆刻

程以辛穆倩先生仲子也字萬斯工篆刻頗克承乃父之志

程士璉字商始號松庵常熟人工寫墨蘭竹精篆刻兼詩

程德椿字受言歙縣人工篆刻有十友齋印賞四執園印林

程坎孚吳江人居吳江之平夢從鐔石先生學寫花卉并善人物篆刻

程東一字桐生號萍鄉吳江人工古隸善鐵筆尤長於畫山水花卉人物靡不佳妙

程庭鷺字序伯號蘅鄉嘉定諸生畫清蒼渾灝逼近檀園輯涑水畫徵錄一書尤有裨於文獻兼擅鐵筆由丁黃以溯秦漢

程　嶠字方壺歙縣人官浙江鹽場工摹印為趙撝叔大令門下

程培元字浣芝嘉善諸生又韋孝廉之孫工書畫富收藏治印摹元人法

程兼善字達卿嘉善明經工篆書詩文治印長於工緻子康年茂才有父風惜
早世
程兆熊字孟飛歙縣人工書翰於大小篆八分行草皆妙
丁元公字原躬嘉興布衣工書精繆篆善寫意山水晚年爲僧名淨伊字願庵
嘗遍訪歷代佛祖高僧眞容迄明季蓮池大師繪爲巨册
丁元薦號長孺長興人著有名山言海印譜二卷
丁　柱字徵庵泉唐人刻印蒼勁賣篆市中問奇者履常滿焉
劉衛卿字夢仙南街人博識古篆刀筆古樸傳趙時朗趙端汪以涉時朗字天
醉舊市人書畫入妙同姪又呂則古樸渾雅以涉西門人秀爽精勁尤工鍾
鼎
劉運齡號小峰吳縣人諸生蓉峰觀察子也蓉峰營園林於吳門花步里曰寒
碧山莊延王茱畦孝廉於家肄書讀畫討論風雅小峰耳濡目染遂以翰墨

名家刻印古雅有法得其鄉先輩停雲風韻

劉穉孫字復孺又號七芝居士吳縣人得蘇眉山先生書法之奧尤工秦漢篆
刻名擅一時

劉　漢字倬雲儀徵人摹印古峭

劉鳳岡字鳴玉能詩兼工篆

周亮工字元亮號櫟園又號減齋河南祥符人移家白下明崇禎庚辰進士由
濰縣令行取御史　國朝授兩淮鹽運使歷戶部右侍郎好古圖史書畫方
名彝器著讀畫錄印人傳賴古堂詩文集

周天球字公瑕號幼海長洲人文待詔之弟子

周　道號瑤泉華亭人諸生鞠人學博之弟工書畫圖章所居有看山讀畫樓
昆季讀書其上王子卿侍御繪爲圖一時名流題詠殆遍

周　蓮字子愛又號己山婁縣人戊辰副貢生鐵筆秀潔婉轉多姿畫兼山水

書兼眞行篆隸

周昉字浚明崑山人原籍錢塘寫山水人物花鳥兼工詩文書法褚虞花卉參顏柳能篆刻

周紹元字希安松江人爲思兼子蚤孤攻苦績學年二十困于病杜門學詩隱居自娛工八分精篆刻所著有我貴編

周閑字存伯秀水人官江蘇新陽令善畫花卉渾樸高古性簡傲喜遠遊家鄉鮮有識之者著有范湖草堂詩文稿

周丹泉吳門人能燒陶印以堊土刻印文或辟邪龜象連環瓦紐皆由火范而成色如白定而文亦古

周經字權之揚州人與北湖楊秋江以寸石刻漏室銘鬼斧工誠絕技也

周之禮號子和長洲人王石香入室弟子專刻牙竹有阿芙蓉癖故刻甚少吳門舊家間有所藏

侯文熙字曰若一作越石無錫人精篆刻宗文三橋而蒼勁過之都下王宗立度得其傳前此以鐵筆名者有倪雪田以晶玉擅能者呂柏庭高培青田凍石尤極千古

林黼字質夫號石峰閩縣人通篆籀正德丁丑進士授大理評事

林應龍字翔之温州永嘉人精於篆隸爲印局大使

林鴻字茱生江都人刻印法陳曼生善畫

林臯字鶴田一字鶴顚常熟人虞山張若雲序其譜曰林君莆田苗裔海嵎僑宗少耽古芬長具逸翮吞丹篆一弓於夢中走青蚓百枚於腕下五都索厭時呼拋磚半夜鐫狂欲撾鼓蓋人之求者如鐵網珊瑚而君之秘焉等金壺髓汁矣

金湜字本清號太虛生又號朽木居士鄞人正統辛酉舉於鄉以善書授中書舍人至太僕丞竹石甚佳鉤勒竹尤妙書法篆隸行草綽有晉人風致善

摹印篆

金　農字壽門號冬心又號司農又稱稽留山民錢唐布衣書得古趣在隸楷之間工畫梅寫佛像自署昔耶居士心出家盦粥飯僧印章擺脫文何浸淫秦漢著有冬心集

金申之工詞賦善篆刻字皆絕人

金作霖號甘叔吳江人諸生與春水諸人結香詩社詩筆書法皆工篆刻仿漢平生不妄交不輕奏刀以故知者頗少

金雲門精於鐵筆鐫石刻竹均能摹古而筆法之妙結構之精種種耐摩揣

金邠居字嘉采號曹門善金石出游東瀛以賣字爲生計生平爲人落拓不羈故後料量俱出朋友管鮑之風猶有存焉

金　度字公度嘉興布衣業醫入陳蓮舫比部之室詩書畫篆皆出自天然力鎬時習

金鑒字明齋錢塘人性耽書畫精鑒別工書似梁山舟學士善圍棋江浙中幾無與匹敵亦能刻印

金爾珍字吉石號少芝又號蘇盦秀水人書學鍾王尤喜學蘇眉公山水雅有宋元人風格嗜金石刻印亦王緻有法著有梅花草堂詩

談懷壽字壺山德清人善八分絕似伊墨卿太守能治印

甘暘字旭甫號寅東秣陵人著甘氏印正其書後曰暘癖古印久矣摸擬間有不得者雖廢寢食斯必得之古人心畫神跡遂慧與千之一二矣

嚴栻字子張大學士訥之孫中書舍人澤之子少穎悟工書畫篆刻兼善騎射崇禎甲戌登進士知信陽州

嚴坤字慶田號粟夫歸安人工繆篆詩筆倔强著有溲勃叢殘君爲人沖和樸實論印一以鈍丁曼生爲宗

嚴翼字晴川號退廬爲兆麒子工畫兼善篆隸鐵筆惜不永年

嚴漢生鄞縣人游四方數十年以篆印名於時

閻左汾王士正蠶尾文集跋左汾印譜云左汾文章妙一世游藝篆刻不肯屈

曲以趨時好而唯古是師其於文章亦猶是矣藝云乎哉

仁和葉　銘葉舟采輯

董漢禹字滄門善寫松竹精治端硯工篆刻

董　熊號曉庵湖州人善篆刻爲人誠謹眞率無趨炎之態每爲知已所作必精心摹仿咸豐辛酉卒於滬爲曉庵知己者無不爲之垂淚

孔千秋號瑤山江陰布衣敦行好古精究六書著有說文疑疑偶游城市見漢銅印一方曰孔千秋愛不能釋解襆被易之歸遂自名千秋又得奇石高尺許樹蹙甚美文徵仲署刻瑤山二字其上因自號瑤山其刻字與俗工異畢氏經訓堂帖多出其手以鐵筆世其業子昭孔號味茗孫憲三字省吾省吾之子曰慶豁爲申耆先生弟子

項炳森字友花吳興人爲江省儒吏道光初年爲沐陽令頗著循聲公餘喜鐫刻深得曼翁法一日與祝君二如奕觀者謂兩君誠二友如花以其品而稱

其號也

項綬章字芝生賦棣子錢塘嘉慶戊寅舉人官福建同安縣

史榮字漢桓一字雪汀鄞縣人善花卉熟於十七史尤精小學工詩文及篆刻

史煥字仲晨吳江人生長京師工篆刻上追秦漢然不輕為人作年甫三十遽卒

紀大復號半樵上海人鐵筆在文何之間隸書仿鄭谷口

李流芳字長衡嘉定人萬歷丙午舉於鄉工詩善書尤精繪事天啟初會試北上抵近郊聞警賦詩而返遂絕意進取年五十五病咯血而卒

李文甫金陵人 印人傳三橋所為印皆牙章自落墨而命文甫鐫之李善鐫鑵邊其所鐫花卉皆玲瓏有致公以印屬之輒能不失其意故公牙章半出李手

李希喬字遷于號石鹿山人歙人長於竹石人物工篆刻鈎勒法帖斲竹鏤刻
如寫生稱絕技

李樹穀號東川晚號方翁河南夏邑人乾隆辛卯舉人官湖南祁陽縣有政聲
以讒罷去清風兩袖賣畫以食天性好飲善寫山水寥寥數筆自足生趣篆
刻之妙直逼秦漢

李　鏞字山壽嘉興人畫蘭法何其仁能取其長而滌其習兼精金石篆刻

李崇基字得安上舍光映孫父奇昌字若吾監生嗜古工篆刻崇基亦工鐵書
刀法蒼勁能入漢人之室尤善摹古雜印藪中未易辨也最爲張解元廷濟
所稱

李汝華號松溪鎮洋人弱齡嗜畫與其族曉桐大令講貫六法之秘凡人物花
鳥雜品下筆便得神山水亦工善篆隸精鐵筆

李　聘字一徵善隸書得漢禮器諸碑法精於賞鑒兼工篆刻

李明善工印篆摹秦漢法入古王彝作印說千餘言遺之

李奇昌字若谷嘉興人觀妙齋光映子也若谷子得安崇基兩世均善鐵筆

李弄丸鍾伯敬云善玉章

李效白原名堃字嘯北儀徵人寫生法新羅山人鐵筆師秦漢金石竹木無奏刀亦復各極其妙

李含光甘泉人孝感之子少工篆籀而隸書尤精賞之者謂賢於其父因投筆不書

李栩字蜨厂江西人工篆刻能攻堅所治晶玉與石章無異以爲翡翠太燥瑪瑙則堅滑無匹然亦能治之不可多得也

許儀字子韶號鶴影子又號歇公無錫人官中書窮舅氏李釆石技軼出其上山水人物界畫花鳥蟲魚無不盡善沒骨點綴得徐熙法能寫照花下印章每以手畫成眞絕技也善篆籀圖章尤通醫理卒年七十有一著詩集甚

彤

許容字默公如皋人官閩中善山水及著色芭蕉諱而不作六書小傳圖章不讓秦漢著有印畧印鑑谷園印譜韞光樓印譜又輯篆海數十卷

許初字復初一字元復吳縣人官漢陽府通判工小篆莊整而秀兼善楷草

許奎號西雲嘉善之胥塘人鐵書蒼勁年五十餘以窮死

許希沖原名蔭堂字子與一字壽卿號默癡青浦人嘉定錢宮詹堉善書畫書於晉唐宋元罔不藪討畫於梅菊蘭竹外間作設色小品逸韻天成又喜作印章硯銘游戲奏刀神與古會

許璜字玉槩師六太史從孫也工小篆善鐵筆著有鹵亭印譜

浦寶春字少篁嘉善諸生畫山水兼刻印章極有功候惜少神韵殆天分未超耳

杜拙齋蔚溪人工分隸藏漢人殘刻極多又善鐵筆性嗜菊嘗乞吳下畫家合

寫菊花長卷王惕甫先生題菊隱二字因自號菊隱散人

米漢雯字紫來宛平人順治十八年登第工書畫仿米南宮尤工金石刻

閔　雲字魯孫錢塘人善畫蘭工篆刻師陳曼生性好交遊座客常滿有漢陳遵之風後卒於滬

阮常生字彬甫號小雲儀徵人芸臺先生之伯子也以廕生官至清河道隸書渾厚鐵筆古雅在三橋修能伯仲之間

阮惟勤字拙叟江蘇奉賢諸生官浙江主簿書學魯公畫宗襄陽印摹松雪詩近香山各極其妙

阮汝昌字壽鶴奉賢諸生正紅旗敎習官至直隸知府善摹鐘鼎文字家藏比千銅盆治印有漢人風趣

管平原又號金牛山人博古畫尤精六書箸有印譜

趙宧光字凡夫太倉人入貲爲國子生豪華自喜中歲折節讀書不肯蹈常襲

故廬居寒山親墓旁手闢荒穢疏泉架壑如畫圖一時勝流爭造焉所著書數十種尤專精字學說文長箋其所獨解也篆書亦精絕

趙彥衛字允平漳浦人有巧思能作指南針自鳴鐘尤究心西洋算法洞悉其義兼工篆刻能詩

趙　煦號箋樓揚州人工繆篆有浙中鈍丁曼生諸公風致著愛蓮說印譜生平重友誼能緩人之急花甲將周未聞伉儷梅妻鶴子有和靖之風

趙大晉號夢庵又號夢道人錢塘人生於吳門年甫弱冠即工篆隸好古綦篤鐵筆有丁黃遺意

趙　野字堯春號雪蘿天津人明經不仕惟以金石刻畫自娛其所鐫印稿刀法神似何不違知其於寸鐵中非草草下筆者又工詩有版扉集

趙時朗字天醉休甯人書畫入妙篆刻蒼健嚴緊

趙又呂時朗之姪也篆刻古樸渾雅

趙學轍字季由號蓉湖陽湖人嘉慶己未進士由御史出守湖州書學米南宮
而上窺顏平原晚年專學思翁戲寫墨蘭篆刻精朱文自謂得沈凡民秘傳
恐妨於目三十後即棄去

趙福字小莊銅山人工詩畫兼善古篆爲人慷慨好友官邵埭十年屢蒙卓
異至瓜洲千戶麟河帥慶嘗稱許之著有容止齋印譜

趙蓮字淩洲號玉井道人海鹽棲眞觀道士工寫梅善吟詠所居盆花拳石
位置楚楚交游多一時名士

趙懿字穀庵號懿子錢塘人摹印學陳曼生書亦似之兼工畫梅學金冬心
喜飲酒不治生產流寓江淮鬱鬱不得志以貧死

趙之琛號次閑錢塘處士精心嗜古邃金石之學篆刻得其鄉陳秋堂傳能盡
各家所長曼生司馬首推之阮文達刊積古齋鐘鼎欵識半出布衣手寫兼
工隸法行楷畫山水師大癡雲林間作草蟲花卉無不佳終年杜門棲心內

典時寫佛像名其室曰補羅迦室

趙遂禾字稼雲號嘉生又號南徐畫隱鎮江人世家子也工詩精篆刻所作花卉筆意秀逸山水規四王嘗游大江南北名區勝跡靡不周覽故落墨瀟洒令人作志在千里想

趙之謙字撝叔號益甫別字冷君又號悲盦會稽人咸豐己未舉人旋以知縣分江西一爲南安縣卒於官於學無所不窺讀書丹黃爛然書畫奇逸天成刻印能奪完白之席而獨樹一幟著續寰宇訪碑錄

趙　穆字穆父號仲穆毘陵人流寓杭州工刻印幼學吳讓之後乃追踪秦漢別樹一幟一時從學者甚衆亦工篆書有孔廟先賢姓氏爵里印譜

趙于密字伯藏號廷盦湖南武陵人諸生署江西建昌府知府喜收藏吉金樂石充溢几案書畫詩文皆有逸氣工刻印規摹周鉨秦漢不尙時趨

鮑　鑑字冰士善畫梅寫牛尤足赤幟藝林兼工篆刻

鮑　言號聽香桐鄉之烏鎮人淥飲先生之孫也篆刻仿丁鈍丁

保逢泰字極蟠號仙巖善寫生尤長蝴蝶未冠即工篆隸鐵筆詩有仙巖詩鈔

馬　咸字嵩洲號澤山平湖人工山水兼南北兩派做小李將軍尤渲染工細
兼工繆篆精小楷凡番舶入市必購其畫以歸

馬文煜字起留吳江人工書畫篆刻兼精於醫

馬行素字稼儒晚號南漁讀書好古精於篆刻

蔣　仁原名泰字階平號山堂又號吉羅居士女牀山民仁和布衣工篆刻而
行楷書尤佳彭進士紹升推爲當代第一手阿林保官運使時延之入署偶
爲書蘇詩有白髮蒼顏五十三之句遂以病辭歸乾隆乙卯卒年適符其數

蔣　確字石鶴松江人專畫梅花後學公壽行道踵門求者日盛生性放蕩具
見天眞後出天花而歿

蔣　節、字幼節上海布衣博雅好古工詩書畫嘗執贄何子貞莫子偲二公之

門兼工摹印得漢人神髓有安蹇劣齋詩文集

鈕福疇號西農烏程人家素封而雅嗜篆刻

鈕樹玉字非石吳縣布衣往來齊魯吳楚間然性嗜縹緗又好校讐攷訂遇有漢碑善本及經世之書必錄而藏弆並通音律

沈野字從先吳郡人著有印談其書云余昔居斜塘一載此中野橋流水陰陽寒暑多有會心處鉛槧之暇惟以印章自娛每作一印不即動手以章法字法往復躊躇至眉睫間隱隱見之宛然是一古印然後乘興下刀庶幾少有得意又云余有印評二卷大都類嚴子羽評詩法因中多有所譏託付之丙丁

沈炎字殿秋號瘦沉華亭人獅峯先生之曾孫也其尊人諱堅者曾官浙江天台會稽等縣寬厚慈和爲上游所推重其內助尤賢殿秋幼無紈袴習長通書善篆刻寫山水筆意挺秀頗得獅峯先生流風餘韵性疎冷不耐治生

產亦不喜通賓客居恆相識者或投以尺縑片石往往庋閣多時難得其奏刀揮翰故其藝之精即在同郡人知之者亦甚罕

沈鳳字凡民號補蘿江陰人受書法於王吏部虛舟工鐵筆善山水以國學生効力南河歷署同知七攝縣篆於吏事非所喜自言生平篆刻第一畫次之字又次之其畫多乾筆瀟灑縱逸志在元人嘗臨倪元鎮小幅鑒者莫辨篆刻有謙齋印譜行世

沈剛字心源號唐亭婁縣人嘉慶戊午舉人官寧海縣知縣工墨梅蘭竹書法在我鄉董張兩文敏之間偶作小印秀飭可玩

沈潤卿長洲人嗜古甚篤摹孟思之不及見者通計若千印譜無刻本潤卿刻之以孟思與己所摹者併刻焉

沈心字房仲仁和人厲鶚樊榭山房集有和房仲論印詩十首

沈淮字均甫號貽饗桐鄉人官山東知縣曾於郭友三行篋中見其手製知

於此道非率爾操觚者

沈綸字石民常熟人工書畫善篆刻

沈遴奇字子常一字觀侯號章谿慈谿人早歲即補弟子員以好事蕩其家產工書尤精篆印深得梁幼從先生法

沈翃字映霞昭文縣人善畫菊工草書琢硯鐫印尤愛鼓琴詩宗唐賢尤工五絕

沈道腴字淡庵監生工詩兼篆刻子愛蕿字琴伯克承家學而銕筆尤精馮太史登府跋其印云鈍丁不得專美於閑何足爭長非虛譽也能詩兼醫

沈錫慶半桐居士之子也字咸中號秋巒後改名桂銑詩文妍麗眞隸書俱工甃尤工篆刻石印

沈雷字篔溪工篆刻善隸書不能家食而遊客九峰三泖間多攬環結珮之好

沈　壬字斯立工隷書篆刻

沈國淇號少石秀水人生詩詞尤精篆刻

沈　字石泉秀水人能篆刻惜早卒

沈近光字石甫嘉興諸生書行草峭拔喜摹黃涪翁畫工篆刻咸豐庚申全家
陷於賊僅與其子甫十餘齡偕遁轉徙他郡窮餓以死

沈琴伯字愛蘐嘉興梅會里人也工篆刻出入秦漢古雅渾厚專講秦刀其邊
欵必署明用單刀法或用舞刀法之類抑亦奇也馮柳東太史跋其卍雲小
築印譜云詰曲參差漢印之妙訣也鈍丁不得專美夊閑何論焉其推重如
此

范風仁號梅隱嘉興人寄寓吳江笠澤上工畫梅故自號梅影其篆刻尤精古

宋思仁字藹若號汝和長洲人爲山東糧道蘭竹雅韻好鑑古精篆刻多蓄古
印章著印譜詩有槖餘存稿廣輿吟兼通星卜堪輿

宋葆淳字帥初號芝山晚號倦陬山西安邑人乾隆癸卯舉人善山水精金石考據之學性傲岸不羈官濕州年餘即告歸游迹半天下所至以詩畫名每自評其藝曰畫爲上詩次之文次之字又次之善水墨筆意甚奇肆兼南北兩宗得元人古趣書法唐人亦遒樸可愛又聞芝山客京師時每值坡仙生日輒于蘇齋設祀丁丑歲客吳門年七十矣吳玉松虎邱雜詩序云宋芝山晉之老宿也博能古畫詩云籐杖敲門鬢似銀鼎彝制古管絃新雲山一幢貽知己可是尋常潑墨人

季開生字天中泰興人順治己丑進士少年時輒喜臨仿宋元名蹟後游蘭溪覩富春嚴灘之勝故邱壑深邃山頭俊拔大得子久三昧官都諫以直言著稱弟振宜字滄葦官御史好古下士望重中朝海內有季氏雙鳳之目詩筆畫筆均俊爽有奇氣

魏閭臣號又虞桐人所刻紫檀黃楊印甚工緻文人之作也

顧藹吉字畹先改字天山號南原吳縣人以貢生纂修得官終於儀徵學博精繆篆工分書兼長山水

顧元成號松谿吳縣人秀野太史後人篆刻秀整尤工牙章

顧蕙生號竹埼無錫人國子監生蘇州學博敏恆子也家世自明以來世工詩筆幾於人人有集竹埼兼精篆刻酌於秦漢元明之間素志澂淡歷游諸侯幕府以渡臺勞　賜六品銜然其意泊如也

顧振烈字雪莊昭文人善山水又工篆刻其畫中每作草房三間人謂之顧三間云

顧仲清原名康孫字咸三號中村又號松壑處士玘徵孫增生入太學見賞於王阮亭湯西厓諸前輩著述甚富兼善丹青以畫蝶擅名當時稱為顧蝴蝶篆刻法徐士白

傅山字青主太原人康熙己未薦舉博學鴻詞工詩文善畫兼長分隸尤精

篆刻收藏金石最富辨別眞贋百不失一稱當代巨眼有霜紅龕集

蔡召棠字聽香震澤歲貢生晚年謁選爲廣文博學多能畫法挺秀兼善隸古

木與人酬應所用印章皆自製精雅絕倫

蔡　照原名照初字容莊蕭山人善刻畫金石論者方之新安黃君蒨他如竹

碑版罔不精妙任渭長以畫名海內所繪列仙酒牌君手刻也其奇巧工細

眞有觀止之嘆

蒯　增字小亭江蘇吳江人刻竹治石皆得天趣性極脫畧

蒯文灃字韻春揚州人篆隸法鄧完白與其蕉庵齊名時稱二蒯

戴啟偉字士奇號友石休寧人嗜古好學以所摹秦漢以逮元明及自刻之印

集成一函名曰嘯月樓印賞

戴熙字醇士一字蒓谿號鹿牀錢塘人道光壬辰進士官兵部右侍郎詩書畫

並臻絕詣山水尤兼董巨之長入直　南齋屢邀　宸賞以疾乞歸咸豐十

年粵賊陷浙以督辦團練事殉於難　贈尚書　謚文節有習苦齋集

戴以恒字用柏錢塘文節公從子予受業師也善山水得文節公正傳與滬上楊伯潤張子祥諸君齊名弟子滿百人遠至日本朝鮮皆願執弟子禮來見其名重海外如此夙工刻印然繪事踵接不輕爲人作也著有醉蘇齋畫訣行世

戴並功字行之上元人腕力甚健能以寸鐵刻玉如畫沙然有人以碧霞玭小印令刻眉語樓三字刻成語人曰世間最剛之物恐無以逾此周存伯大令鑄鐵笛一枝行之爲刻龍腸二字以鐵刻鐵不覺其難也

戴滄林號景遷蘇州人喜金石書畫刻古篆舊臧磁器甚多金石家之巨擘也唯境遇迍邅室無儲積不免有天阨才人之嘆

萬允誠鄞縣人善書工篆刻

萬承紀號廉山江西南昌人以明經入楚佐戎幕頗著猷略後官江南南河同

知山水仿小李將軍篆書有石鼓繹山遺意作印似雪漁不違

邵光詔號飭益山人師事程松益工篆刻

邵　潛字潛夫自號五岳外臣江南通州布衣漁洋詩話云邵潛萬歷間詩人錢牧齋亟稱之性孤僻凡數易妻晚竟無子僑居如皐年八十矣池谷偶談云邵潛夫性傲僻不諧俗人多惡之所著友誼錄循吏傳諸書多可傳者陳其年云古今文人多窮未有如邵先生者聽其言愴然如劉孝標所自序云

邵士燮字友園號范村又號桑棗園丁蕪湖諸生工詩善分隸篆刻尤嗜畫

邵士賢常熟諸生汴生中丞族兄受業趙次閑好飲酒善金石刻浙派不輕示人性亢傲不群爲人所欽

謝廷玉字雪吟金山縣人好以水墨寫生仿米氏雲山世珍之尤工篆刻

謝黃山新安人手筆逼秦漢晶玉尤絕

謝　庸字梅石吳縣人楊龍石高弟工篆刻尤善鐫碑爲吳中第一手歷游粵

東兩浙所至索者踵接箸有梅石盦印譜

夏允彝字彝中華亭人弱冠舉於鄉好古博學工屬文是時東林方講學蘇州

高才生張溥楊廷樞等慕之結文會名曰復社允彝與同邑陳子龍河剛徐

孚遠王光承輩亦結幾社相應和名重海內

夏寶晉字玉延高郵人以名孝廉官雁門刺史精於篆刻兼長倚聲著有琴隱

詞

華竿江無錫人精大小篆兼精鐵筆其論篆云流弊至草篆識者所心鄙守正

不徇人汲古搜奇根柢秦漢印歌云纖綺怪僻非康莊數語盡之

鄭梁號禹梅又號寒村慈谿人黃梨洲先生弟子也以篆刻名善山水暮年

右臂不仁以左手作畫饒別致有曉行詩最佳人呼爲鄭曉行

鄭燮字克柔號板橋興化人乾隆丙辰進士官山東濰縣知縣書有別趣善

蘭竹印章筆力樸古逼近文何後以病歸遂不復出有手書板橋詩鈔行世

鄭之鼎字台軒工於倚聲得兩宋風格同時維揚以詞鳴者如秦玉笙王寬甫
周雨窗夏瘦生周筱雲數人而已台軒尤精篆刻用筆雅秀
鄭公培字子元號葭村善篆刻徐貞木弟子有印譜
鄭魯門濟甯布衣精於鐫刻手摹秦漢官私印文五百種幾欲亂眞
孟毓森字玉笙維揚人工鐵筆山水尤妙庚戌游袁浦寓普應禪院一夕晨起
盥水畢無疾而逝
鄧　琰字石如懷甯人其名避　仁宗廟諱以字行更字頑伯又號完白山人
少好刻石仿漢人印篆甚工嘗客江甯畢人梅鏐得縱觀秦漢以來金石善
本每種臨摹各百本其篆法以二李爲宗分書則遒麗淳質變化不可方物
曹文敏稱其四體書皆爲　國朝第一
鄧傳密原名尙璽字守之完白子懷甯人敦樸能詩篆隸有家法同治庚午年
七十餘卒

繆曰淳號篔谷又號熙熙生秀水人工畫兼擅篆隸飛白鐵筆寫眞尤得曾波臣法喜畫桃花一時有繆桃花之稱

繆元英字佀峯原名綬武梅里人工詩有髻山樓集八分愛江南鄭簠晚年筆奇横態益秀潤兼善篆刻雖細若牛毛而體大法密

陸鼎字子調號鐵簫吳縣人放翁先生之裔以布衣著名吳中先生詩古文字靡不工精篆書尤擅畫法平生與世寡營終身不娶蕭然物外少嗜酒酒酣談辨風發驚駭庸俗名流鉅公咸心折焉不知者以爲狂也所居墨佛菴板閣一間書史與梵夾錯列鑪烟靜霏埃蓋遠隔且耳官失職不司戶外事因得棲心白業寄志靑霞爲吳中高士云仁和倪米樓又學云鐵翁詩文與畫皆不似從人間來由其胸次高曠不染一點俗塵又多讀異書作奇字乃能脫盡凡蹊超然筆墨之外山水宗董巨及元四家花鳥似白石白陽人物佛像士女皆原本古人別具丰格自篆圖章曰鐵派蓋亦高自標許以示獨

成一家云

陸震東字融伯德清人著有陰騭文印譜

陸學欽字子若太倉人嘉慶庚申舉人書從晉人入手後乃出入於唐宋諸家

尤喜學米南宮畫則專法元人君穎悟絕人詩文書畫外若篆刻圍棋撥紘

擫笛之類靡不精絕著有蘊眞居集

陸古愚秉承家學隸古直追古人嘗刻金石欵識

陸元珪號瑤圃青浦人精鑒古工詩詞篆刻善寫蘭蕙師衡山古白意氣豪邁

座客常滿眞率弗尚虛禮酒後高歌屋瓦爲震

陸鳳墀字芝山海鹽諸生工分隸精鐫碑版過雲廔石刻皆伊一人手筆

卜楊昌言字筠庭復姓也秀水諸生治印直窺秦漢渾雄雅健一洗姿媚之習

惜不永年留傳極少

祝翼良海鹽人翼良印譜其自刻一印云百八峯間祝埜老行十八名翼良字

漢師自號識字農有髮頭陀澹道人三十八字康熙雍正間與兄秉山均以
篆籀名於世

祝 昭字亮臣當塗縣亮臣能詩善八分書至鐫一石彈一調圖一幅無不稱
絕游歷所至士大夫皆重之

濮 森字又栩錢塘人刻印專宗浙派秀逸有致不輕爲人作

岳鴻慶字餘三嘉興諸生喜吟詠結社唱酬晚年專集唐人詩有餘三集唐小
印鐵筆與曹山彥齊名

屈培基字子載號元安昭文人嘉慶戊午副貢淹雅能文性孤癖有古畸士風
工隸篆楷法精鐵筆畫山水竹石無所師承匠心爲之皆合古人矩矱

屈頌滿字子謙號寅甫常熟人生有夙慧數歲能作擘窠書畫山水花草竹石
涉筆即古工行草篆隸善鐵筆能吟咏好古琴凡所肄習過目即能惜早卒

葛師旦字匡周號石村寶山人工山水精篆刻通陰陽地理博學多能詩亦清

遠性澂淡非素交不易致也

葛繼常字奕祺號莘南海甯諸生爲明察院無奇先生之後精堪輿工篆刻善山水嗜金石見必手拓每歲之冬常命使者負小罈從行村野間掩骼埋胔不憚勞瘁

葛　唐號西槎崑山人工書法善篆刻畫花鳥學南田忘庵兩家筆意疎老設色明艷能手也

薛龍光字少文上海諸生有玉屏山房詩選

郭紹高號憩仙自號棄翁吳縣人諸生八分師曹全碑篆法工整製鈕尤精

郭允伯關中人有松談閣印史

郭雲村工精篆刻著有聽鶴廬印譜

郭上垣號星池止亭子嘉興諸生擅篆刻師於曹山彥先生惜年不永猶未入室

郭家琛字碩士海甯人精繪事受業於戴用柏之門亦工刻印

石韞玉字執如號琢堂又號竹堂江蘇吳縣人乾隆庚戌　殿試第一人官山東按察使歸田後閉戶著書謝絕塵網比數十年士大夫別有所好筆墨之事目爲迂疎先生以耆年碩德提倡騷壇靈光巋然洵足爲後來模楷也著有獨學廬集若干卷至鐵筆小技亦古雅如其爲人擬其品在穆倩年少之間

石　麒號巽伯又號容卿吳人自幼即喜篆刻嘗遊屠琴隖太守之門得見古名家手跡故落筆自爾不俗近喜摹書畫金石文字於竹木器皿之上亦精雅可愛

柏樹琪號玗林海昌人讀書外紛華無所騖以其餘力吟詩作畫摹印仿碑搜羅既富拓室儲之顏曰四癖

弋中顏字右度平湖人工篆書精印章爲時所稱

葉　承字子敬號松亭恆齋之姪也雍正甲辰進士官常山縣改教授不久歸性地樸愨學問淹雅工書尤善小楷寫山水極秀靈然不苟作畫寄云宣情空水雲筆墨無塵垢八法得盛名六法爲之掩

葉廷琯號調生又號苕生自號龍威鄰隱吳縣人爲陳雲伯先生之壻故討論風雅確有源流工鐵筆蒼勁可愛論歷代印學原原本本殫見洽聞

法　嘉蓀字莘侶丹徒人儲潤書字玉琴宜興人皆工詩館于其家與應澧齋名澧字叔雅仁和人工詩善書杭堇浦之壻也

石　僑保定蓮花池僧善蘭石

了　學字小石杭州人善詩工篆法往來邗上爲伊墨卿洪桐生兩太守所賞康山江文叔觀察欲延之主平山席不就時懶堂亦客邗上工篆刻名流多樂與交故邗上有武林兩詩僧之目

佛　眉自來倔強篆刻不驁弱丁原躬法裔也工詩善書能左手持巨石右手

握管腕力愈勁

宏　夢字遽然唐解元寅六世孫居西郊小雲棲能詩工隸書篆刻宗文三橋

竹　堂石莊弟子也居揚州之桃花庵工畫學吳堯圃兼刻竹根圖書名與潘

老桐埒

見　初號嬾堂杭人與陳曼生大令為方外交故亦工鐵筆

達　受號六舟海昌白馬廟僧耽翰墨精鑒別古器碑版阮太傅以金石僧呼

之閒寫花卉篆隸飛白鐵筆並妙摩拓彝器尤精絕能具各器全形陰陽虛

實無不逼眞後主西湖淨慈寺

野　航字蓮溪不知經典精於繪事繆篆好客豪飲室中客常滿座

寶　珍佚其姓氏字伯庭常熟道士善墨蘭精圖章工書法有潔癖

衡山道士蘇州人王石香弟子刻文何派精於撫琴惜早卒

妙　慧本姓張家金陵南市樓從假母之姓姓馬名汝玉字楚畤熟精文選唐

詩善小楷八分及繪事心獨厭薄紈綺品題花月指點谿山名流頗企慕之
後受戒于棲霞法師名妙慧
許延礽號雲林德清人爲周生兵部女即梁楚生夫人也夫人博通書史教諸
女以書畫琴奕鐫印無不精妙花卉仿陳白陽
周綺字綠君小字琴孃昭文人工韻語解音律精醫能篆刻兼山水花鳥尤
精小蘆雁得蕭遠生動之致著有擘絨餘事詩

再續印人小傳附印人姓氏

洪健雀　聲上海人　馮春谷遵建金陵人　馮蓑白其章山陰人

江桐伯　琦烏程人　支玉山元福鎮洋人　支玉台潤彥儀徵人

余守白應元江都人　徐大文　汾潛溪人　徐鞠人　保潛溪人

徐浦芷楚善德清人　徐星洲　徐子聲　鄂

朱震伯　鋐江都人　朱友巖　芾烏程人　朱飯食穀昌六合人

朱閣臣仁壽甯波人　吳獻可　太倉人　吳夢生　儀徵人

吳子愼　儆武進人　吳柳塘寶驤石門人　吳玉侯祥麟桐城人

俞楚善　瀚紹興人　陳樸生治經　陳六雲同壽安徽人

陳愍生　陳正叔　琮吳江人　陳　鴻緒

陳靜山　年山陰人　孫漁仙學淵餘姚人　顏筱夏鍾驥連平人

錢閏生繩培　錢小山　潄　錢步瀛文英紫琅人

姚仲海正鏞奉天人　陶菊莊　高菡舲曾矩高郵人
高燕庭元眉嘉善人　高魚占時豐仁和人　高欣木時顯仁和人
何松庵濤婺源人　查紫圭美珂婺源人　楊序東寶鏞元和人
張蘭坡肇　張伯符　張子耕灝
張遜先祖翼桐城人　張白焦金笈歸安人　張春帆文湛
張初白炤檢歙人　王楚賓湘　王小鶴城全椒人
王冠山大炘　王西園　王小侯
方槐揚州人　梁曼雲雷　黃子和允中江都人
黃楚橋上元人　黃瀠虹質歙縣人　唐月漁瀲廣陵人
唐瀚　汪半聾一檠　汪小峯揚州人
汪小禽寶榮全椒人　汪硯山鋆儀徵人　汪自庵申全椒人
汪蓮塘際會壽州人　汪伯年　汪沚荷曰誠

程壽巖 歙縣人　淩子與 霞烏程人　曾劼剛紀澤湘鄉人
劉鳴玉鳳岡山陰人　劉倬雲 漢儀徵人　劉眉伯 瑞安人
周易之孝坤木瀆人　周確齋 儀震澤人　周織雲士錦無錫人
林茱生 鴻　林二松 熙　金犖伯 城烏程人
金古香 鼎　金謹齋承誥錢塘人　岑午橋丙炎
項少峯　項小果 瑞瑞安人　李海舟 潛
李榮舟 成　李鐵橋東琪　李古愚 鍾
李漢青慶霄山陰人　許黼周兆熊光福人　阮石梅 銘儀徵人
阮九如 儀徵人　趙怡亭　趙念因 果
趙石農　鮑汝舟 濟秀水人　鮑子年 康歙縣人
馬愛南 棠山陰人　沈鶴生 漳浦人　沈亦香仰曾湖州人
沈覃九登岸平湖人　沈健石乾定長洲人　沈笛漁丹書山陰人

沈右岑清佐歸安人　沈寄帆宗昉山陰人　沈少潭湄

沈伯珊寶柯桐鄉人　范守白松山陰人　宋竹亭侃高郵人

宋人龍甯　季瀛山厚燾江陰人　魏綱紀耆湖南人

顧蘆汀文鉷　傅香泉沅　厲小庵　揚州人

厲蘊山良玉錢塘人　蔡鐵畊　戴文圖書齡直隸人

夏梅生麟　夏紫笙　錢塘人　鄭台軒之鼎

陸花谷廷槐笠澤人　祝杏南向治錢塘人　葛南廬振千華亭人

郭寄瓻　嘉興人　郝瑞侯　石西谷　渠

葉四可　蘇州人　葉筠潭　葉天池　桂蘇州人

葉墨卿鴻翰永嘉人

釋朗如兆先　予樵　道敏

靜濤　藥根

再續印人小傳補遺

仁和葉　銘葉舟采輯

童大年原名喬字幼來一字醒盦號心安別號性涵江蘇崇明人　松君先生之第五子也又號金鼇十二峯松下第五童子精究六書取法乎上所作鐵書以漢爲宗旁及浙鄧各派靡不神妙著有依古廬篆痕間作繪事亦楚楚有致不恆作而畫理甚明焉

馮有光字星仲號少峯婁縣人少眉之弟廩生工畫梅周旋於冬心兩峯之間

龐元暉字鍈峰元和人善刻銅印邊欵能作行草書細如絲髮而自見筆意眞絕技也

鍾紹棠號南國江西贛縣諸生性聰慧善篆刻精琴理能自成聲譜畫學小獅別有生趣

鍾以敬字讓先號窳堪錢唐人少好弄翰酷嗜吉金樂石風雨摩挲孜孜不倦

尤善鍥書精整雋雅獨運匠心善於皖浙兩宗間別闢蹊徑者其論篆刻則謂近時名流輒侈言高古詡詡然自矜所學不曰橅三代古鉨即曰倣兩漢泥封班駁缺蝕索隱行怪是從不能學西子之娥眉秀勁而作東施之捧心效顰也余無取焉嘗橐筆三吳既乂游海上皆落落無所合殆所謂陽春白雪曲彌高者其和彌寡歟

余　鍔字慈柏號起潛晚號志慈仁和人初從奚鐵生學隸同時有徐秋雪從其學畫梅苦思力索而兩不成鐵生笑曰觀二君之筆皆可成就一轉移間耳於是慈柏改畫梅秋雪改學隸皆知名於時慈柏筆意秀挺

徐　堯字雪珊會稽人刻印得漢人三昧

朱一元字巨山其所作印神遊于點畫鉤曲之外邈然自適于得心應手之間著有連珠集印譜

符　翁字子琴湖南淸泉人工書畫學青籐老人有蔬筍館印存二卷

胡之森號篔谷江夏人工篆刻畫竹得文與可風趣爲世所珍與王廉晉太史
相善有青琅玕館摹古印存六卷
吳　悅字自怡江西信豐人善琴工篆刻邑人得其片石珍如拱璧
吳　隱字石潛號遯盦山陰人精繪事工篆刻悉宗秦漢嘗集古今名人書聯
都凡三百餘家縮刻於石名曰古今楹聯彙刻風行於時又集所藏印爲遯
盦集古印存又有古陶存古泉存古磚存等書行世
吳　徵字待秋號春輝外史又號鷺絲灣人石門伯滔先生之次子也工繪事
後得文後山舊藏漢三斗錩遂號抱錩居士亦能治印
黎　簡字二樵號簡民順德人乾隆五十四年己酉拔貢工詩善六法爲人清
狂徵歌狹邪日與酒徒醉飲於市自刻圖章曰小子狂簡人品高潔卓然成
家所居名百花村莊工書法詩筆幽峭奇警爲海內推重
都榮曾字穉香一字靜庵海甯諸生童年於讀書之暇即治印爲樂稍長究意

斯籀古篆博觀秦漢古鉥一日得吾杭黃奚諸大家數印遂竊喜之心慕手

追造詣益進深得浙派正宗間亦規摹頑伯老人悲庵先生法不多作也惜

天不假年賫志以歿年方三十又五論者無不賫歎着有求古齋印選

雷　悅號彛甫長沙人篆刻師承甚正有鐵耕齋印存

陳書龍字山田華亭人善詩畫工山水花卉與父石鶴俱有聲名

陳大齡號鶴汀一號鄂町常熟人國子生閒澹性成惟以琴書自遣所居有住

梅花閣几無纖塵圖史尊彝羅列左右儼然隱居士也暇作花卉雅尚逸韻

近新羅玉壺兩家

孫　梁字吟笙一號苦匏江蘇吳縣人善書性嗜酒喜金石之學間作小印有

漢人遺意

姚汝錕字飛泉嘉善人善刻竹工琵琶間作小印亦楚楚有致

羅　字朗秋又號秋道人湖南常德人工篆刻其室人萬霞女史亦精鐵筆

曾見入比黃花瘦一印秀潤絕倫不可多得實巾幗中之翹楚

何　溱字方穀泉唐人夢花先生之子亦精刻印

何維樸字詩孫晚號盤止以孝廉官江南道州太史之長孫書法神似乃祖工詩寫山水氣韻蒼老不落古人窠臼早即名聞海內少精篆刻宗秦漢晚年嬾於酬應故棄之家藏古印甚多有頤素齋印景六卷

華　復字松庵號旡疾錢唐人錢叔蓋弟子所作能似其師人莫能辨庚申冠亂叔蓋闔門殉難惟次子式得不死松庵挾之行人以此義之

百事精拓爲清儀閣印譜以貽同人書法得襄陽神韻兼工漢人佐書著有

張廷濟字順安號叔未嘉興人世居新篁鎮嘉慶戊午舉省試第一人當時太傅儀徵相國酷嗜金石孝廉有同癖一室之內商周彝器羅列滿前太傅出所藏多爲鑒別積古齋鐘鼎銅器款識之刻孝廉所藏亦半在焉晚年與太傅合寫眉壽圖交誼之洽可概見矣又收得漢官私銅印三千有奇嘗選數

百事精拓爲清儀閣印譜以貽同人書法得襄陽神韻兼工漢八佐書著有清儀閣詩鈔眉壽堂集卒於道光戊申年八十有一子慶榮亦舉道光丙午省試第一人父子領解首尤爲科名佳話云

張惟楙字韻蕉號半農亦號桐孫別字碩瓢仁和諸生本姓湯西厓先生之裔也幼以父命爲姑氏後少而好古壯而篤學詩畫鐵筆類其人品娟秀樸懋天趣橫生

王　左字左侯剡溪人有鈍農印可

王宇春衢州常山人精篆刻人品高潔開化戴敦元先生甚敬禮之宇春家極貧戴往返必經常山戴亦儉約恆布衣步行自持雨具至宇春家出錢二百文令宇春買蔬沽酒談心盡歡而散其篆刻戴爲之進呈收入四庫常山縣志紀其事

王壽祺字維季號福盦仁和人同伯先生幼子精九章之術篆隸悉有法度蓋

家學淵源搜羅富有故所學悉有根柢尤癖嗜印章搜藏名人舊刻都凡四五百方爲福盦印存

黃　鑰字魚門歸善諸生山水沈着工隸書精篆刻能詩

黃樹仁字靜園上海貢生性拘謹工書亦能作印

唐源鄴字李侯號醉龍小字蒲傭別號醉石山農善化人少失怙隨叔宦游江浙博古多識凡秦碑漢碣一入其目無不眞贋立判癖嗜隹石偶得一石必摩挲品翫幾欲具袍笏而拜之工漢隸尤精篆刻爲元和相國所激賞故名重一時有醉石山農印稿

姜　翔號少白姜松山之子也世其學

汪良澤字子震鎬京先生之子歙縣人移居江蘇甘泉工篆刻具有家法厚德高風鄉里矜式

汪厚昌字吉門仁和諸生精小學工篆籀學楊濠叟若有神契刻印必尊許書

故下筆無俗字篆法高古悉有本源一洗印人陋習著有說文引經彙攷及

國朝先正事略三編

丁仁字輔之號鶴廬錢塘諸生松生先生之從孫其家以藏書聞海內所藏

西泠八家印尤夥輔之嗜印成癖撫拓無虛日有丁氏八家印選行世

程世勛字心梅譜名燿釆錢塘諸生劬學多能蚤弃舉業吟咏之餘尤好塡詞

蓋法去瑕先生小紅樓詞祖派也有燕支山館詩稿藏家未梓與譚復堂戴

用柏諸先生爲至友兼善畫梅鐵筆尤渾渾入古紅羊亂起慷慨從戎偃蹇

軍中僅以松江克復功奬叙五品翎頂積勞客死遺蹟離散不克多覯人皆

傷之

劉懋功字卓人蓉峰觀察孫小峯子也先世居洞庭東山觀察營園於郡城花

步里曰寒碧山莊奇石林立花木交蔭擅勝吳下今稱劉園卓人尤工畫爲

時所重

林從直字白雲號古魚乾隆甲子舉人

譚錫瓚字建侯湖南茶陵諸生別號師曼工篆刻單刀尤稱絕技非近時名流所能抗衡也子蔭祺號受一亦善刻頗有父風

嚴錦字晴峯溫州永嘉人恂恂儒雅有晉人淸致善吟咏工六法精鐵筆尤善篆隸爲一時所推許

李二木長沙人性孤癖篆刻超絕秦漢人以阿芙蓉鹽薑敬之即用鐵籤奏刀無不精妙至名公鉅卿相求則秘等金壺醷汁誠異人也

李嘉福字笙魚一字北溪浙江石門人精鑒賞收藏極富官江蘇候補知府罷官後銳志學畫得馬河之陳居中諸家法亦參仿小李將軍曾爲戴文節公畫學弟子講求詩律嘗問字蝯叟篆刻整飭規仿秦漢僑居吳中與潘文勤吳窓齋吳讓之吳退樓吳苦鐵輩皆友善於光緒甲辰卒年六十六歲

李輔燿號幼梅晚號和定居士文恭公長孫以中書改官浙江歷任觀察博學

多才早歲即知名海內工詩善畫八分尤爲當世所珍拱六十歲始作詞自號返魂詞人殆取坡公當返六十過去魂詩意少工篆刻然不輕爲人作著有讀禮叢鈔四卷藏書甚富浩如烟海非讀崔儦五千卷者蓋不能入其室云

趙　喆字琴士琴川人善書工琴能作印

趙慈屋號豈學字公顗別號金鷺山民武陵人嗜金石書畫之學尤癖于印每見佳者多方購求或力不能致則展轉胸次者累月課餘之暇摹倣古印數十冊以漢爲宗

沈振銘字藕船石門人自號禦兒鄉農擅長花卉翎毛山水墨法蒼潤極見功力書摹董文敏頗得神趣工詩精篆刻黃楊木圖章爲諸名流推重

沈忠澤字靖康越籍而蜀居媚古劬學收藏金石甚富尤工摹印酷嗜鈎勒諸賢名蹟

鄭叔彝號樵龕泉唐諸生中年作客維揚精岐黃術酷嗜倚聲金石篆刻之學力追秦漢所鐫欵識喜效悲盦時作漢碑額文獨饒古趣著有樵龕印存歿於綠楊城郭妻殉焉

郭鍾嶽號外峯揚州人官江浙司馬工詩詞能琴書法各體皆妙著有鯀天倪齋詞譜二卷東甌竹枝詞百詠東甌小記一卷

河井仙郎字荃廬日本西京人善鑒別金石碑版尤精蒼史之學刻印直摩秦

漢人壁壘屢游中國一時金石家皆樂與締交焉

滑川達字澹如東京人工書畫精篆刻博學能文僑寓上海最久都人士皆樂

與之游

長尾甲字子生號雨山又號石隱日本香川縣人善山水工書畫尤精鐵筆著

有古今詩變儒學本論何遠樓詩稿

藏六濱村大蟹

桑鐵城　箕

廣疇人傳

十六卷補

遺一卷

羅振玉印

漢都御史有六曹一曰印曹掌刻印魏韋仲將遂以此知名自唐以下古意微矣王球吾衍之倫始娟娟苑集秦漢璽印有明一代文何蔚起力崇漢魏彬彬可觀及其流弊破碎纖靡識者病焉櫟下老人集賴古堂印譜顧宗渾穆兼精鑑別吳越士夫工繆篆者樂與之游又復薈蕞其印冠之小傳周雪客曰先公每歎漁洋感舊集爲未完之書今印人傳不幸而類是是得其人與印而未之傳與可傳而未得其人與印者猶比比也新安汪訒菴抗志晞古博求古印成印存飛鴻堂譜不下千餘種爲自來集印者最又僑寓西泠偏交名流篆刻鉅手咸集其地因有續印人傳之作、其後魏稼孫擬摘畫史中金石篆刻之家補金石學、錄續印人傳所未及、迺終不果仁和葉君葉舟游心藝苑敘、述摹印、遵周汪之盛軌敭丁蔣之嗣音成廣印人傳十六卷督爲之敘余惟秦漢學者好事僞託如子雲太玄擬易反謂琱蟲篆刻壯夫不爲宋儒講學尤多偏見、至有玩物喪志之言、由是一技之士名用弗顯烏虖此、與孔氏小道可觀之語、何其盭歟爰筆其說以復葉舟、葉舟其以吾言爲然否辛亥上巳吳江陳去病

葉舟治印垂三十年頻年與丁輔之諸君結西泠印社於湖上吳昌碩嘗篆額以張之余在嘉興輔之復以印社圖卷見示余題詩所謂一藝足千古龍泓世所尊人豪推令尹家學到來孫者是也令尹即輔之之叔祖松生先生洪楊以後浙中文獻靡不賴先生傳矣顧掌錄之叢編專家之撰述輯錄校印何止數十百種獨印人之說則未免闕如今年四月余將有都門之行葉舟與余晤於晨風廬席上道及廣印人傳已蒐羅至千餘人余乃翕然稱頌然後知諸君子懷墨裹蠁結社湖壖不特椎拓印譜裒然有三十餘種之巨而葉舟孤詣苦心

復能遠宗周櫟園汪訒庵之遺箸舉寰寓之印人一一闡發而光大之嗚呼斯眞葉舟之盛業也歟葉舟善古隸工鐵筆尤工刻碑椎墓彝器得僧六舟及李錦鴻之秘藏山傳人已堪不朽乃更竭數年搜訪之勤劬流播中原之美術書既成校而善刻之是葉舟之於汪周兩先生固爲衞道之功臣即於松老亦爲後起之畏友耳爰不辭固陋而爲之序餘杭魯寶清

遠客海上承乏校務日與諸生研究新知識不復知有金石圖書之樂舊雨葉舟自杭州致書以新箸廣印人傳見示且屬以斠勘之役余既三復其書乃與函牘往返商榷討論越兩月始蕆事按印人傳書始于周亮工周氏集印爲譜即以各印人事蹟題識於上亮工身後其子在浚鈔錄成書刊以行世題曰印人傳實則亮工就譜中題跋而已未嘗爲印人譔傳也至汪啟淑天生印癖其家又雄於財當日海內印人延訪殆遍遂譔成續印人傳八卷自後作者如林僅散見於志乘及私家紀載中西爪東鱗迄未有薈萃成書者厚昌竊獨怪之

以爲斯世之大百十年來殆無眞知印者夫文章藝術之傳往往起於一二私家之箸述表彰先哲開示來學而其人其藝遂足以傳之百世今葉舟手輯是書厥功既偉搜羅尤富上自元明下訖同光諸賢末附方外閨秀都凡千百餘人全書彷畫史彙傳之例按印人姓氏依韻編纂一展卷間瞭如指掌而歷代印人至此乃粲然大備曩者光緒乙巳同好諸君創立西泠印社而故家藏印庋置一處已覺網羅過半今讀葉舟著書覺社中所藏尚不及十之二三也然則刀兵水火之摧殘及俗儈之銷毀者蓋不勝其覼縷試觀周汪所錄其流播

於今日者寥寂已甚烏序後之視今亦猶今之視昔葉舟此書之作又烏可已乎吾願葉舟持其精進勇猛之心志益以堅貞不拔之精神博采羣書一再考索詳其事實補其脫略積力既久必更有較今日爲完美者葉舟解人當不河漢此言宣統二年秋九月既望仁和汪厚昌敘於滬上

葉舟吾摯友亦吳友也蚤歲即工鐵筆嫥宗西泠諸家刻碑亦臻絕詣樵拓彝器款識尤得六舟秘傳其金石之學殆有天授歟嘗歎印人傳之作自周減齋汪訒庵兩編後尋音闃如爰捋吾史傳旁參志乘以及私家紀述露鈔雪纂孜孜矻矻用畫史彙傳例不問存殁悉箸於錄竭十餘年之力上自元明下迄同光得千餘人都爲十六卷俾指六百年來嫥門名家浸以大備網羅之富編集之工茂矣蔑以加矣夫今日士大夫方岌岌考求所謂法政經濟之不暇是今而非古入主而出奴而於金石六書之類幾莫或措意此印學所以式微而尤望指與提倡之有其人也葉舟生長西泠耳擩目染聞見既博學養尤深其箸嗜印學蓋出於天性程功久收效顯日積月絫乃能成此巨觀以眂因樹屋飛鴻堂又𨖍多讓焉書成爲述其梗概以告並世同吾好者

宣統庚戌山陰吳隱敘

廣印人傳參閱姓氏

仁和汪厚昌吉門
石門胡　鑁匊鄰
嘉興張鳴珂公束
安吉吳俊卿昌碩
仁和王壽祺維季
山陰吳　隱石潛
江陰繆荃孫筱珊
長洲徐　熙翰卿
武陵趙慈亙公顗

錢塘丁　仁輔之
華亭費　硯龍丁
臨桂況周頤夔笙
日本河井仙郎荃廬
餘杭王毓岱海帆
丹徒周德華小舫
仁和吳仁禧保孫
順德蔡　文哲夫
錢塘丁上左竹孫

例言

一古來珍襲名品記人記藝載籍綦繁自周櫟園譔印人傳而踵其後者惟汪秀峰先生自茲以往賡續未聞今特復事纂輯序次古今時代分姓分韻詳加編列名曰廣印人傳

一是傳仿書史彙傳依朝代編次中間行輩先後及其生卒年月間多舛異難免倒置其不能不實指爲何時人者暫付闕如容俟研攷得實再爲增補

一是傳始詳姓氏次籍貫次藝術次事實及著述凡所稱引必經考訂確實疑者闕之

一篆刻家往往有逸姓而存名或並隱姓名而僅以字行者謹就所知甄采入傳

一緇衣羽士不乏勝流華閥名門尤多淑媛閑於印事悉備蒐羅至逼東國同文盍簪贈縞尤於周汪兩傳而外得未曾有錄附標緗永播芳碩略分時代不拘韻目附青衣

一凡印人父子兄弟叔姪舅甥間有雅故足資印證者悉附入本傳中或有未詳姑從闕略非意存軒輊也閱者亮之

一是傳補周汪二氏之闕述近代藝事之工竭十數

年之力再三易稾犆成卷帙唯是局於聞見囿於方
隅或其人在周汪已前周汪所遺漏而吾傳未能增
補或其人在周汪已後吾傳所應收而遺漏等於周
汪或收其人矣而於其生平事實及其著述關於印
故者缺焉而未備語焉而弗詳皆於廣印人傳云云
廣字之誼滋慙疚焉補人補事姑竢異日

一是傳輯成聊以自備循覽非敢問世印社諸子阿
其所好慫臾付梓罣漏紕牾恧然余褒　大雅鴻達
之士條舉而糾政之紉佩曷極

一是傳隨時譔輯有時未檢周汪兩傳比勘印人往
往複出以文字有繁簡事實尤閒有異同未便概從
刪削特兩存之可資互證

廣印人傳目錄

仁和　葉銘　葉舟　輯

卷之一

卷之三

卷之四

卷之五

孫三錫　孫　均　孫錫晉　孫朝恩
孫學淵　孫　梁
袁登道　袁　魯　袁　雪　袁三俊
袁宮桂　袁　桐　袁孝詠　袁　馨
袁杏生
寒
韓韞玉　韓　潮　韓鴻序　韓　霖
潘恭壽　潘西鳳　潘　封　潘廷輿
潘　俊
刪
顏　炳　顏鍾驥
卷之六

先
錢　選　錢　仲　錢履長　錢思駿
錢世徵　錢　樹　錢　坫　錢元章
錢適之　錢德培　錢漱石　錢廷棟
錢浦雲　錢昌祚　錢志偉　錢　侗
錢　泳、　錢善揚　錢以發　錢善慶
錢　馥　錢　觀　錢　松　錢　式
錢　庚　錢文英
全　賢
田會聰　田人杰　田廷琰
蕭
姚　鼐　姚夷叔　姚凱之　姚叔儀

姚　銓　姚寶侃　姚正鏞、　姚孟起、
姚汝鋹
喬　林　喬　昱
饒　晊
肴
巢　于
包　容　包世臣　包子莊　包承善、
豪
陶　碧　陶　砿　陶　琯　陶計椿
陶菊莊
曹　森　曹　均　曹運南　曹成璉
曹宗載　曹世楷　曹世模　曹大經

曹贊梅
高積厚　高鳳翰　高　秉　高　翔
高　治　高　雲　高　楨　高日濬
高文學　高攀龍　高　徵　高　塏、
高樹銘　高心夔、　高行篤　高　邕、
高時豐、　高時顯、
毛紹蘭　毛建會　毛　庚　毛承基、
歌
羅鴻圖　羅　坤　羅王常　羅伯倫
羅　聘　羅　枚　羅　浚
柯　怡

卷之七

卷之八

周德華 周承德 周容
邱旼 邱均程 邱欽
裘春湛 裘翰輿
仇塏 仇塤
鄒牧邨
侯文熙
樓邨

卷之十

侵 林黼 林皋 林晉 林熊
林從直 林應龍 林霔 林鴻

林曼 林鹿
欽蘭 欽岐 欽義
金湜 金申之 金兆 金農
金光先 金嘉玉 金汝礪 金繆
金守正 金銓 金棫 金作霖
金闇公 金子謙 金峴亭 金雲門
金邠居 金度 金鑒 金桂科
金龔源 金鼎 金爾珍 金承誥
金鼎 金城 金廷黼 金夢吉
岑丙炎

任淇 任頊 任壽祺
覃 譚君常 譚錫瓚 譚蔭祺
南光照
談維仲 談懷壽 談灊
甘暘 甘源
藍漣
鹽 嚴栻 嚴坤 嚴翼 嚴源
嚴誠 嚴煜 嚴尊 嚴錦
嚴珽 嚴漢生
閻詠
詹漢卿 詹伴

卷之十一

董 董元鏡 董漢禹 董洵 董熊
孔千秋
講 項炳森 項朝藁 項綬章 項金宣
項鳳書 項瑞
紙 紀大復
史榮 史致謨 史煥
李流芳 李潛昭 李耕隱 李榮曾
李根 李石英 李穎 李希喬

馬惟陽　馬咸　馬文煜　馬俞
馬行素　馬子高　馬拱之　馬棠
馬衡、
賈柄
養 蔣仁、　蔣元龍　蔣宗海　蔣開
蔣確、　蔣田　蔣節、
梗 井玉樹
耿葆淦
有 歐龍光
鈕福疇　鈕樹玉　鈕承慶

寑 沈遘　沈世和　沈野　沈焱
沈樹玉　沈鳳　沈心　沈皋
沈世　沈祚昌　沈承昆　沈剛
沈潤卿　沈淮　沈遴奇　沈翊
沈賓　沈鶴生　沈學之　沈道腴
沈工　沈伯鎏　沈千秋　沈六泉
沈慶餘　沈沅　沈松年　沈愛蘐
沈壬　沈國淇　沈石泉　沈近光
沈錫慶　沈雷　沈兆霖、　沈振銘
沈湄　沈忠澤　沈乾定　沈銛

沈岸登　沈宗昉　沈寶柯　沈清佐
沈丹書　沈唐　沈拱宸
豏 范永祺　范安國　范摹　范業
范穎　范潛夫　范西漢　范鳳仁
范松
卷之十三
宋 宋珏　宋思仁　宋聖衞　宋葆湻
宋寯　宋心芝　宋侃
寘 季開生　季厚燾
未 費錫奎　費皞　費淞　費成霞

費硯　費源深
魏植　魏闓臣　魏兆琛　魏本存
魏耆
遇 顧瑛　顧藹吉　顧聽　顧光烈
顧苓　顧樸　顧貞觀　顧文鉷
顧奇雲　顧亓山　顧藩　顧汝修
顧溥　顧湘　顧元成　顧蕙生
顧振烈　顧仲清　顧超　顧恩來
顧有疑　顧祖詒
傅山　傅潛　傅孔彰　傅雲龍

傅沉　傅萬
霽
計芬
衛聞遠　衛鑄
桂馥
厲小庵　厲良玉
泰
賴熙朝
蔡泳　蔡召棠　蔡振龍　蔡照
蔡雲
艾顯
卦
蒯增　蒯文麐

隊
戴啟偉　戴厚光　戴熙、戴以恆、
戴並功　戴滄林　戴書齡
震
印學禮
願
萬壽祺　萬光泰　萬允誠　萬承紀
萬青選、
嘯
邵光詔　邵潛　邵詠　邵士燮
邵士賢
號
賀千秋　賀緒仲　賀萬統
禡
謝杞　謝廷玉　謝黃山　謝庸
謝仰曾

夏儼　夏允彝　夏一駒　夏寶晉
夏鸞翔　夏麟　夏龍　夏孫桐
夏鑄
華半江　華學本　華復
況祥麟　況仙根
漾
上官周
敬
鄭基相　鄭梁　鄭基成　鄭際唐、
鄭燮、鄭錫　鄭簠、鄭之鼎
鄭埴　鄭公培　鄭魯門　鄭家德
孟毓森

徑
鄧渭　鄧承渭　鄧玟　鄧傳密
宥
繆曰湝　繆元英
壽季眉
卷之十四
屋
陸天御　陸惠　陸鼎　陸焜
陸雋　陸肇宇　陸震東　陸學欽
陸繩　陸元珪　陸鳳墀　陸泰
陸廷槐　陸安清　陸費墀　、陸費林
陸費垓
卜暘昌

卷之十五
方外　附青衣

閨秀

卷之十六

日本附

廣印人傳目錄終

廣印人傳卷之一

仁和　葉銘　葉舟　輯

童昌齡字鹿游義烏人家雉皋肄業成均嘗作古木竹石風味淡遠精六書之學刻印尤工嘗裏同人集題其所箸印史云印史焜煌點畫新射穿老眼見精神知君絕藝能千古一冊能昭歷代人

童鈺字璞巖號二樹又字二如又號借庵子山陰布衣績學能文蚤歲棄舉業專攻詩古文與繪事畫梅獨絕所藏古銅印甚夥尤工篆刻爲書名所掩故鮮知者乾隆壬寅卒年六十二箸有二樹山人詩稾香雪齋餘稾

童晏字叔平號陶齋又字劍波崇明人松君三子書畫並摹倣南田尤工墨梅餘事刻印得文何正軌嘗橅刻何雪漁七十二候印譜後有心疾人咸以童風子呼之光緒壬寅卒年四十六

童大年原名暠字醒盦號性涵又字心安松君五子又號金鼇十二峰松下第五童子精究六書刻印以漢爲宗旁及浙鄧各派靡不神妙有依古廬篆痕間作繪事亦楚楚有致

熊燾原名寶壽字晉卿號守默錢塘人有江山奇氣樓

印譜

馮行貞字服恭號白庵常熟人山水有雲林意能詩工書精鐵筆兼習弓馬嘗入滇帥幕出師有功去之僑居吳門某村落以經書教授卒年七十餘

馮廣端字昭玉宣城人有竹筠軒印正五卷

馮垍號訥哉桐鄉人孟亭之孫鐵筆深得漢意

馮蔭奎字木天號文甫嘉興人魯巖曾孫工鐵筆

馮大奎字西文號涇西婁縣人廩生官福建知縣鐵筆學文三橋書法似趙吳興

馮繼耀字眉峰涇西仲子治經之暇以摹印爲樂事蚤卒箸有眉峰遺文

馮迪光字惠堂幼從涇西宦遊頗得江山之助工鐵筆縣楷

馮登府字雲伯號柳東又號勺園嘉興人嘉慶庚辰庶吉士官甯波教授生平熟諳掌故好金石篆刻箸有石經閣集

馮承輝字少眉號伯承婁縣人嗜篆刻上規秦漢旁通畫法兼善人物花卉尤喜畫梅有古鐵齋印譜印學管見歷朝印識金石俑等書

馮有光字星仲號少峰少眉弟工畫梅喜治印

馮遵建字春谷金陵人
馮時桂原名霦字璘友號秋巖工詩詞篆刻遊歷西江
南粵閒晚寓吳江之平望
馮其章字蓀白山陰人
馮迥字超然號滌舸常州人生長雲間童年喜畫下筆
超脫山水花木骨力神韻兼備尤精仕女好吟詠偶
一刻印直逼漢宗
洪髯青田人少工詩畫愛佳山水屢遊天台雁蕩所賞
一樹一石輒繪之嘗以青田凍石摹秦漢印數千鈕
皆爲好事者攫去以髯稱不著名字殆高隱之流歟

洪元長武林人兩峰之裔有印譜一卷
洪尋字味須游寓六安擅山水能詩工鐵筆有指香亭
集
洪聲字徤鶴上海人
翁陵字壽如號磊石山樵建安人善畫山水人物工篆
隸作印得古趣
翁方綱字正三號覃谿大興人乾隆壬申翰林官至內
閣學士金石家賞鑒一派覃谿實開其先間作印章
姿趣入古箸有兩漢金石記復初堂集嘉慶戊寅卒
年八十六

翁大年字叔均吳江人廣平子篤嗜金石考據刻印工
秀有法與曹山彥同工異曲著有古官印志八卷古
兵符考八卷泥封考二卷陶齋金石考二卷陶齋印
譜二卷瞿氏印考辨證一卷秦漢印型二卷舊館壇
碑考二卷
翁樂字均儒吳江人與石門李笙漁游考訂金石晨夕
無閒刻印尤高古
翁綬祺字印若吳江人工詩文辛卯舉於鄉後官廣西
梧州平安等縣酷嗜金石書畫尤精鑒古印摹秦漢
古拙中含有秀潤畫法四王進窺宋元妙境著有漢

銅印范考
宗澤字仲敻次黃入室弟子幼嫺篆刻工漢隸章法古
健
鍾浩字養斯號小吾又號玲瓏山樵長興人官安徽湖
南知縣書工篆隸畫善指墨尤長鐵筆
鍾敬存李石塘弟子刻印酷似其師得鐵書之衣缽
鍾沆霖字雨林嘉興貢生工刻印善鐫碑兵燹後官廨
廟宇碑刻多出其手
鍾紹棠字南國贛州諸生善篆刻精琴理能自製譜畫
學小獅別有生趣

鍾權字石騷諸暨人蚤歲獲交陳曼生故刻印一宗浙
派有漱石軒印譜

鍾以敬字喬申號讓先又號窳龕錢塘人少嗜金石摩
挲不倦尤善鐵筆精整雋雅於趙次閑徐三庚兩家
獨有神契近今刻印宗浙派者當推巨擘

龔坤

江皜臣婺源人失其名善治玉印用刀如劃沙嘗云切
玉後覺石如宿腐不屑爲實爲刻玉印之祖

江恂字于九號蔗田儀徵人江賓谷昱之弟拔貢生官
鳳陽知府工詩善篆刻喜寫梅花著蔗畦詩鈔

江德量字成嘉號秋史又號量殊于九子乾隆庚寅榜
眼官至監察御史幼承家學工刻印尤工八分兼能
人物花卉收藏舊拓碑版及宋本書甚富乾隆癸丑
卒年四十二著有泉志曾注廣雅未成

江明初

江德地字墨君善縣古工篆刻

江源字孫堂號修水歙縣人後遷松江精醫理暇則寓
興篆學追摹秦漢又善琴有印譜數卷

江士鈺字荔田徽州人善琴能擘窠書精刻石住黃山
數十年號大都山人

江濯之字漢臣徽州人刻晶玉印絕精曹秋岳延致上
賓後遊閩卒石刻不槪見

江介本名鑑字石如杭郡學生工寫生逼近白陽書法
率更閒作山水得元人閒冷之趣工篆刻與錢塘趙
次閑抗手

江尊字尊生號西谷錢塘人工篆刻爲次閑入室弟子
浙中能刻印者多推尊生傳次閑衣鉢戴文節黃穀
原均爲作西谷圖名流題詠殆遍晚寓吳中卒年九
十一

江標字建霞號萱圃元和人光緒己丑翰林官湖南學

政工小篆能刻劃金石惜蚤卒未竟其緒所輯靈鶼
閣叢書多金石目錄賞鑒之屬

江琦字桐柏烏程人

龐元暉字鐵峰元和人善刻銅印邊款作行草細如繭
髮而自見筆意

廣印人傳卷之一終

仁和　葉銘　葉舟　輯

支元福字雪樵號菊庵鎮洋諸生能詩工篆刻畫昉倪迂老屋數椽近市翛然若處深山卒年七十七有雪樵詩稿

支潤彥字玉台儀徵人善書畫工篆刻

施笠澤崇禎間人

施萬字大千號汗漫子錢塘人以詩名尤善篆隸摹印在何震陳士衡上

施景禹字濬原號南畇如皋人性高潔潛心篆學習摹印私淑文何秀逸多姿有小停雲館印略

施鶴詔字應徵號青田太倉人山水花鳥人物悉所擅長工篆刻能詩

施肇字澗芝石門人喜吟詠擅鐵筆所箸詩采入兩浙輶軒錄

施士龍字石農別號二復生餘姚人游寓杭州刻印師陳趙工整秀雅兼善製印泥今人多取法焉貧瘠無依而處之泰然卒於杭

伊秉綬字組似號墨卿汀州人善分隸精鐵筆其所用印皆自製與桂未谷同均不輕爲人刻有留春草堂詩集嘉慶乙亥卒年六十二

伊念曾字少沂號梅石墨卿子嘉慶癸酉拔貢官嚴州同知工篆隸鐫刻兼寫山水梅花咸豐辛酉殉難有守研齋詩鈔

祁豸佳字止祥山陰人天啟丁卯舉人曹顧菴曰止祥書不在董文敏右畫則入荆關之室詩文塡詞皆有致能歌能奕能圖章下至意錢蹴踘之戲無不各盡其妙以名孝廉隱於梅市蓋異人也

祁子瑞字彀士初名階蓂字堯瑞又字孝先號虛白叟縣貢生擅篆刻工山水花卉尤工繪貓

祁天璧

祁文藻字浩泉元和廩貢官青浦訓導精篆隸著有篆學舉隅亦能鐵筆

韋布字晴帆安徽人官河南知縣善山水花卉工篆刻

威長卿

歸昌世字文休號假庵崑山人有光孫工詩古文兼工印篆與李流芳王志堅稱三才子蘭花墨竹均臻神妙順治乙酉卒年七十二自訂詩文名假庵集

歸道玄

余藻字宋芝莆陽人工篆刻有石鼓齋印鼎

余鵬年原名鵬飛字伯扶懷甯人乾隆丙午舉人豪飲
能詩工篆刻善剌擊有曹州牡丹譜枳六齋詩稿
余鵬翀字少雲號月邨懷甯人家貧劬學九歲即善屬
文讀書研求精悄嘗纂四庫全書能刻印多材藝有
息六齋稿
余煜字月文號板桐一號眉石又號同人錢塘人乾隆
壬子舉人精許氏學工篆刻爲朱文正所激賞
余新民字四維徽州人
余鍔字慈柏號起潛晚號志慈仁和人初從奚鐵生學
鬃不成改畫梅及刻印不久遂名噪一時

余應元字守白江都人由縣佐從戎殉節浦口善刻符
蚤歲好爲綺麗之詩
徐霖字子仁號九峯道人又號髯仙又號快園叟籍長
洲韻石齋筆談云鐵筆之妙如徐髯伯許高陽周公
瑕皆係書家旁及篆體印文章法心畫精奇李長蘅
歸文休以吐鳳之才擅雕蟲之技銀鉤屈曲施諸符
信典雅縱橫云云卒年七十九
徐念芝浙人嘯虹筆記云念芝善刻印常遇汪虎文於
鄭中丞座念芝固名手即席從虎文學焉
徐官東吳人隱於醫魏莊渠門人也同莊渠箸六書精

蘊官又自箸古今印史二卷
徐堅字孝先號友竹吳縣人工丹青嗜六書研究鐫印
之藝臨摹秦漢官私印千餘鈕有友竹詩鈔西京職
官印譜
徐貞木字士白號白榆秀水人性兀傲不苟附時趨恆
青白眼睨天下士工詩周篔谷稱其典贍淹貫小楷
法黃庭篆刻爲海內宗仰出程邃許容上
徐仲和
徐朴民
徐起字仙客歙縣人

徐上甫
徐道舟德清人
徐庭槐海鹽人用儀父
徐秉鈞
徐光字東皋蘇州人
徐覩三字元岳號無山有龍海樓印范二卷
徐夔字龍友長洲諸生於書無所不窺詩文悲壯目空
一世篆刻蒼健秀雅得何文家法箸褒爽亭集
徐堂字紀南號秋竹又號南徐仁和人杭堇浦弟子吟
詠之餘閒習篆刻嘗曰鐵筆雖雕蟲小技然必須先

識篆法筆法章法而後縱之以刀其議論頗正著有
稽谿古堂詩二卷
徐堅字子固吳門人家白下苦心篆籀奏刀必合古章
法輯西京職官錄二卷
徐觀海字匯川又字袖東號壽石又號幼庵上虞人八
法寫生撫琴彈棋莫不精妙暇輒棲情篆刻古樸蒼
勁中具溫雅明秀之致有看山偶存鴻爪集印譜袖
東詩話
徐寅字虎侯號秋田白榆子刻印不墜家學
徐鼎字峙東號雲樵吳縣優貢頴敏好學工鉛槧及篆

印又善山水得謝林村眞髓識者珍之著有毛詩品
物圖說及靄雲館詩文集
徐鈺字席珍號訥庵松江人通句股工刻碑碣波磔處
毫髮無遺憾善鐫晶玉銅瓷印有訥庵印稿四卷
徐年號漁莊婁縣布衣專心繆篆五十年得何雪漁吳
亦步兩家元朱文之妙古逸秀潤爲潘榕皋王惕甫
所稱賞
徐障字雲倬號少薇錢塘人文敬文穆之後嘉慶己卯
舉人生有夙慧人咸以神童目之精篆隸及鐵筆文
詞尤斐然可誦年二十四歿於京邸

徐鴻謨字若洲號楷存一號醒齋鼐子仁和附貢書畫
篆隸罔不精妙鐵筆宗龍泓著有薝蔔花館集
徐在田號處山婁縣人以孝聞父母亡墨衰終身工刻
印及畫梅
徐鼎字丕文號調圃華亭人嗜六書摹印兼習文何兩
派健逸饒古趣
徐雯號雲石永嘉人善書畫精鐵筆著積桐花館詩鈔
徐必達字東明號星橋華亭人工詩文旁及篆刻年四
十卒
徐倌字松坪婁縣人明司寇陟五世孫工篆刻子奕蘭

世其學並擅分書
徐奕韓號豫堂婁縣拔貢官黟縣教諭工書精篆刻
徐有琨字維揚號心禪婁縣人工金石篆刻
徐熙杲字唐運上海人工詩善書長於繆篆性迂僻乞
其書印即素交不肯作興至縱筆不倦
徐錫可字鄰哉號可叔嘉興貢生篆隸鐵筆俱稱能品
著有得酒趣齋詩草
徐家駒字仲駒號小魚海甯諸生有印譜一卷
徐鶴號青田以訓蒙自給擅刻竹木摹鐘鼎款識極精
徐同柏原名大椿字籀莊嘉興貢生承舅氏張叔未指

授精研六書篆籀多識古文奇字叔未得古器必偕籀莊考證有从古堂款識學十六卷叔未所用印多出籀莊手又能詩著从古堂吟稿咸豐庚申卒年八十六

徐汾字大文許溪人

徐保字物人汾弟

徐楙字仲繇號問蘧一號問年道人錢塘諸生幼與兄秋巢承叔祖心潛先生之教嗜書畫金石精篆刻著有問蘧廬詩詞獻王詞箋戚商父癸爵周應公鼎刻絕妙好詞箋校讐精審

徐康字子晉號窳叟長洲諸生工詩畫篆隸刻印靡不研究尤精鑒別凡法書名畫金石碑帖古本書籍以及文房古器珍秘之品皆洞悉源流楊藐翁以宋商邱稱之著有前塵夢影錄神明鏡詩兼通岐黃有心太平軒醫集

徐三庚字辛穀號井罍又號袖海自號金罍道人上虞人工篆隸能橅刻金石文字所刻吳皇象書天發神讖尤佳刻印上規秦漢能於吳讓之趙撝叔諸家而後別樹一幟近時篆刻家多宗之有似魚室印譜

徐堯字雪珊會稽人刻印得漢人三昧爲趙悲盦私淑弟子

徐惟琨字鍔青平湖諸生篆書秀逸工整隸書神似禮器碑兼工治印光緒丁酉卒年五十九

徐士愷字子靜石埭人官浙江候補道嗜金石精鑒別清秘之藏足與兩罍軒城曲草堂相抗晚寓吳下與諸名流考訂金石閒亦娛情鐵筆刻觀自得齋叢書輯二金蝶堂印譜

徐鄂字子聲上虞人三庚族弟書畫篆刻俱饒思致

徐熙字翰卿號斗廬子晉子克承家學精鑒別工刻印

徐錫堯號嘯疇又號筱墀雯姪孫好吟詠善篆刻兼精

書法能世其家著有孤心桐館詩草

徐楚善字浦芷德清人

徐起字小海華亭人工指墨山水刻印宗文何

徐立字德卿揚州人鐵筆工整入時能以柳絮藕絲製印泥絕精

徐新周字星州吳縣人篆刻師吳缶廬

璟之璞字元瑛號君瑕江西人僑居上海人品高絜楷法妍雅善畫山水翎毛及水墨花卉筆致矜貴精於摹印在吳門文氏伯仲閒子幼安亦工刻印

屠宗哲甯波人列朝詩選張宣鐵筆詩云四明乃遇屠

宗哲

屠倬字孟昭錢塘人原籍紹興之琴隝郎以爲號晚號潛園嘉慶戊辰進士官九江知府工詩古文旁及書畫金石篆刻靡不深造箸有是程堂集道光戊子卒年四十八

諸葛胙字永年蕪湖人能鍊銅鍋爲印自鑄之

廣印人傳卷之二終

廣印人傳卷之三

仁和　葉銘　葉舟　輯

虞集字伯生蜀郡人輟耕錄云文宗奎章閣作二璽一曰天曆之寶一曰奎章閣寶命集篆文至正戊子卒年七十七

虞潢字壽安號倚帆直隸人

須仍孫字來西常州諸生留心六書之學反覆窮究不得原委不止嘗曰世人不識篆籀輒欲操刀登作者堂夫誰欺歟甲申之變絕粒死

朱珪字伯盛崑山人從吳叡授書法凡三代金石靡不極意規倣秦人疢疾除永康休萬壽寧九字玉印舊

藏伯盛家倪雲林嘗贈以詩詳名蹟錄

朱應宸字文奎號寄翁吳江人洪武初辟掌教爲文縈而不猥詩工長句篆籀法古嘗命書符印

朱蔚字文豹華亭人萬曆辛丑武進士善畫蘭工篆刻

朱簡字修能號畸臣休甯人後更名聞陳眉公云修能博雅尤精古篆予山中花尸鳥巢悉令題誌璆琳鐘鼎斕然空谷發其囊所箸金石書數種又三年而印品始成家黃山蔥蒨閒有美田園棄而遨游詩宗陰鮑秘不示人而獨恣情魚蟲籀迹之學嘗論刀法云

刀法者所以傳筆法者也刀法渾融無跡可尋神品
也有筆無刀妙品也有刀無筆能品也刀筆之外而
有別趣逸品也有刀鋒而似鋸牙癡股者外道也無
刀鋒而似鐵線墨豬者庸工也秦爨公印指云修能
以趙凡夫草篆爲宗別立門戶自成一家一種豪邁
過人之氣不可磨滅奇而不離乎正印章之一變也
箸有印經印章要論菌閣藏印修能印譜印品

朱之瑜字魯嶼號舜水餘姚諸生穎悟夙成九歲喪父
哀毀踰禮及長精研六經通毛詩精篆刻天啟已還
綱紀廢弛絕志仕進僑居舟山清兵渡江魯嶼義不
食清粟順治己亥避地日本康熙壬戌卒年八十三

朱爵初名家棟字白民一號西空老人吳江人少有雋
才家貧授徒以資仰事牀頭恆貯數十錢曰買笑錢
父死乃謝青衿芒鞋竹杖獨遊名山所至刻印畫竹
以自給常游華嶽登天井結茅蓮華峰下年八十卒
葬華山祀三高祠其爲諸生時每談革除事輒涕下
網羅遺佚作建文書法擬又箸頌天臚筆有小玉蟾
等印

朱介字公放初名杏芳字雲栽歸安諸生又號山漁自
號蒹稗道人放情山水不治生計肆志金石篆刻猶
不足寄其壽欽歷落之概乃從事於音律著有摹印
篆印譜山漁刻印稿各一卷宮調譜八十卷

朱書麟字詩舲一字尼瑞別號胥毋山人又號大悲庵
主洞庭人工詩善畫蘭鐵筆不輕爲人作得蔣山堂
古茂樸雅之神

朱榮錫

朱增川

朱石臣

朱永泰

朱鳴岐

朱明山

朱長泰

朱旭昌

朱鶴字松鄰一作松齡吳縣人徙居嘉定工行草畫繪
尤深篆籀印章之文刻畫精工旁及雕鏤小玩固不
稱絕

朱纓字清父號小松松鄰子能世其業精篆隸擅詩畫
箸有小松山人集

朱宏晉字用錫號治亭長洲人性好古尤嗜籀篆摹印
凡金銀瓷竹牙角無不擅長而刻玉尤精與江皜臣

伯仲箸有漱芳草堂印商四卷

朱上林字根石號蒼巖一號晚樵錢塘人乾隆庚子舉人官安徽知縣善行楷工篆刻卒年七十三箸寄軒賸稾

朱文震字青雷號去羨歷城人官詹事府主簿工篆隸嘗謁曲阜觀孔廟碑刻游京師擵抄太學石鼓自是鐵書益進會開四庫館充校對篆隸員敘京秩兼擅山水奔麓臺石谷之席年六十卒箸有雪堂詩稾

朱鋐字震伯江都人精隸書印法完白筆意生動有士氣負性傲岸不屑屑隨讓翁後又不願見達官殷賈

以是揚人不甚知之

朱文學一名瑋字季珩一字韋堂晚號皋亭嘉定人績學敦行家貧客游四方多交韻士詩畫篆刻時稱三絕兼習分隸家傳一硯失而復得珍護彌甚客吳門又毀于火乃自號破研生嘉慶壬申卒年五十六箸有春秋萃要焚餘集

朱銘字石梅震伯弟工鐫碑版

朱欽號逸雲吳江人工篆隸刻印與之言洽雋有味畸人也

朱德坪號耤山字叔玉碭山人官處州同知髫齡嗜篆刻摹秦漢與古會嘗聚古銅而自仿鑄號翻砂刀法蒼勁雜之漢印中幾莫能辨吳槎客騫論印絕句云能事居然屬使君印牀深鎖到斜曛翻砂最憶官齋裏琢白塡朱昉漢文

朱彝鑑字千里彝尊弟善畫精篆刻

朱衎齋雲莊印話云衎齋集漢官私印譜朱竹垞序而行之

朱鑑字紹九號曉坡海甯諸生工篆刻箸有紹九詩鈔曉坡印譜

朱逢丙原名伯鳳號桐生華亭人性敏慧鐫印幾奪簡

甫之席刻竹尤精所刻吉金樂石圖屏幅流傳頗廣

朱惀字郁文號霞川明齊王榑十一世孫世居江甯文德橋謙厚誠樸古君子也詩文音律鐵筆篆書俱妙絕冠時

朱圭字上如吳人善繪事雕刻書畫精細工緻無出其右

朱方增號虹舫海鹽人嘉慶辛酉進士官內閣學士喜刻印有求聞過齋詩鈔

朱芬號香初官別駕才華富贍意氣慨慷尤工篆刻嘗遊華山賦四支全韻人呼為朱四支

朱玹字笠亭海鹽人精小學工摹印善丹青乾隆丙戌
進士著有續鴛鴦湖櫂歌金華詩粹笠亭詩文鈔陶
說
朱爲弼字右甫號茮堂平湖人嘉慶乙丑進士官漕督
金石之學上追歐趙刻印神似秦漢又工花卉得白
陽逸趣繇篆有渾厚勁折之致道光庚子卒年七十
朱堅號石梅山陰人工鑒賞多巧思沙胎錫壺是其創
製箸有壺史一冊尤精鐵筆竹石銅錫靡不工絕
朱一元字巨山工篆刻所作印神遊於點畫鉤曲之外
逸然自適有連珠集印譜

朱熊字吉甫號夢泉又號蝶生秀水人工花卉用筆爽
健可與奚蒙泉頡頏尤精篆刻竹石瓷銅偶一奏刀
無不蒼秀
朱芾字友巖烏程人
朱穀昌字飯石六合人曾爲周蘭渚沈苣泉作合刻印
譜序內數語云淩紙怪發觸目朵騰灑垂露之字潤
偏雲根行運風之斤鋟開山骨雕今潤古定此石交
袌瑾握瑜互從心證知其工刻印也
朱志復字遂生無錫人趙撝叔高弟工刻印撝叔嘗以
蝨如車輪技乃工但期弟子有逢蒙之句易之又贈

魏稼孫詩云送君惟有說吾徒行路難忘錢及朱錢
謂錢式朱謂遂生
朱筱彩精岐黃印法吳亦步
朱仁壽字閣臣甯波人
朱逵號嘯麓富陽諸生吳平齋弟子工鐵筆精鑒別書
法顏平原兼善岐黃術年五十餘卒於杭州
朱竹書號三餘如臯人有陋室銘印譜程莅彩爲作題
詞其二云邕斯妙體擬磨鐫機杼新成出自然千古
名人多好學好從黃石得新傳
朱士林字半亭號小莊叅歲自字貞木曰非嚴霜不識

貞木也寓江西折小屋爲園以廢木築半亭因以爲
字別號天悲道人晚號壺公或曰壺厂壺道人歸安
人官廣東道員尙氣節能文章以才不竟用遂絕意
仕進比年自刻辛亥逸民印以見志鐵書不規規於
古人而神與古會直入秦漢之室邊款或篆繇或行
草有運刀如筆之妙以識者尠不肯爲宅人刻西泠
吳遯盦索其自刻者捺而存之有漢馬荊印存
朱兆蓉字芙鏡如臯人工詩詞精南田設色花卉善撫
琴喜治印爲遂昌令有政聲
朱文濤字雪先號鐵仙山陰人精治印有嚼梅盦印存

符翁字子琴清泉人工書畫學靑籐老人有蔬筍館印存二卷

胡鍾字蘭川號晚晴江甯人乾隆丁酉舉人官遵義知府善山水得大癡法精篆刻一時無出其右

胡正言字曰從休甯人官中翰工篆刻旁通縉事嘗縮古篆籀爲小石刻以行著有十竹齋雪鴻散跡

胡其孝字全子休甯人

胡光筠字小秋江都人博學精鑒古嗜金石篆刻

胡唐又名長庚號城東居士歙縣人深於篆學自秦漢而下至程穆倩無不逼肖入微

胡枚字梁園石門人

胡貞甫

胡汝貞

胡阮字省游竟陵人工印學古郢吳實存先聲論印云近代作者唯程穆倩胡省游爲最省游名不逮穆倩而樸老過之程以文勝胡以質勝程有意於奇胡無心於巧其優劣辨在幾微宅如十竹齋巧過於法雅俗共賞欲追先民甯爲彼勿爲此也

胡志仁字井輝號曙湖晚號菲顚老人山陰布衣詩有逸才工篆刻貧不治產輒藉此以贍其家晚年選漢印精者五百鈕手自摹勒成譜又喜櫟下印人傳爲各篆名字印一方作譜以傳會稽童二樹嘗同人過訪有詩云碧苔陋巷草紅茜矮牆梅中有幽人在頻隨舊雨來圖書等趙璧文字出秦灰相賞斜陽外春風引綠醅年八十二卒

胡毅安號二庵常州人

胡琳字與眞太倉人工書畫善刻印

胡右宏字仲袁平湖人書畫篆刻皆有神韻

胡本字潤身號立齋海甯諸生成童即精篆刻摹秦漢得古趣嘗讀書武林海月橋側卒年未二十

胡栗字潤堂號三竹富陽人工山水精篆刻

胡湞字克生錢塘人工篆刻

胡馨字蘭渚山陰人

胡培字養田西麓孫麋生工詩博古印法曼生

胡之森號篔谷江夏人工篆刻畫竹得文與可風趣有靑琅玕館摹古印存

胡圻字若川山陰人官灌縣知縣嗜篆刻尤善治黃楊精製印色嘗牧酉陽廣搜朱砂每至一處閭署均研砂礦石若川顧而樂之

胡震字不恐號胡鼻山人別號富春大嶺長富陽諸生

好篆籀八分之學習摹印見錢塘錢松所作乃大驚服皆自刻富春大嶺長朱文印邊款云胡鼻山麓卽富春大嶺黃子久有富春大嶺圖余號鼻山以姓相合卽以大嶺長作別號焉同治元年正月十日僑寓上海志是年六月山人卽下世年四十六

胡義贊字叔襄號石查晚號烟視翁光山人同治癸酉舉人官海甯知州長金石考證之學所藏泉幣皆希品攷證精碻與鮑臆園抗衡書畫皆似董文敏刻印宗秦漢收藏書畫金石甚富

胡貝銓字衡甫績溪人精篆隸工石刻擬香趙撝叔自

稱爲入室弟子

胡钁字匊鄰一號老匊又號晚翠亭長石門諸生工詩善書治印與吳缶廬相驂靳雖蒼老不及而秀雅過之嘗鉤摹宋拓聖教序仙壇記醴泉銘均不失神韻箸有不波小泊吟草晚翠亭印儲宣統庚戌卒年七十一

胡傳湘字小匊匊鄰子刻印酷似其父

胡宗成字夢莊號止安會稽人工文辭及金石之學收藏漢魏六朝碑版墓誌極精舊拓甚富善奕棋能書八分刻印以秦漢爲宗

胡錫畯字蓉初華亭人善作唐篆亦能刻印

胡然原名乃堯字卓哉號印髯亦號幻翁又號可廬居士錢塘人嗜古工書翰尤精治印有可廬印存

胡希原名熙字穆卿號木龕又號牧龕錢塘人通篆學治印直逼秦漢

吾邱衍字子行號貞白魯郡太末人精許氏學工刻印與趙文敏齊名時承唐宋之弊六文八體盡失其眞子行力矯積弊一以玉筯入印印學爲之一變著有學古編二卷至大辛亥卒年四十餘有印式二卷

廣印人傳卷之三終

廣印人傳卷之四

仁和　葉銘　葉舟　輯

吳福孫字子善杭州人箸有古印史至正戊子卒年六十九

吳叡字孟思號雪濤散人杭州人吾邱子行弟子有古印譜揭汯爲序略云自漢至晉凡諸印章搜求殆盡一一摹搨類聚品列沿革始末標注其下至正乙未卒年五十八

吳廔字仁趾天都右姓隸籍廣陵篆刻不規規學步秦漢而古人未傳之秘每於免起鶻落之餘別生光怪文何所未有也

吳明圩字頌筠一字虎侯無錫人篤志學古留心課箸作典林一百四十餘卷滄桑後寄情篆籀戲倣秦漢諸印書然有金石聲駕文何而上矣

吳山字仁長一字拳石黃山人往來白門維揚間與垢道人爲兒女姻所作印章未嘗規橅垢道人蓋筆性所成不可强也

吳艮止字仲足休甯人與何長卿齊名有許之者曰仲足無邪氣長卿有逸品

吳萬春字涵公仁長子垢道人壻亦能作印

吳晉字平子莆田人初作印多用莆田派後從周櫟園得觀名人印譜遂一洗其習又善墨蘭

吳忠字孟貞新安人何雪漁弟子有栖鴻館印選二冊

吳仲連

吳先聲字實存古郢人箸有敦好堂論印一卷

吳綱字君大蘭溪人

吳璿

吳敦復

吳天儀歙縣人

吳雋平

吳敘州

吳鴻字六漸海鹽人工書法善鐵筆

吳正暘字午叔休甯人

吳寧字不移宣城人

吳考叔歙縣人按吳一作胡

吳迥字亦步歙縣人董元宰書其譜曰亦步舞象時氣已吞虎今猶二十許人試以其印章雜之長卿印中不復可辨不知異時復作何狀有曉采居印譜四卷

吳暉字秋朗樵川人能詩工畫印章書倣文何

吳道榮字尊生新安人善篆籀之學刻印能自致其情

者
吳鈞字陶宰華亭人工詩善篆書刻印專師雪漁著有
獨樹園詩稾鼠璞詞陶齋印存
吳士傑字隽千號漫公歙縣人幼從吳天儀精通六書
於大小二篆鐘鼎款識靡不研究家貧以刻印自給
爲時所重子士懋能承其學
吳晉字進之號日三休甯人僑居婁縣精研字學於二
篆分隸皆洞悉源流不特脫穎超羣卽鐵筆亦得雪
漁嘯民正宗有分類印譜四卷知止草堂印存二卷
吳騫字槎客又字葵里晚號兔牀山人仁和貢生世居

海甯小桐溪築拜經樓貯書甲於一邑著有拜經樓
詩詞集詩話藏書記陽羨名陶錄輯拜經樓叢書又
有論印絕句一卷自序云予少有印癖偶讀前輩沈
房仲厲太鴻諸公論印絕句適然有會於中閒亦效
顰云卒年八十一
吳觀均字立峰有稽古齋印譜十冊以十干分集盡古
銅印章三千有奇用硃砂印色拓原文於譜章撫功
序
吳枚字小屏錢塘人少孤母汪玉瑛工吟詠小屏侍奉
極孝著明發集以見志學畫得南田遺意兼工鐵筆

以居東園亦號東園生有東園詩鈔
吳履字竹虛號瓦山野老又字公之坦秀水人善山水
花卉工詩客山左與黃楙穀齊名鐵筆高古款識絕
似何主臣著有苦蓀庵詩
吳青震字蒼雷嘉興人工刻印有春暉堂印史四卷汪
秀峰爲之梓行邵大業作序又有斯翼印譜四卷
吳樹萱初名傑字少甫吳縣人丁古文曾主講蓮池書
院餘事精篆隸摹印
吳坤字皆六紹興諸生工畫山水及印章
吳逵字遇鴻號心禪婁縣人工書畫長於花鳥人物尤

善篆隸工鐵筆
吳肅雲字竹蓀號盟鷗徽州人爲人磊落不羈工山水
能篆刻
吳鑄號錦江金匱人弱而穎七歲過目輒了了工詩精
篆刻年三十卒
吳晉元號錫康又號一峰山人長洲諸生善山水工製
印兼精醫
吳育字山子吳江人漢槎曾孫家常州工篆隸印娉鄧
派兼精繪事
吳應廷字山賓後名非應箕弟善書畫工鐵筆每遊山

水必自鐫名崖石應箕殉節爲撫其孤箸有三唐編
年二十一史異同攷
吳文徵字南鄰歙縣人工書畫善篆刻極意摹古皆得
神味嘗爲阮文達作伯元小印雅似穆倩手筆
吳儁字子重號冠英江陰人以三絕擅長寫眞尤得古
法亦工篆刻嘗客京華爲戴醇士何子貞張石州諸
先生所器重倦遊返里不名一錢賸行詩畫滿篋笥
其高致可想
吳文鑄字子襄廣德州人寄寓禾城工鐵筆分隸學寫
花果濡染有致

吳咨字聖俞武進人少穎悟過人從李申耆先生遊通
六書之學精篆隸鐵筆畫花卉魚鳥得雲溪外史神
韻箸有續三十五舉適園印印咸豐戊午卒年四十
六
吳廷颺字熙載號讓之以字行嘗自稱讓翁又號晚學
居士儀徵諸生善篆隸能以碑刻摹印傳鄧氏衣鉢
論者謂鄧派既行而皖派遂廢理或然歟偶作花卉
亦有士氣有師愼軒印譜同治庚午卒年七十二
吳敵字子愼聖俞弟亦工篆隸擅鐵筆
吳重光字秋畦一字秋伊仁和諸生早歲偕及與鄉先
輩陳曼生諸公遊故印學有根氐嘗以極薄劣石兩
面摹漢印二千餘方無不惟妙惟肖居京師數載與
馬硯香諸名彥交游倡和光緒紀元年七十餘忽忽
不樂一日肩所摹印徒步出都門越十餘年有人遇
諸峨嵋鬚眉皆作紺碧色後不知所終
吳獻可太倉人梅部之孫
吳完夫獻可子工鐫印鑿硏
吳名晉江都人工刻印不屑苟作而氣韻自勝
吳樣初字雪陶讓之子官湖北知縣能世其學刻印爲
時所珍

吳廷康字元生號康甫又號贊甫別號晉齋晚號茹芝
桐城人篆隸鐵筆直窺漢人有甎癖輯慕陶軒古甎
錄餘事寫梅蘭寥寥數筆金石之氣盎然
吳雲字少甫號平齋晚號退樓又號愉庭歸安人官蘇
州知府嗜古精鑒別金石鼎彝法書名畫漢印晉甎
宋鐫元槧靡不研究所藏齊侯罍二右軍蘭亭二百
種最爲珍祕閒畫山水刻印章自然迥出凡近蓋澤
古功深矣箸有兩罍軒彝器圖釋十二卷二百蘭亭
齋古銅印存十二卷古官印攷六卷攷印漫存九卷
焦山志十六卷華山碑攷虞溫公碑攷虢季子盤攷

建安琴檖攷各一卷
吳鳳堦字霞軒仁和人咸豐己未舉人官工部員外工
畫蘭神似板橋尤工鐵筆著有味蘭室詩鈔
吳傳經字伯生石門諸生篆隸古雅精治印
吳山字瘦綠號十二歸安人所居太湖之濱工篆刻繼
嚴粟夫而起頗得古雅之趣
吳詰字子洛號幻琴錢塘諸生工書畫精篆刻得丁黃
筆法著有邃廬印譜犀香館詩纖嫵詞
吳侃字諤生歷城人寓常州能詩善篆刻與吳聖俞瞿
舜石為友惜早卒

吳璠字菊鄰湖州人寓上海印樵浙派尤善刻竹
吳悅字自怡信豐人善琴工篆刻
吳夢生儀徵人雲莊印話云夢生為人高曠不羈仿秦
漢印章頗古雅
吳淦字麗生平湖人善金石書畫工治印
吳溥字芩香退樓子工篆刻讓翁入室弟子惜早卒流
傳絕少
吳大澂字清卿號恆軒晚號愙齋吳縣人同治戊辰進
士官湖南巡撫收藏彝器與濰縣陳氏吳縣潘氏相
埒精繪事工刻印尤能審釋古文奇字所著說文古
籀補十六卷古字說古玉圖攷二一卷恆軒吉金錄二一
卷愙齋詩文集若干卷光緒壬寅卒年六十八
吳有容字克誠號客塵錢塘人
吳誦清原名葆曾字芷鄰號毓庭又號梓林丹徒人官
安徽布政使司經歷工篆書善山水尤長刻印
吳俊卿字倉石一字昌碩號缶廬又號苦鐵安吉諸生
官江蘇知縣性孤冷工詩能篆籀及刻石又喜作畫
天真爛漫在青藤雪个間時楊藐翁在吳門折節稱
弟子又與吳愙齋善見聞日廣而氣韻益超有缶廬
詩存印存

吳日法字審度歙縣人工篆刻
吳隱字遯盦號石潛又號潛泉山陰人工篆隸精繪事
刻印宗秦漢嘗集古今名人楹帖三百餘家縮刻於
石名曰古今楹聯彙刻風行海內又集所藏印為遯
盦集古印存又有遯盦印話鐵書古陶存泉存塼存
等書行世更創製仿宋聚珍排印書籍以保存流通
二者為宗恉所編遯盦金石叢書尤有裨於來學
吳寶驥字柳塘石門人精刻扇兼治印
吳祥麟字石侶號玉侯桐城人康甫孫工隸書能治印
吳徵字待秋號春暉外史又號鷺鷥灣人伯滔次子後

得文後山舊藏三斗銅遂號抱銅居士工繪事亦能
治印
吳涵字子茹昌碩子工篆刻善詩文詞
吳在字公之金山諸生宿好摹印得秦漢骨氣書似北
海尤工香奩著詩若干卷
盧仲章天台人陳基夷白齋稾有贈仲章詩序云能刻
金石印
盧貝乘鍾伯敬云有語石齋印譜
盧登焯字晉昌號書船又號東溟鄞縣人善山水松石
兼工鐵筆有抱經樓日課編印譜四卷

蘇宣字爾宣一字嘯民號泗水新安人姚士慎曰吾友
爾宣繇細舊業殘碑斷碣無所不窺所至問奇字者
屨相錯其印章流徧海內與壽承長卿鼎足稱雄有
蘇氏印略四卷
蘇襄城
蘇潤寬字碩人鎮江人善橅繪金石拓本兼治印
都榮曾字穉香一字靜庵海甯諸生童年即耽鐵筆稍
長究意籀斯古篆博觀秦漢鉨印及黃奚諸家傑作
心摹手追造詣益進深得浙派正宗間亦規摹頑伯
悲盦有求古齋印選

瞿元鏡字端叔常熟諸生明忠宣公子喜花鳥工篆刻
瞿中溶字鏡濤號木夫又號萇生晚號木居士嘉定人
錢竹汀壻官湖南藩掾博綜羣籍尤邃金石之學藏
弆甲於婁東善花卉在白石青藤閒行楷學六朝篆
隸有法度刻印得漢人神髓著有湖南金石志吳郡
金石志古泉山館金石文編古官印攷彝器圖錄弈
載堂詩文集歷代石經考錢志補正道光壬寅卒年
七十四
瞿樹本字根之木夫子能承庭訓書畫皆佳篆刻尤多
古趣

瞿應紹字子治又字瞿甫號月壺晚號老治上海人官
玉環同知書畫皆學南田精篆隸及刻印善製砂胎
錫壺與楊彭年合作往往柄有彭年印記者即月壺
手製
瞿廷韶字賡甫又字耕莆武進人宛平籍同治庚午舉
人官湖北布政使少與吳聖俞友雅擅刻印邊款署
舜不治石
殳孔威篆學淵源云孔威印師眇狂晚年太求老到未
免涉俗
俞元之字貞起號介石金華諸生豪邁工詩寄情鐵筆

高古有致
俞珽字君儀號笏齋初名培廷婺源人印學步趨雪漁
又能作指頭畫
俞時篤字企延號近蘇錢塘諸生字學蘇米兩家畫有
石田餘意尤精篆刻
俞廷槐字拱三號犖山嘉興人性耽六書凡古文鐘鼎
石鼓皆手自規仿橅印宗雪漁修能有犖山印略無
子一女亦工篆刻惜其名不傳
俞廷諤初名經字夔千又號葵軒尚精篆刻其得意之
作入白榆刻中幾無以辨

俞寰字允甯華亭人樸愿靜默喜讀書工詞賦旁通醫
卜斲琴刻印靡所不精然不求人知安貧樂志終歲
不一入城市也
俞企賢字新巖仁和人工書畫能詩尤長篆刻
俞彥太倉人
俞鎮字弁山會稽人書法香光印宗浙派詩亦清雋自
喜
俞歗字松楙仁和諸生原籍新安善醫工治印著有續
三十五舉鐵筆十三法抉摘入微
俞瀚字楚善山陰人

俞雲字瘦石山陰人能山水善鼓琴工刻印
黎簡字二樵號簡民順德人乾隆己酉拔貢工詩善六
法爲人清狂日與酒徒醉飲於市自刻印章曰小子
狂簡刀法峻儻如其人著有五百四峰堂詩鈔
奚岡字鐵生又號蘿龕別署鶴渚生蒙泉外史奚道士
散木居士錢塘人九歲作隸書及長兼工四體詩詞
超雋而畫尤擅長刻印與龍泓小松山堂齊名號西
泠四大家嘉慶癸亥卒年五十八
嵇承濬字導崑號小蓉無錫人究心六書以經學證說
文與沈凡民華半江友得摹印之法有印譜行世

倪耿字覲公無錫人雲林之後郊居蕭然能以隱世其
家精篆刻獨醉心薛宏璧父子洵深於此道者
倪六通宜興人
倪越石字師魯江甯人
柴本勤字功造號松崖烏程人工指頭書畫及篆刻
懷履中字庸安一字慵庵號蘭坡居士婁縣人精醫理
耽吟詠善鐵筆
梅德字容之號庾山南城人少爲文負奇氣長肇印學
寢饋其中有年刀法款識並皆方雅
雷悅號彝甫長沙人工篆刻有鐵耕齋印存

來行學字顏叔西陵人序宣和印史云余有印癖每抱
越楮一帙遊於齊楚三晉燕趙之墟得官印四百有
奇已而石箒山畔畊夫從桐棺丹筒獲宣和印史載
官印千二百有奇中間合者什四爰摹勒石草莽就
緒其封建姓氏次弟未遑彙其甲乙尚竢異日

廣印人傳卷之四終

廣印人傳卷之五

仁和　葉銘　葉舟　輯

陳助字賢佐又名邵崑山人正統初以薦授桐廬丞歷
臨江新淦金谿知縣寫枯木竹石精卒更書旁曉古
隸篆刻卒年五十六

陳琮字玉叔吳江人能詩工篆刻書法遒美萬厤閒名
家也

陳炳字虎文吳縣人性狷介不肯隨俗而意致高逸詩
宗王孟又好鐫印章類顧云美晚喜效趙凡夫作草
篆年八十餘卒

陳巨昌字懿卜華亭人有古今印選董文敏爲之序

陳于王晉江人能詩畫工篆隸鐫刻圖章尤精雅絕倫

陳玉石字師黃平湖人或曰本姓陸工刻印必深刓其
底光澤如鑑乃止不肯輕爲人作嘗日工印章者曰
爾輩持刀將用以刖人足指甲耶其傲慢自矜如此

陳瑞聲字朝喈無錫人世涇子世其家學作印頗得古
法

陳鍊字在專號西葊日安人游寓華亭遂家焉學鐵筆
悟少陵書貴瘦硬方通神之恉已得朱修能譜師其
指授以爲篆刻之能事畢矣後見秦漢印章數千鈕

於刀法篆法神會手追遂深造入古有印說印言超
然樓印賞八卷秋水園印譜西莽詩鈔

陳枚字簡侯錢塘人

陳萬言字居一

陳逸夫

陳伯陽

陳鴻常熟人有印可二卷

陳球字寄瑤金山人

陳暘安海寧人

陳鴻緒

陳秀章

陳首亭

陳芳字芷香工篆刻刀法不盭于古

陳浩字智周號芷洲嘉定諸生負才超卓屢試不售乃
媕力樸學於三代古文秦漢篆隸靡不精核摹印取
法漢人有古藤齋印譜篆隸源流印章典則

陳詩桓字岱門號破瓢自稱石鶴道人華亭人性孤介
閉門飲水讀書好古工丹青善鐵書著有稗堂詩略

陳賓字文叔仁和人朱高治復呂文倩書云弟向有譜
序三五通奉之同好其中原流切要處已少少盡之
大約此道登堂推文三橋而何雪漁則敦龎變化捜
秦漢之理而舞蹈之至陳文叔則精工盡美更秀穩
無疵其原出自何而的系相沿不得不以蕣香歸之

陳渭字桐野號首亭平湖人究心六書鐵筆不尙時趣
晚年悟禪理寄情聲詩又工隸書

陳元祚字師李號西麓嘉興人工刻印有西麓印譜

陳陽山不知其名精篆刻工雕鏤與黃約圃善

陳戴高字山止亦稱山明號鶴崖仁和人其篆刻神似
三橋雖與白榆友善而實私淑之

陳聲大字虛谷西庵子印學得之趨庭所作印章頗為

時流所重

陳書龍字山田華亭人詩桓子善詩畫工山水花卉與
父石鶴俱馳聲印林

陳淇疇字畦旃號息巢所城人性聰穎篆刻精妙入神

陳杞字韞川又字午亭晚號鞠叟仁和人少好讀書間
涉繪事工大小篆刻印摹秦漢刀法入古奚蒙泉甚
推之乾隆某年卒年八十四

陳上善字玄水嘉定人工治印

陳毓㑺字兩橋蘭谿人壬辰進士授吏部主事工山水
花卉兼治繆篆

陳森年字茂庭休甯人工刻印有四本堂印譜
陳蘊生字英儒善畫墨蘭尤工篆刻
陳祖遁字小鶴泰州人少工刻符用筆沈着得種榆遺意
陳延字遐伯安慶人右臂折書用左腕與蕭尺木稱畫院二妙尤精篆刻箸有孤竹齋集
陳觀瀾善印章嘗自論日非僅以秦漢爲師尤貴師其變動入神耳
陳乾初海甯人精篆刻
陳寅仲海甯人工篆刻蒼潤秀勁雅似鷗波有銅香書

屋印譜一卷
陳成永號元期庚辰進士篆法三橋惜所作甚拙
陳豫鍾字浚儀號秋堂錢塘廩生深於小學篆籀皆得古法摹印尤精與陳曼生齊名秋堂專宗龍泓兼及秦漢曼生則專宗秦漢旁及龍泓皆不苟作者也秋堂嗜金石文字甎甓椎拓積數百本見名畫佳硯雖重值必購之工畫蘭竹嘗輯古今畫人傳箸有求是齋集嘉慶丙寅卒年四十五
陳鴻壽字子恭號曼生錢塘人嘉慶辛酉拔貢官淮安同知善屬文阮文達撫浙時方籌海防輕車往返走檄飛章千言立就篆刻上繼西泠四家浙人悉宗印之宜興素産砂壺曼生作宰是邑辨別砂質創製新樣自譔銘詞刻之人稱曼生壺箸有桑連理館集道光壬午卒年五十五
陳克恕字體行號目耕又號吟香一字健清海甯布衣箸有篆刻鍼度八卷存幾希齋印存二卷篆學示斯二卷篆體經眼二卷印人彙考一卷又有硯說筆譜銀海金鏡均未梓
陳佑字維孝常熟人工書精篆刻善鑒古有小篆千文
陳均字敬安號受笙初名大均海甯人嘉慶庚午舉人

工詩善篆隸尤精鐵筆山水花卉卓然名家又嗜金石文字所至搜訪手自椎拓箸有松籟閣集
陳鳳號竹香西庵孫盧谷子亦精刻印三世家傳箕裘克紹
陳春熙字明之號雪厂又號郗安秀水人工八分飛白等書篆刻直追秦漢與楊龍石翁叔均王石香齊名
陳大齡號鶴汀一號鄂町常熟人工花卉及篆刻所居紅梅花閣圖史尊彝羅列左右翛然隱士廬也
陳務滋字植夫湖北人順天籍官佛岡司獄山水蒼勁工篆隸鐵筆尤古雅

陳逢堯字瞻雲號樸園海甯人性耿介嗜酒工篆刻尤
精醫理著有樸園韻語
陳經字萲之號新畬烏程人阮文達弟子喜刻印家藏
尊彝泉印磚瓦甚富工隸書精考證著有求古精舍
金石圖
陳塤字叶篪錢塘人寓吳中印宗浙派咸豐庚申杭城
陷殉難周存伯爲譔傳刻入范湖草堂集
陳蟾桂號子剛秀水廩生嗜金石工篆刻禾中自曹山
彥後一人而已
陳洪綬字息巢南匯人性穎敏於四體書勢及篆刻皆

不學而能并工長短句
陳祖望字纘思錢塘人工篆刻師趙次閑得浙派正宗
尤工鐫碑琳宮梵宇無不有纘思手蹟也
陳光佐字賓谷纘思子寓居吳中能世其家學印派畢
肖
陳其熢字貴生歸安人能古文工書畫花卉寫生自成
一家刻印尤妙蓋其家藏歷代名印甚夥而又精於
鑒別故運刀入古妙合靈機
陳春暉字寅東臨海人官山陰教諭縣學禮器善刻印
陳一飛以字行晚號壽萱華亭人工繪事精白描善刻

印存壽萱室印草六卷
陳還字還之金陵人工篆刻
陳允升字紉齋號壺舟鄞縣人善山水工八分書餘事
作印亦工整有法著有紉齋畫賸
陳治經字樸生雲莊印話云揚州刻印在道光間皖浙
兩派並行不背其錚錚首屈如熙載茉生卓然名貴
更有陳樸生孝廉治經之暇亦復爲之
陳甫原名彭壽字震叔號老蔆又號瘤道人錢塘人書
學陳曼生篆刻尤工著有養自然齋詩集
陳同壽字六雲安徽人

陳晉蕃字仲庶號萊仙蕭山人工書善治印有觀月聽
琴室印存
陳壽彝字叔廬亦字叔子會稽人少工小篆仿漢印尤
得神似偶畫墨梅水仙趣尤奇逸
陳治字伯平山陰人善申韓之學兼工小篆師事歸安
孫叔苐筆力遒勁能篆刻精繪事
陳衡恪字師曾自號朽道人義甯人曾東游日本治博
物學雅好書畫兼工篆刻從吳缶廬游同時有苦李
石禪息霜諸友相切磋藝乃日進
陳年字静山山陰人摹印繪事均師吳缶廬

秦漁字以巽原名德滋無錫人工詩書法顏褚刻印遠
追秦漢近取文何
華開字季張號芹圃烏程人家世武科少補武學棄去
婷志讀書兼工書畫篆刻歸安葉持伯贈詩云西京
繆篆最矜奇增損那移總合宜墨守偏旁拘點畫可
憐未覩漢官儀
文徵明初名壁後以字行字徵仲號衡山長洲人官翰
林待詔蝸廬筆記云待詔印章雖不能法秦漢然雅
而不俗清而有神得六朝陳隋之意蒼茫古樸略有
不逮今人專事油滑擊疆成字諸惡畢備輒曰文氏

遺法夫文氏之作豈如是乎嘉靖丁巳卒年九十
文彭字壽承號三橋待詔伯子官南京國博工刻印後
人奉爲金科玉律所作多牙章在南監時得燈光石
乃不復治牙於是凍石之名始黷傳於世萬厤癸酉
卒年七十六
文嘉字休承號文水道人衡山仲子官和州學正工金
石刻爲有明一代之冠萬厤癸未卒年八十三
文及先金陵人少好篆籀從金一甫學印每曰吾得之
一甫金夫子夫子得之何主臣先生其不忘本源若
是

文鼎字學匡號後山秀水人精鑒別收儲金石書畫多
上品偶作小楷畫雲山松石則謹守衡山家法篆刻
工秀得三橋遺意咸豐壬子卒年八十七
殷用霖字柏堂常熟人官安吉典史工篆籀刻印私淑
楊濠叟
樊紹堂字硯雲一字菝香長洲人喜賦詩善丹青暇則
怡情篆刻嘗航海至日本中途遇風漂入薩摩國有
乞詩畫者隨手應之彼國頗珍重焉
樊恭壽字銘舫號纖南仁和人光緒己丑舉人工詩古
文辭閒事鐵筆遒勁古茂深得次閑神髓然不輕爲

人作故傳世甚尠
溫純字一齋烏程人受畫法於沈芥舟好儲古人法書
名印手自臨摹故兼善篆隸眞草鐵筆詩古文詞亦
靡不究心其生平更喜搜尋秘籍如金石史五經算
術雲谷雜記敬齋古今黈翰林題跋等書均手校梓
行萬厤丁未卒年六十九
溫汝揚字鳳庭錢塘人刻印師陳曼生旁款尤精美絕
倫然不輕爲人作流傳極罕
孫一元字太初號太白山人印多自製時有方唯一者
眇一目而善謔孫爲製一印唯一書輒用之李獻吉

戲題其上曰方唯一目印製甚曲信是盲人罔覺其
俗唯一知而亟毀之印乃朱文三字相連而橫界其
中寓目字也正德庚辰卒年三十七

孫甯字幼安有漱芳齋印苞二卷俱摹名人印成於崇
禎間

孫衛字虹橋靑浦人精篆隸工摹印能作擘窠大字兼
工山水

孫轉字棣英號漱石又號怡堂六合人嘗得宣和印譜
原本簡練揣摩技遂大進有漱石印存二卷皆竹根
印也爲人偉岸有奇氣負經濟才工書善琴韻語絕
佳奕品第一爲李書年張古餘所稱賞

孫吳字竹氏秀水人

孫克述字汝明黟縣人少有文譽寥落不偶遂究心六
書棲興鐵筆梁巘見其書與印皆心折

孫光祖字翼龍崑山人篆刻書畫爲時推重著有六書
緣起古今印制篆印發微各一卷

孫坤字愼夫號漱生光祖姪工山水花鳥長鐵筆善製
硯

孫星衍字伯淵一字季逑號淵如陽湖人乾隆丁未榜
眼官山東糧道深究經史文字音訓之學精研金石
碑版工篆隸刻印校刻古書最精著有平津館讀碑
記寰宇訪碑錄續古文苑嘉慶戊寅卒年六十六

孫元埈字瘦石號畯卿錢塘諸生工詩鐵筆深得漢意

孫義鋆字子和吳縣人工隸楷精小學曼生司馬首推
之山水花草得南田新羅秘法尤精天文律象下至
篆刻陶埴靡不精曉

孫雲錦字質先吳江人書宗米董鐵筆得完白家法有
印禪室詩集印存

孫三錫字桂三海鹽人官盩厔縣丞花卉學江石如兼
善鐵筆

孫均字古雲文靖公孫襲伯爵官散秩大臣工篆刻善
畫花卉中年奉母南歸僑寓吳門所交多名流極文
酒之盛

孫錫晉字次裴仁和人次閑弟子篆刻工整爽逸

孫朝恩字受廷儀徵人工刻印喜效種榆兼參龍泓才
範以法韻含於刀秀潤自然

孫學淵字漁仙餘姚人戴用柏高弟善刻晶玉紫砂諸
印

孫梁字吟筌號苦匏吳縣人嗜金石學閒作小印有漢
人遺意

袁登道字道生號强名東莞人山水法叔明後法米顛
篆隸圖書工絕箸有水竹樓詩

袁魯字曾期吳門人性沈實從其世父簲庵受六書之
學所作印章頗得正宗

袁雪字臥生吳門人深究六書三倉之學特於印章見
其一斑然所刻元朱文爲三橋後獨步

袁三俊字籲尊號抱甕長洲人不屑制舉業唯肆力六
書研究豐豊東宗之譌在邨塾中卽喜篆刻父師呵
責不能止印章師法秦漢兼得云美虎文神韻著有
篆刻十三略抱瓮印稿

袁宮桂字阮山無錫人精小篆工漢隸能鐫印刀法蒼
勁有詩鈔及印譜

袁桐字琴甫號琴南錢塘人簡齋從姪能詩善隸法篆
刻師鐘鼎漢磚胎息甚古爲金碧山水得仇唐遺法
亦善寫意花草

袁孝詠字慧音籲尊子能世其業

袁馨字茉孫海甯人工篆刻竹木尤佳浙中以刻竹稱
者惟茉孫與蔡容莊兩人而已

袁杏生雲門布衣性好潔善鉤勒能爲響搨篆刻入漢
人之室

韓韞玉字美斯海甯人博學好古刻有斯美堂印譜

韓潮號蛟門湖州人工篆刻尤精刻竹蠅頭細字豪髮
畢見幾近鬼工可稱絕藝

韓鴻序字磬上秀水諸生印專浙派刀法修潔書味盎
然邊款亦工

韓霖字雨公古絳人

潘恭壽字愼夫號蓮巢丹徒人山水舊無師承王蓬心
以宿雨初收曉烟未泮八字眞言授之復取古蹟證
之其畫日進能詩故畫多含詩意兼寫生濯濯如倚
風凝露善人物仕女嘗虔寫佛像晚歲喜刻印章乾
隆甲寅卒年五十四

潘西鳳字桐岡號老桐新昌人王虛舟弟子識見卓越
客年羹堯幕多所匡助後有獻不納卽拂衣歸矢志
以布衣終以其餘技鐫印章貽戚友一時尙之

潘封字小桐桐岡子善製竹印能傳家學

潘廷輿字驤雲元和人癖金石工鐵筆折枝花卉尤有
致趣作焦墨蝴蝶栩栩然飛動

潘俊字逸伯餘姚人工篆刻得趙次閑衣鉢正傳所作
酷肖不差絫黍與笪曉山交最深曉山印多逸伯所
刻

顔炳號朗如婁縣人爲人恂恂自好無縱橫氣習山水得王莽畦法一樹一石無不神似書亦如之兼工篆刻蒼潤有逸致

顔鍾驥字筱夏達平人喜金石書畫兼能治印蒼秀雅健非曼生完白所能囿

廣印人傳卷之五終

廣印人傳卷之六

仁和　葉銘　葉舟　輯

錢選字舜舉號玉潭又號巽峯自號霅溪翁淸癯老人湖州人宋景定間鄕貢進士元初吳興有八俊之目子昂稱首舜舉與焉沈明臣云善摹印有錢氏印譜

錢仲字于仲善詩歌精篆籀嘗游陸深文徵明之門得所贈輒沽飲盡醉亦工刻印

錢履長字雷中湘靈子年未弱冠留心風雅所作印章精妙絕倫

錢思駿字驥良善篆書工刻印有白榆山人家法

錢世徵字聘侯號雲樵婁縣太學生博學能文工篆刻尤善寫蘭有含翠軒印存四卷

錢樹字寶庭號梅簃仁和人工詩畫嗜篆刻私淑龍泓著有西陲紀游詩

錢坫字獻之號十蘭又號篆秋嘉定人乾隆甲午副榜官乾州州判工篆書兼鐵筆亦善畫嘉慶丙寅卒年六十三著有說文解字斠詮十四卷古器款識鏡銘集錄各四卷篆人錄八卷其它翼經攷史詩文集等書十數種

錢元章字子新號拜石嘉定人工古篆隸承其華宗杲

世印學之傳專精鐵筆兼擅山水花竹著有書三昧
齋稿

錢適之

錢德培字琴齋號閏生山陰人官江蘇道員

錢潄石字小山

錢廷棟

錢浦雲

錢昌祚字燕穀武進人

錢志偉字峻修號西溪家吳江之珠溪性沈敏凡醫卜
音律書數篆刻之學靡不深造尤精繪事人物花卉

皆工晚年專寫山水出入石田石谷之間蒼秀有法
著有無隱處題畫詩

錢侗字同人號趙堂嘉定人辛楣猶子嘉慶庚午舉人
充文穎館校錄敘知縣能傳辛楣厤祘之學篆刻不
多作得者寶之据嘉定錢氏藝文志略所著書共二
十九種有樂斯堂印存三卷集古印存八卷集漢魏
古印於官名地名每加辨證嘉慶乙亥卒年三十八
按嘉定錢氏代有印人竹汀先生之世父楨字滄洲
有能爾齋印譜六卷其猶子繹字以成有信芳館印
存四卷瞿木夫爲之序其從孫充芸字大田有大田
印存八卷大田子世求字秉田精篆刻能世其業亦
有印譜

錢泳字梅谿號梅華溪居士金匱人工篆隸精鐫碑版
作印得三橋亦步風格有縮臨小漢碑集各種小唐
碑石刻行世道光甲辰卒年八十六

錢善揚字順甫一作慎夫號几山又號麂山秀水諸生
擇石孫刻印疏密相間脫去時下町畦一以漢人爲
宗善畫墨竹尤得乃祖遺意

錢以發字含章號奇坤海鹽人善辨研材及書畫金石
文字兼工撫印道光乙未卒年七十

錢善慶字蓮士錢塘諸生精治印

錢馥字廣伯號綠窗又號幔齋海甯布衣明六書音均
之學著有小學盦遺稿四卷集古鐘鼎千文一卷其
圖書譜一卷因吳氏拜經樓有論印絕句之刻特輯
之以補諸家所未備最四十餘則

錢觀字豊卿號百生又號文萊仁和人栻孫任鈞子積
學能文工韻語尤精篆刻所如不合竟鬱鬱以終

錢松字叔蓋號耐青晚號西郭外史錢塘人工書畫嗜
金石精篆隸嘗手摹漢印二千鈕趙次閑見之驚歎
曰此丁黃後一人前明文何諸家不及也咸豐庚申

杭城陷闔門仰藥死

錢式字次行號少蓋叔蓋次子秉承家學夙工篆刻後從趙撝叔遊盡得其奧與朱遂生並稱撝叔入室弟子

錢庚字琢初烏程人徐三庚弟子年五十餘以病酒卒

錢文英字步瀛紫琅人

全賢字君求錢塘人工篆刻有集何雪漁印譜二卷

田會聰字荆園濰縣人有邃古齋集印六卷大都宋元迄今知名印章內有蘇東坡印二方一鐫密山高處一曰醉漢圖書唐伯虎印二方一唐寅之印一伯虎

皆近皖派說見雲莊印話二公刻印未之前聞竊疑未必可信也

田人杰字蓉墅蕭山人精通印學追摹秦漢蒼古遒逸有紅豔山館印稿

田廷珍字鹿壺號石甕蕭山人精篆刻有石甕印存

姚鼐字季調號樗園居士長洲人工詩文善草隸鐵筆宗云美一派摹漢工整不輕爲人作

姚夷叔

姚凱之字子襄歸安人

姚叔儀

姚銓字鶚升號蘧溪常熟人嘗從江聲畫竹閒寫花卉兼工篆刻

姚寶侃字叔廉秀水諸生幼侍其舅朱夢泉獲見漢印甚夥授以刀法力爭上游不染時習中年宦遊江蘇旋棄去印不輕爲人作

姚正鏞字仲海蓋平人

姚孟起字鳳生吳縣人工書兼治印酷摹山堂秀勁之氣

姚汝錕字飛泉嘉善人善刻竹閒作小印亦楚楚有致

喬林字翰園號墨莊如皋人工詩畫善篆隸山水不拘

宗法有蒼潤菴靄之趣至刻晶玉瓷牙印各臻其妙而手製竹根章尤精雅絕俗

喬昱字丹輝號鏡潭墨莊子篆刻克承家學兼長木墨蘭竹

巢于號阿閣蘭陵人著江上漁郎印律林佶爲序

饒晊字貫未詳洪稚存亮吉題饒上舍印譜詩云祇今白髮看盈把姓氏鐫殘賞音寡宰印甯論白下羊絲書不混烏邊馬先生五十動齒牙只惜四海還無家攜將絕技廣南去炎嶠恐乏窮侯芭

包容字蒙吉永嘉人萬厤間官中書舍人書畫俱工尤

長篆刻張江陵器重之一日以玉章相屬已鐫就矣
促之急容怒磨去所鐫字而還之拂衣徑歸
包世臣字誠伯號愼伯晚號倦翁涇縣人完白山人弟
子得鄧派眞傳書法篆刻爲當代所推服有安吳四
種咸豐乙卯卒年八十一
包子莊字虎臣初名乃鋁歸安諸生篆隸宗完白山人
亦善治印與徐辛穀友善
包承善字纘甫虎臣孫諸生篆隸鐵書克承家學後法
楊濠叟益復遒勁間作大篆俞曲園極賞之謂與吳
窓齋相頡頏惜早卒不中壽

陶碧字石公晉江人學印於江鶴臣而不爲鶴臣所囿
陶鐖字若于號甄夫巴陵人或云湘潭人世襲錦衣晚
居金陵父泫沒於滇之教化長官司鐖攜幼弟徒步
六千里歸楚復隻身奉母扶父匶歸工詩文精書畫
能篆刻年八十餘卒楊大瓢賓爲作傳
陶琯字梅石號鉏雲一字梅若秀水人自幼工畫又精
篆刻性高潔終歲杜門不與外事
陶訏椿字牧緣秀水人工書法善篆刻脫胎於讓翁悲
盦而一以工整出之故所作悉中矩度一洗印人習
俗秀款亦工緻秀整能品也

陶菊莊雲莊印話云范雨秋茂才章桐工書善畫蘆雁
所用印章皆出郝瑞侯陶菊莊二人手製
曹森字大木號羲池上元人善山水花鳥兼草隸鐵筆
曹均字大同一字治伯號平階秀水人嗜金石古文工
六法印宗秦漢不落時尙袁春圃極稱之
曹運南
曹成璉
曹宗載號桐石海甯人脩學好古尤工篆刻著有東山
樓詩八卷
曹世楷號芹泉秀水人精鐵筆所鐫竹木諸品窮工極

緻聲價日增
曹世模字子範號山彥世楷弟諸生精篆刻嫥摹秦漢
頗稱能手
曹大經字海槎秀水諸生工篆刻碻守文何舊法刀用
中鋒健勁精卓
曹贇字侑石歙縣人文正族孫富收藏精小篆尤好
刻印
高積厚字澹夫錢塘人工刻印繼胡克生林三畏王若
林諸人而起其平日持論極推崇何雪漁著印述印
辨凡數千言有我娛齋摹印行世

高鳳翰字西園號南邨晚號南阜老人嘗自稱老阜濟甯人官歙縣丞博極羣書究心繆篆印宗秦漢蒼古樸茂晚歲病痺患子以鄭元祐自比更號尙左生殆刻印亦左手矣鄭板橋印章皆出沈凡民及西園手著有硯史擊林湖海鴻爪歸雲等集乾隆癸亥卒年六十一

高秉字靑疇號澤公一號蒙叟鑲黃旗人喜丹靑及摹印秀嫵蒼勁兼而有之著有靑疇詩鈔

高翔字鳳岡號犀堂又號西唐甘泉人工篆刻刀法師程穆倩山水得漸江石濤之縱恣梅竹逼金冬心與石濤友善石濤死西唐每歲必掃其墓能詩書亦有別趣董耻夫竹枝詞云避客年來高鳳岡扣門從不出書堂想因誤讀香山句紙閣蘆簾對孟光

高治字培宗仁和人

高雲號琴山樵者山陰人嘗寓錢塘山陰有琴山故以爲號少慕篆刻留心古文奇字遂能治印又善花卉有琴山印譜

高楨號飲江杭州人以申韓術游幕江左工書法喜爲人作印有浙中先輩風嘗與朱桐生縱論篆刻源流幾忘日之移晷也

高日濬字犀泉錢塘人陳曼生妻弟得其指授篆刻淸勁不俗

高文學號元眉字燕庭嘉善之楓涇人工詩文善書旁及山水駸駸入香光之室精篆刻得漢意

高攀龍南阜之孫工治印

高徵號苣舲高郵人僑寓邗江工楷法揚州所刊明鑑是其手書閒爲人作印不染時下氣習

高塏字子高號爽泉錢塘布衣精八法嘗爲儀徵太傅手寫薛氏鐘鼎款識並釋文攷證偶治印亦秀勁有法道光己亥卒年七十一

高樹銘字定夫號幼南山陰人篆刻宗浙派中年以後薄遊閩粵贛皖諸省所刻印益蒼古有法

高心夔字伯足號碧湄湖口人咸豐己未進士官江蘇知縣工詩文善書又擅篆刻專主生峭不落恒蹊是能於浙皖兩派外別開生面者

高行篤字叔遲號實甫秀水人靖節先生子精於小學工篆書能刻印

高邕字邕之晚號聾公仁和人工書得李北海神髓兼善山水篆刻少與錢叔蓋友善因輯其手刻爲未虛室印賞

高時豐字魚占仁和人工書得褚登善顏平原神髓善
山水兼治印
高時顯字欣木魚占弟工書善山水花鳥精刻印
毛紹蘭字佩芳號雲樵一字溥堂遂安人博通經史能
詩善摹印一以秦漢爲法頗自矜貴著有雲樵詩鈔
毛建會字子霞武進人
毛庚原名譔字西堂錢塘人再三先生族裔作書是其
家法尤工刻石咸豐辛酉之亂從戴文節籌辦團練
駐武林頭規制嚴密是年冬城再陷殉難
毛承基原名鴻字守和號華孫錢塘人有金石癖工篆

隸兼治印卒於滬
羅鴻圖字文河掖縣人康熙壬子拔貢專精六書之學
工繆篆自號寓意子有鐵筆譜二卷
羅坤字宏戩號蘿村一字萬化會稽諸生康熙己未舉
鴻博不赴精小學能篆刻偶作竹木奇石筆法神似
老蓮著有半山園集
羅王常字延年鄭郡人有秦漢印統及集古印存
羅伯倫
羅聘字遯夫號兩峰又號花之寺僧江都人金冬心高
弟揚州八怪之一工詩善畫有鬼趣圖極爲名流稱

賞刻印亦入上乘著有香葉草堂詩存嘉慶己未卒
年六十七
羅枚字聲甫富陽諸生能文善書精鑒別工刻印
羅浚字朗秋又號秋道人常德人工篆刻
柯怡字陶庵號南柯杭州人工書善治印
何通字不違太倉人有印史六卷蘇爾宣序云余初自
學書擊劍暨脫身走江淮曳裾大人先生門操刀爍
石所接勝流有年所梯層厓縋重淵有年所手捫緣
圖青字龍畫螺書有年所遇銅章玉璽斑駁繡蝕寶
氣生白虹有年所見好事家裒古綴今點染丹素日

格曰譜爛然成帙盛於海內有年所其于此道不愧
三折肱未有如不違印史之獨絕者
何震字主臣號雪漁一號長卿婺源人文壽承得燈光
石皆倩主臣刻之其工可知嘗曰六書不精義入神
而能驅刀如筆吾不信也晚歸秣陵主承恩僧舍箸
有續學古編一卷姜紹書論印云雪漁如絳雲在霄
舒卷自若程孟長元素父子其同鄉後進也收得所
刻印五千餘鈕拓爲譜有印選四卷以傳
何濤字松庵又字海若主臣子亦能印
何鐵字龍若小字阿璽鎮江人游寓泰州精詩畫工篆

刻

何延年字大春桐城人

何叔度

何巨源有印苑

何琪字東甫號春渚錢塘布衣與丁硯林善故刻印類之箸有小山居詩集

何元錫字夢華錢塘人博洽工詩藏古印最富與江秬香爲金石交道光己丑卒年六十四

何溱字方穀錢塘人夢華子工刻印與張叔未徐籀莊諸君攷訂金石箸有益壽館吉金圖

何其仁字元長號樗庵海鹽人官崖州知府善畫蘭亦精篆刻

何嶼字子萬號紫曼又號印匋松江人工鐵筆善篆隸皆有古趣

何昆玉字伯瑜高要人精岐黃篆刻宗浙派尤善樵拓彝器與吳中李錦鴻並稱客濰縣陳壽卿家賞奇析疑見聞日廣鑒別尤精輯吉金齋古銅印譜

何維樸字詩孫晚號盤止道州人同治丁卯副貢官江南道員蝯叟之孫書法克傳祖硯寫山水深遠秀喆不落窠臼少精篆刻宗秦漢晚年倦於酬世不復作

收藏古印甚多有頤素齋印景六卷

花榜字玉傳長洲人究心六書摹印宗三橋杲叔娟秀淵雅溢於書卷

沙神芝號笠甫嘉興人青巖子工篆隸刻印有鶴千六泉風韻青巖所箸藝文通覽經神芝博攷碑版繼志編校而成

車基字笠巖大興人官遊雲間性嗜書畫鑒別亦精刻印皈依皖派畫在南田白陽偶一揮灑頗有逸致卒於官

巴慰祖字雋堂號予籍歙縣人富收藏工書畫印宗穆

倩尤精覈古今文字乾隆癸丑卒年五十

查璇繼字寅工號介庵晚號髯仙海甯人積學工篆籀遺有印譜自大小二篆上迄三代下逮六朝書學源流靡不賅貫陳仲魚論印云介龕工鐵筆爲初白所稱姪舜俞孫若農並傳家法

查光熊字子祥號渭卿海甯諸生聲山六世孫善楷法兼精篆刻體素癯劬學致疾卒

查鏞字蘭如華亭人工隸兼能刻印

查稚圭譜名美珂字紫圭婺源人世居鳳山之寒溪號寒溪生又號鳳麓山人幼穎異嗜藝術善書畫尤工

篆刻子忠厚忠堯皆有父風

余國觀字容若號竺西又號石癡宛平人父熙璋善畫爲麓臺高弟石癡能世其學尤工蘭竹兼善鐵筆有石癡印草

廣印人傳卷之六終

廣印人傳卷之七

仁和 葉銘 葉舟 輯

楊琚字元誠號竹西居士錢塘人居松江之鶴沙輟耕錄云明仁殿寶洪禧二印琚所篆也

楊遵字宗道浦城人徙居錢塘有集古印譜漢官私印見於嘯堂集古錄者廑十數枚七修類稿所摹更少且皆縮小彌失本眞至宗道譜出始爲集古銅印專書

楊當時字漢卿甬東人按潘氏印範成於萬麻丙午潘雲杰集印蘇爾宣楊漢卿同摹有秦漢印范六卷

楊玉暉字叔夜長汀人孝行爲鄉里所推詩文皆戛戛獨造於印不甚留心偶一爲之輒臻上品

楊褒字聖榮號古林嘉定人少多疾病好學不倦書畫雜藝靡不究心家貧不克卒業乃以意創刻竹章藉資事畜其鈕製悉遵秦漢著有寓意集

楊恩徵字子佩吳縣人維斗裔孫嘗館劉小峰家得見所藏名印因工篆刻有印譜陳雲伯爲之序

楊謙字鈞谷號吉人嘉定人年少力學究心詩文精岐黃工篆刻得李陽冰法尤工牙竹有吉人印譜金壇史梧岡爲之序有練濱草堂印譜

楊汝諧字端揆號柳汀華亭人讀書目數行下尤嗜說
部典故之學能詩書畫精音律篆刻迥異流俗著有沖
簡草堂詩鈔
楊剛號毅堂吳江人精摹印頗自矜重不輕爲人奏刀
以故流傳頗少
楊心源字復夫一字修竹號自山金山人精摹篆隸之
學家藏碑版及明人印譜甚富工刻印著有修吉齋
詩文類十卷文祕閣印稿芸軒鐵筆各四卷
楊璣字玉璇漳海人閩小記云雕刻鳥獸龜魚之鈕比
方漢人唯漳海楊玉璇稱爲絕技

楊長倩
楊湎山蘇州人
楊利從
楊陞字幼清松江人書法二王工金石刻
楊式金常州人鐵筆有逸致有渥雲堂印譜
楊敏來吳縣人嘯虹筆記云敏來汪虎文弟子
楊法字己軍上元人寓居揚州工篆隸精篆刻
楊大受字子君號復庵嘉興人工隸書嘗以鬻篆流寓
婁東印章多作邊款頗得疎古之趣
楊士鑣號兩湖江甯人善山水工篆書鐵筆精鑒別

楊澥原名海字竹唐號龍石吳江人於金石攷據之學
靡不精覆刻印以秦漢爲宗力救嫵媚之習眞印學
之圭臬也晚病偏子不利捉刀道光庚戌卒年七十
餘
楊慶麟字振甫龍石子道光庚戌翰林官廣東布政使
能治印克承家學
楊辛庵以字行刻印專學趙次閑得其神似旁款亦幾
與眞亂浙中刻印學次閑者不乏其人要未有如辛
庵之逼眞也
楊沂孫字詠春號子與晚號濠叟常熟人道光癸卯舉
人工篆隸與完白山人頡頏晚年所作直欲駕而上

之偶刻印亦彬雅邁倫
楊峴字見山號季仇晚號藐翁歸安人咸豐乙卯舉人
工漢隸多藏舊書終日手不釋卷光緒丙申卒年七
十八
楊寶鏞字序東一字蓫盦元和人工篆刻嘗以陽羨砂
製印精鑒別藏書畫金石甚富有漢元朔三年龍淵
宮熏爐尤爲寶貴有蓫盦題跋
章壽彝字伯和善化人精鐫碑版書宗板橋畫學白陽
篆刻亦師板橋少游日本習藝事能以木製紡織機

器
章綬字滁山臨清人善書畫尤工篆刻游江右三十年
張恂字穉恭涇縣人崇禎癸未進士能詩畫與黃山程
穆倩游故畫與印皆神似穆倩
張淵字子靜號夢坡吳興布衣書史會要云子靜守道
安貧善行楷而所用印章皆自刻仿何雪漁者秀爽
渾雅絕無流俗氣
張風字大風上元人自稱上元老人學道不茹葷善畫
工刻印秀遠如其人
張湛孺字若水恂子嗜書畫印章有父風

張宗齡字汇如無錫人工制舉業旁及印事亦臻佳妙
張貞字起元號杞園安邱人康熙壬子拔貢官翰林院
待詔薦舉博學鴻詞能鑒別書畫鼎彝之屬精金石
篆刻著有杞田半部潛州娛老等集
張在辛字卯君號柏庭安邱人康熙丙寅拔貢有隱厚
堂遺稿畫石瑣言云工鐵筆鐫小印甚精家有墨寶
樓藏書畫古玩後燬於火有相印軒印譜
張日中字寉千毘陵舊家子學書不成棄而執藝從蔣
列卿學雕刻鳥獸龜魚之鈕以牙木為之比方漢人
其刻印撫文國博為三吳名手

張慶燾字裕之一字拙餘嘉興諸生童時即不好弄九
流百家之說靡不心游目覽工詩古文善水墨花卉
兼精六書治印專學文氏有拙餘印譜古篠齋印譜
張平憲
張我法字雪鷗武進人
張西瑞
張嘉字休孺
張泌字長源華亭人
張韻笙失名號子建海鹽人受之姪
張叔治字葆生號澗谷歙縣人

張錦芳一名芝字粲夫號藥房廣東人謙受堂詩集云
能作雕蟲篆刻之術
張燕昌字芑堂號文魚又號金粟山人海鹽人性好金
石為丁龍泓高弟初及門時囊負南瓜二枚為贄各
重十餘斤丁先生欣然受之為烹瓜具飯焉善飛白
書工畫蘭著有金石契飛白書錄鴛鴦湖櫂歌石鼓
文釋存芑堂印譜嘉慶甲戌卒年七十七
張鏐字子貞號老薑別字紫磨江都布衣舉孝廉方正
不就通篆隸工鐵筆善山水筆意古秀多參篆法有
老薑印譜乾隆壬寅卒年七十七

張鈞字鏡潭號右衡歙縣人工摹石鼓兼精刻印有鏡潭印賞十卷

張廷濟字順安號叔未一字說舟又字作田又號海岳庵門下弟子晚年眉長寸餘瑩然禾澤自號眉壽老人嘉興人世居新篁鎮嘉慶戊午舉人時阮文達酷嗜金石與叔未同癖一室之內三代彝器羅列滿前賞奇析疑各抒心得積古齋鐘鼎款識之刻叔未所藏亦半在焉又藏漢官私印三千有奇嘗撰拓數百鈕為清儀閣印譜書法得襄陽神韻兼工漢人佐書著有清儀閣詩鈔題跋眉壽堂桂馨堂集道光戊申卒年八十一

張錫珪字禹懷一字雨槐號雨亭自號遯雪吳江人工小學兼及鐵筆尤愛漢銅印章錢梅溪云是專學顧云美陳陽山者著有印體便覽雨亭印譜

張梓字榦庭號瞻園上海人工詩古文精堪輿岐黃術尤篤嗜鐵書究心大小篆積久成譜著有印宗

張沅字德容號仲綏叔未兄嗜書畫尤工篆刻有滄雅堂印譜嘉慶己巳卒年四十六

張上林字心石叔未從子好金石篆刻喜吟詠有和永甯碑詩見清儀閣雜詠桉雲莊印話云叔未子某工刻印道光壬寅癸卯間隨其父來揚州為文達鐫印甚多

張奇字正甫廣陵人善畫山水得巨然法工人物花卉尤長篆籀印章

張日煊字載之號小同叔未從孫長身玉立聰穎過人詩文之外兼善設色花果妙解管絃絲竹尤精篆刻著有同隱書屋印存半野堂畫景金石小補道光甲午卒年二十六

張澹號春水吳江人工詩畫精刻印輯有玉燕巢印萃其論印云秦漢之印存世者剝蝕之餘耳仿其剝蝕以為秦漢非秦漢也譜之所載優孟面目耳擬其面

目優孟之優孟矣舊印可珍者覩其配合之確運斤之妙樸實渾雅法律森嚴即本來之元氣也

張敔字虎人號芷園一號芷沅又號雪鴻又號木者晚號止止道人江甯人乾隆壬午舉人畫無不妙寫眞尤神肖往往不摘圖章竟率筆作印亦精妙蓋印學精熟幾於入化矣精四體及飛白書至若左手竹筋指頭書畫無不窮工極詣嘉慶癸亥卒年七十

張熙字子和號紫禾山陰人家巨富寄居金陵其別墅陶俗有六朝梅一本湯貞愍為繪圖後家中落宮知

縣歷繇劇非其志也素愛塡詞兼善隸書鐫印乃其餘事顧亦雅近三橋宗派

張模字東巖號靈谿平湖人工篆刻善蘭竹子烜字掌秋號淡山能世其學有喬梓合刻蕭閒居印草二卷

張圻字仕一吳興人篆刻多巧思製硯尤𡨚百工技藝試手皆能意匠優於師法

張智錫字學之號藥之松江人以鐵筆著稱渾老遒勁有蟠尾盤曲之勢有存古齋印譜

張琛字貞白松江人寓泖上工刻印不輕爲人作故流傳甚稀

張宏牧原名弘牧字柯庭號白陽山人桐川人刻印仿白榆但刀法略異耳

張濤字青田號子白嘉興人能篆刻尤精刻竹閒點染花卉亦多韻致

張安保字石樵儀徵人博古工書鐵筆法浙派詩饒唐賢矩矱著有味眞閣詩集十八卷子丙炎字午橋亦通六書工倚聲多藏印

張純修字子敏號見陽古湧陽人畫似北苑書法晉唐工倚聲與納蘭容若唱和兼精篆刻

張慶善字心淵嘉興人篆刻工潤有安雅堂印譜八卷

張溶字鏡心號石泉婁縣人工花鳥精篆刻鐫銅玉章稱絕製鈕亦妙

張文燮號友巢吳縣人以醫名工摹印圓整秀潤是其所長晚年頗自矜重不輕奏刀

張曙號玠庵上海人篆刻甚蒼老

張與齡字芳遐號杏初又號涵虛子吳江人寫生似惲甌香兼習分隸篆刻藏古人名印甚夥輯清承堂印賞趙次閑爲之序

張逢源字石渠僑寓昭陽印法秦漢筆意老到曾爲阮雲莊摹皇象書尤爲古秀鄧完白後當爲嗣響

張春雷字安甫邵埭人畫梅法金壽門善刻石工穩秀麗爲曼翁所賞因以篆隱名其居毛秋伯以爲出於種榆而善學種榆者

張開福字質民號石匏晚號太華歸雲叟海鹽諸生芑堂子家貧常游吳會所至搜訪殘闕於荒烟叢棘中偶有所獲必手拓以返故其學亦以考證金石爲深少工韻語頗爲前輩激賞畫蘭刻印克傳家法著有山樵書外紀一卷表章鶴銘爲焦山紀勝

張辛字受之海鹽人芑堂從子嘗爲叔未刻印極賞之叔未清儀閣中收藏金石文字甚富受之得窺珍秘

其業日進後客京師刻楊忠愍諫馬市疏甫竣歿於
松筠庵
張子和石匏子工篆刻能鐫碑
張瑜字瑤圃揚州人篆刻古雅可喜與吳讓之友善得
力於攻錯者多
張定字叔木婁縣人善篆工畫刻印得秦漢法
張熊字壽甫號子祥又號鴛湖外史秀水人居毛家坊
至道堂堂右小室有銀籐一本因名銀籐花館藏名
蹟珍翫甚夥工繪事山水人物花果蟲鳥無一不精
篆刻八分乃其餘技光緒丙戌卒年八十四

張光治字又峰錢塘人好金石工篆刻與戈聞在師友
之閒畫山水入鐵生之室時戴文節以書畫名重海
內見又峰畫稱為畏友片楮尺幅至今人爭寶之
張國楨字鼎臣錢塘人幼丁亂離以巡檢需次閩省工
吟詠善鐵筆時趙撝叔在閩名重一時故刻印以撝
叔為師頗有具體之譽性簡傲不輕為人作中年玉
折流傳尤少
張文湛字春帆號壽萱生
張崇懿字麗瀛婁縣人通六書工小篆及刻印性孤介
無家室

張金笈字白焦歸安人
張寶璞字小舟江甯人
張嗣初常熟諸生私淑楊詠春刻印得漢人法早卒
張灝字子耕
張嶼字玉斧江陰人工鐵線篆刻印宗顧云美一派摹
拓金石碑版尤精館吳氏兩罍軒凡數十年其父萃
山曾刻適園宋元明畫冊喬梓多材後先輝映金石
家侈為嬾談
張伯符居邵伯埭深六書與其兄竹友明經齊名時稱
二張

張炤字初白號匏龕榆次人官龍游知縣精鑑別善治
印有匏龕印存
張肇字蘭坡
張景祁字韻梅錢塘人工小篆行草嗜長短句治印工
雅
張祖翼字逖先又號磊盦桐城人文端九世孫髫年即
好篆隸金石之學篆宗石鼓鐘鼎書隸法漢碑刻印
師鄧完白著有磊盦金石跋尾集書漢碑範
張惟琳字韻蕉號半農亦號桐孫別字碩甒仁和諸生
本姓湯西匡之裔幼以父命為姑後少而好古壯而

篤學詩畫鐵筆類其人品娟秀樸茂天趣盎然曾手
摹漢印數百鈕精拓成譜
張呂中字雋生金山諸生豪於詩文詞善刻圓朱文得
宋人遺法有印林從新二卷
張翹玉字琢成華亭人好事翰墨尤工山水刻印甚工
直逼漢室
張延奐字仲中又字公嫩祖翼次子篆隸楷法皆有可
觀未弱冠所臨漢魏唐碑已不下八百種刻印私淑
悲盦能得其用筆之妙論者以爲撝叔復見也有蝸
廬印稿

張師憲原名聯瑛字子華號詩孫婁縣人工詩文摹漢
印偶作山水造意幽迥筆極冷雋弟聯珠字子明工
詩刻印聯奎字朗如善畫能刻印
王冕字元章號煮石山農又號竹堂元諸暨人七修類
稿冕始以花乳石刻印明永樂丁亥卒年七十三
王寵字履仁後字履吉號雅宜山人吳縣人以諸生貢
太學隨筆點染深得倪黃墨外之趣詩文書法皆超
勝時流又工篆刻與三橋齊名著有雅宜山人集嘉
靖癸巳卒年四十
王穀祥字祿之號酉室長洲人嘉靖己丑進士寫生渲
染有法度中年絕不落筆傳者贋本居多書倣晉人
篆籀八體以及摹刻印章幷精妙絕倫隆慶戊辰卒
年六十八
王夢弼字叔卿歙縣人
王言字綸子休寧人
王人龍字靈長錢塘人
王賓字仲光
王玉唯
王開度
王澐生

王修之
王晉卿
王元徵蘇州人子少徵名幼朗
王蘭坡海鹽人
王藻字載陽吳江人乾隆丙辰舉鴻博好蓄宋板書及
青田石章有友借觀誤墮於地載揚垂泣三日其風
趣如此
王孟安字伯琴烏鎮人
王厚之
王元楨

王守字甬章雅宜兄
王時翰字遜之號煙客又號西廬老人太倉人文肅孫官太常兵後隱於歸村畫山水法大癡得其神髓爲一代畫苑領袖工分隸名山古刹無留題不爲重精鑒藏工篆刻著有西田集康熙庚申卒年八十九
王尙廉字清宇金壇貢生寫菊得孤芳之神有巧思製銅䥶印章俱精絕
王士禎字貽上號阮亭自號漁洋山人新城人順治乙未進士博學好古能鑑別書畫鼎彝之屬精金石篆刻閒嵗出游吳越與高士名僧邂逅山水閒觴詠爲樂康熙辛卯卒年七十八

王宛虹五丁集云宛虹淡泊於世故之紛華而孜孜焉臨徵仲之書倣三橋之印其性情亦已過人矣
王錫奎字荔亭工書善刻印箸有嘉藻堂詩集十二卷荔亭文鈔八卷
王玉如字聲振號研山松江人自題印譜云余幼好觀古文奇字既長愧學業無所就輒因性所近摹擬金石篆籀試之以刀筆聊用自娛旣又請益于從父曾麓翁尤得擴所見聞秦漢以來鐘鼎碑版曁元章子昂徐官吾衍諸公所論著有通悟親友因以朱白圖記見屬詮爲稱譽又云吾家雪蕉中翰延曾麓翁刻花影集爲圖章名其譜曰印賞唐堂黃宮允序之有研山印草澄懷堂印譜
王槩字安節其先秀水人久居白下工詩文旁及繪事刻印直追秦漢
王蓍字宓艸安節弟刻印古逸有致繪事亦精與安節可並驅人以元方季方目之
王裕曾字芝泉仁和人乾隆丁丑進士官襄陽知縣工畫梅繁枝亂蕊極疎落蹇傲之致刻印蒼勁秀雅
王定字文安無錫人留心圖章得元方令和兩家神髓

更能製鈕與漳海楊玉璇毘陵張鶴千齊名
王順曾字青山宛平人任情不羈放懷山水棲情篆刻弋志丹青詩賦文詞並臻上乘
王燮字理堂號小山燕湖人性豪俠使酒罵座旁若無人篆刻師程穆倩得其遺意挾三寸鐵游燕南趙北楚尾吳頭踪迹殆徧有理堂印譜八卷
王轂字槃輪號東蓮野縣人少嗜臨池精賞鑑訪求周彝秦鼎法帖碑版不遺餘力復從事六書棲情鐵筆章法刀法黙與古會
王世宇字蘭亭號寫蕉東湖人工彈棋投壺丹青諸藝

尤嗜金石文字及篆刻有自若堂圖書譜四卷
王睿章字貞六一字曾麓號雪岑翁松江人家貧藉鐵筆給饘粥有印言醉愛居印賞花影集印譜
王游字景言號鏡岩一字素園金匱人工書善鐵筆有青箱閣臨古帖二百餘種及四本堂印譜
王梧林工刻印與歸文休齊名張贈園嘗學之
王道湆字利仁別字駿求江南人少工篆槷不輕以酬應朱竹垞請見不可人咸以爲迂細詰其情乃曰吾寶吾技人知何爲哉後竟不復見人悉心篆刻刪定史籀以布衣終年四十六

王兆辰字康民吳縣人丁丑進士官穎州教授工書法摹印亦雅整猶子心谷諸生亦擅是藝
王澍字虛舟號若林一字篛林金壇人查岐昌論印絕句云鄭徐絕技擅名同程許他時號國工最愛金壇王吏部雕蟲游戲亦神通乾隆癸亥卒年七十六
王錚原名鑑字幼瑩號鞠人上海人工詩善蘭竹精篆刻
王瑾字亦懷常熟人畫筆入古王翬極稱之篆刻亦高出時輩
王光祖字雲湄吳縣人山水清腴兼長點染工篆刻尤精玉印精通琴理審音律術數岐黃亦擅聲譽嘉慶年卒
王旭字亦城書法類董香光鐫印似文三橋畫不多作露蟬烟柳深得晚風殘月之致
王桐孫字稚堅號約夫長洲人工刻印弱冠遽歿名未甚彰
王蔚宗字亦顯號春野優貢生官宣城主簿篆刻在雪漁亦步之間
王世永號琴舫眞定人椒園次子工鐵筆
王諧字宜秋鎮洋人喜篆刻師王寄亭具體而微有清

操家貧不干人嘗以藝應人請然少不合輒拂衣去一宦家緘白金餽之請書其堂艴然叱使者曰而主視我何等耶竟不往其負氣如此
王錫泰號秋水吳江人以孝廉官助教摹印蒼莽中有逸致深自秘重不輕爲人奏刀
王錫璐字均調號墨癡震澤諸生畫法白陽山人兼工篆刻
王恩浦字渭陽自號海濱逋客常熟人善畫竹篆刻蒼勁古雅
王左字左候號鈍農剡溪人著有鈍農印可

王爲字少款初名子獻刻石參以浙皖兩派瀟逸秀整
惜其嫻不肯多作也
王宇春常山人品高操潔撫印尤工其所篆刻編成譜
帙戴敦元爲之進呈收入四庫事載常山縣志
王霖字雨蒼鏡岩子能世其家學翠華南幸刻古稀天
子印進呈曾邀睿賞故其所作聲價頓增
王澤字潤生號子卿蕪湖人辛酉翰林擅山水精篆刻
著有觀齋集
王用譽字士美號鷺客嘉定人以副貢就職副指揮昔
玉溪有畫狀元之目君承家學妙於點染作印章亦

古茂
王素字小某揚州人善工筆士女花卉篆刻倣法漢印
爲畫名所掩人鮮知者
王應綬一名曰申字子若麓臺裔孫世傳畫學篆隸鐵
筆皆入古人堂奧嘗應萬廉山之聘爲摹百硯漢碑
與原刻不差毫黍道光辛丑卒年五十四
王雲號石薌蘇州人雅擅刻印專法宋元明孃娜宛轉
別具標格爲吳中名手性孤介終身不娶嘗以道院
爲家
王禮字禮仲江都人嗜古學究心鐵筆篆宗張謙仲吳

承嘉八分行楷擘窠正草靡不精妙一時隴墓碑版
金石之文多出其手
王西園
王潔一名沅字芷香號養雲錢塘人性疏曠工畫精篆
刻客游十載筆墨自贍卒於滬上
王城字小鶴全椒人
王爾度字頊波暨陽人篆書刻印一以完白爲宗嘗摹
仿鄧印爲古梅閣印臚絲毫無間張玉斧嶼爲雙鉤
邊款摹刻於木時稱雙絕
王湘字楚賓

王繼香字子獻山陰人工篆隸精鐵筆
王同字同伯號肖蘭晚號呂廬仁和人光緒丁丑進士
官刑部主事工篆隸精小學摹臨石鼓及曹全碑尤
得神髓長於校讎之學兼工刻印著有塘棲志呂廬
文集
王昌字星齋東台人書工鐘鼎畫擅花卉尤能治印
王椒生華亭貢生善隸書寫禮器碑極能神似刻印刀
法得馮少眉遺意
王龍光字蕉聲華亭人篆隸刻印學力甚深
王壽祺字維季號福盦又號屈瓠同伯季子精算術工

二篆八分性喜蓄印自稱印傭十三四歲即能搜求
名人刻印至弱冠已得精而佳者數百方拓爲福盦
藏印十六卷故所刻印章皆有師承能兼各家之長
近益研究小學不尙時趨
王大炘字冠山號冰鐵吳縣人善篆刻
王慧字小侯山陰人工篆刻
王世字匊昆餘杭人精算術善畫喜刻印
王思睿原名景恒字后乞號輔仁又號頑后別署夢花
生平湖人工詩文書法懷素酒酣耳熱每作狂草刻
印亦深入漢室

王秉槐字梅僧華亭諸生書學鷗波並能刻印尤工寫
蘭

廣印人傳卷之七終

廣印人傳卷之八

仁和　葉銘　葉舟　輯

方仲芝失其名歙縣人工刻牙及黃楊印周櫟園所用
印都出其手
方其義字直之以智弟精遁甲善書工詩又善治印子
中發字有懷
方元常白下人
方雲施字彥博桐城人
方雲聃字東來桐城人
方薰字蘭坻號樗盦石門人早歲清寒能勵志讀書然
性不浮慕布衣疏食晏如也愛丹青苦學數年得畫

家三昧刻印入文何之室又能上窺秦漢著有蘭坻
詩鈔八卷山靜居緒言二卷井研齋印存四卷嘉慶
己未卒年六十四
方維翰字南屏號種園大興人嘗與黃小松仇霞村吳
子聰討論印學遂臻堂奧印識小楷尤精妙絕倫
方成培字仰松號[illegible]巖歙縣人精詩古文又工詞暇則
託興鐵書然非書畫家及賞音不爲奏刀著有聽奕
軒詞後巖印譜
方貞吉字星滋平江人工鐵筆善鐫碑又能影寫書法

摹繪人物翎毛花卉於瓷器上刻之不爽銖黍時稱絕技

方絜字矩平號治庵黃巖人工治印其刻竹尤爲絕技凡山水人物小照皆自爲粉本陰陽坳突鈎勒皴擦心手相得運刀如運筆

方隲字玉裁號雲泉晚號頤翁錢塘諸生箸有疏影庵詩亦善刻印

方濬益字子聽桐城人書法六朝藏弆金石甚富又工刻印

方槐揚州人

方鎬字仰之號根石又號斆讓生儀徵人篆隸刻印悉仿讓翁槖筆吳門師事吳缶廬能得其奧窔鏤金刓玉工雅殊絕摹北魏碑拓亦佳有斆讓生印譜

方文雋字嘯琴新安人工八分書尤精鑑別收藏秦漢印譜數十種每一奏刀駸駸入漢人之室惜不多作

梁袠字千秋維揚人家白下繼何主臣而起故刻印一以何氏爲宗惟拘守何氏之法不能如其弟之運以己意然其流傳之作世人亦多爭寶之有印雋四卷

梁年字大年千秋弟流寓白門每構一印必精思數時然後以墨書之紙得當矣而後傳之石故所鐫皆有筆意又能辨別古器欵識

梁登庸號惕庵高郵人刻陋室銘九如百壽印譜行世箸有篆要八則

梁霜字曼雲泉唐人工書深於金石之學兼精篆刻又旁通繪事偶作寫生花卉以南田設色太濃每以淡遠相勝零縑片楮人爭寶之

梁于渭字杭叔番禺人光緒己丑進士博雅工篆刻金石之學海內罕匹惜患心疾不能成家

梁清平字詔雲號夷若端州人所居曰是岸龕名列泮宮有聲黌序善刻印師浙派

莊元錫字廷占號琉躬梧桐里人刻印專師白榆結構矜嚴時或過之

莊冏生字澹庵晉陵人有漆園印型十六冊許珊林張叔未爲之序

莊愼和

莊東暘字賓隅號悔庭亦號悔人嘉定人詩詞書畫篆刻罔不精妙嘉慶庚辰卒年五十九箸有叢悔詩古文詞稿

莊能字芷庭震澤人工治印

黃正卿詩筆清超而篆刻摹印自成作者

黃周星字九烟江甯人崇禎庚辰進士官戶部以文章品節自任性骯髒難合雖處困窮不改其操所作印章流傳於世者亦蒼勁有風骨康熙庚申卒年七十

黃宗炎字晦木一字立谿餘姚人人稱鷓鴣先生忠端太子崇禎時明經後隱石門海甯工繆篆善製硯畫宗小李將軍趙千里吳孟舉嘗約交遊中挾一長一技者共貢藝戲作貢藝文其中列賣印者晦木也著有周易象詞尋門餘論學禹辨惑康熙丙寅卒年七十一

黃仍玉字雲沼號隱齋又號拜石道人工書及篆刻康熙丙申卒年七十五著有隱齋集

黃璞字素心錢塘人倪首善印元論印絕句云絕藝吾鄉眞絕妙素心名又噪錢塘

黃經字齊叔一字山松如皋人善畫高簡得倪黃遺意留心篆籀之學故印章入神品

黃恩長字宗易一字奕載號蒼雅長洲人官縣尉工繪事尤精篆刻箸有敦好齋印譜千頃堂畫譜

黃樞字子環滄海人以工印名凡金石典冊靡不辨證精審其譜名欵識錄

黃炳猷字克俟子環子亦善刻印手筆一如其父

黃應聞字起聲莆田人著有問字編

黃棠字思蔭號蔭人仁和人學印於龍泓隱君而兼精繪事六法皆工寫眞尤妙年二十三而歿隱君索其遺墨數幅都未署欵欲以名印識之得其自刻印章恐未善援爲修琢反覆詳視竟無所改易而止蓋於龍泓鐵筆已詣其極矣

黃表聖

黃聖期工篆籀之學刻印規摹秦漢章法刀法悉中矩矱周櫟園稱其與壽承雪漁相伯仲信不誣也

黃孝錫字備成號約圃吳縣木瀆鎮人與陳陽山友善討論古今析其源流支派棲情鐵筆宗尙云美專精三十年而藝益工箸有棣花堂印譜篆學二種

黃呂字次黃號鳳六山人歙縣人精繪事山水人物花鳥魚蟲皆臻絕妙書法晉人晚益樸茂所製印遒勁蒼秀有秦漢遺風

黃庭字夢珠號寶田大易兄工刻印著有蔗餘緣萍兩集

黃易字大易號小松又號秋盦仁和人父樹穀字松石精於篆隸小松能承其學橅印爲丁龍泓高弟有出藍之譽嘗謂小心落墨大膽奏刀二語可爲刻印三

昧又善鑒別及考據金石碑版之學著有小蓬萊閣
集嘉慶壬戌卒年五十九

黃德源字茂椒號鐵簫鄞縣諸生洞曉音律嘗於市中
得鐵簫品之有異聲因以爲號工山水蘭竹寫生善
篆刻兼通堪輿術

黃景仁字仲則自號鹿菲子武進人幼孤貧母課之書
能刻苦力學弱冠游京師與朱文正翁覃溪唱和兼
長鑒古旁通篆刻有兩當軒詩集西蠡印稿

黃掌綸字展之號吟川龍溪人酷好金石文字嘯堂集
古吾印學古諸書枕葄其中故所作鐵筆輒與古會

有吟山詩

黃鉞號左田一字左軍當塗人工畫山水花鳥究心六
書摹印師承秦漢秀嫵中具剛勁之致著有左田詩
鈔

黃塤字振武號丙塘歙縣人工二篆及八分畫墨菊蘭
竹頗饒幽致兼精篆刻蒼勁古樸

黃海字卧雲婺源人工篆刻善書畫松桐最擅長多用
水墨晚歲尤工小楷喜用雞毫卒年七十九

黃壽鳳號同叔吳縣諸生刻石仿文何篆書學錢十蘭

黃鑰字魚門歸善諸生善山水工隸書精篆刻能詩

黃鞠字秋士號菊癡華亭人工花卉士女兼長篆刻著
湘華館集

黃學圯字孺子號楚橋如皋人輯歷朝史印十卷嘉慶
道光間朱文正阮文毅石琢堂梁茝林爲之序

黃樹仁字靜園上海貢生工書亦能作印

黃少雲婺源人亦工治印橐筆吳江頗有盛名

黃允中字子和江都人

黃福珍字寶儒號保如仁和人官直隸同知精究醫理
善畫蘭工篆刻間爲小詩

黃士陵字牧父安徽人好金石工篆刻客吳愙齋幕中

愙齋輯十六金符齋古銅印譜撰集橅拓皆出牧父

黃鐘字晏臣婺源諸生詩文宗歐蘇上溯六朝曾爲江
小襄鐫志士多苦心五字印古趣天然無妥媚之習
與尹伯圜手
不屑輕爲人作

黃質字濱虹號樸存歙縣人精鑒別收藏金石書畫甚
富善刻印著有冰淇雜錄

黃石字少牧一字問經牧父子隨侍游幕京師繪拓彝
器全形分陰陽向背逼近六舟陶齋吉金錄半出其
手摹印力求工穩能傳家學

黃鼎字秋園婺源人工詩畫善篆隸治印古雅嘗與其
族人黃廷甲深究篆籀之學無虛日也
唐英字儁公號叔子晚號蝸寄老人漢軍鑲黃旗人工
山水人物能書工詩長於篆刻曾主官窰事製器甚
精今稱唐窰嘗以自製詩畫及各體書付之陶人製
成屏對尤爲精雅著有陶人心語
唐材字志霄號半壑嘉定人家徒四壁泊如也年十三
自知向學執經忘倦長習鐵書博考篆隸及秦漢唐
宋以來諸印譜析其源流所製印章爲王虛舟所賞
著有游藝贅筆四卷摹印說一卷

唐徵字月魚揚州人長於詩翰兼工刻印輯有印人姓
氏參以朱聞印經周陶庵賴古堂印譜有明一代宗
工略備
唐村
唐翰題字蕉庵號鷦安嘉興人工治印
唐詠裳字健伯號璽公錢塘人工篆刻以漢銅印爲宗
所用印皆自作著有疏花深夢草堂媚鐵
唐源鄴字李侯號醉龍小字蒲傭別號醉石山農善化
人少失怙隨宦居浙博古多識秦漢碑碣一入其目
眞贋立判工漢隸精篆刻留心印材偶得佳石必摩

挲品翫幾欲具袍笏而拜之有醉石山農印稿
强行健字順之號易窗道人上海人精醫工書意薄時
趨興與古會篆刻師何主臣蘇泗水著有印管十二
卷印論二千餘言
姜正學字次生蘭溪人性介縱酒酒之外寄意刻印欲
倩刻印必飲以酒倪印元論印絕句云飲酣晉白林皆是從
意縱橫雅韻終輸姜次生夜半打門眞快事覓圖傳一枚
印換酒千甖
姜恭壽字靜宰如皋人
姜煒字若彤上元人性嗜篆籀於六書八法研究甚精

摹印之學自先秦兩漢而下靡不肆力遂蜚聲藝苑
其子若女目染耳擩莫不工鐵筆焉
姜貞字羊石金華人
姜燮鼎字理夫遂安人工畫善書尤精篆刻年八十無
疾而終著有高山集
姜翔號少白松山子工刻印能世其學
姜瑩字又白工書畫能詩精篆刻
湯燧字仲炎號古巢仁和人少慧好學星文算術推測
最精兼熟古今印法里居時與奚蒙泉陳秋堂余慈
柏爲文字交有瑞古齋印譜

湯綬名字壽民武進人貞愍長子襲雲騎尉精四體書
工鐵筆善畫墨梅山水又善鼓琴年四十五卒有畫
眉樓摹古印存
汪炳字虎文休甯人甲申後僑居武林見朱修齡印譜
輒仿之一捉鐵筆即能度越其妙再遊維揚遇程穆
倩彼此出印譜相證穆倩歎服握其手曰子既以此
得名矣吾又攘其美吾不爲也
汪徵字仲徵婺源人詩極壯麗工八分好篆刻性傲岸
時以方盧梗云
汪關字尹子黃山人家婁東原名東陽字杲叔後得漢

汪關印遂更名其手製印章爲時所重陳芷洲嘗摹
其印著有印式四卷
汪以滂休甯人篆刻爽秀精勁尤工鐘鼎
汪濤字山來休甯人多膂力人呼爲夢龍將軍四體書
法無所不精諸家法書悉具其美大則一字方丈小
則徑寸千言鐵筆之妙包羅百家前無古人岳陽樓
額字徑丈即濤所書也
汪泓字宏度尹子之子其刻印皆收入學山堂譜中吳
人傳汪氏父子皆不羈而宏度尤風流自命
汪銛字先之

汪如字無波休甯人
汪不易
汪夢弼字叔卿歙縣人
汪曰誠字沚荷號子和
汪皜京字宗周刻印以朱修能自比頗自矜負
汪士愼字近人號巢林休甯人游寓揚州善畫墨梅兼
精篆刻與張乙僧金勔齊名著有巢林詩集
汪啟淑字愼儀號秀峰又號訒庵自稱印癖先生歙之
綿潭人官兵部郎中僑寓杭州家有開萬樓藏書數
千種尤酷嗜印章搜羅自周秦迄元明印至數萬鈕

嘗於巨珠上刻作篆文以補諸品所未備錢梅溪有
漢楊惲二字銅印秀峰欲得之錢不許遂長跪不起
錢不得已笑而贈之其風趣如此著有集古印存二
十四卷飛鴻堂印譜五集漢銅印叢漢銅印原退齋
印類錦囊印林及其它各譜最二十七種續印人傳
八卷
汪斌字宸瞻號芥山秀峰族弟居錢塘與方維翰游因
從事篆刻臨摹文何不落窠臼頗饒書卷氣
汪芬字桂岩自號蟾客秀峰族姪工詩文精篆刻
汪成字洛占秀峰族姪嘗從之摹印研究六書得印學

正宗

汪志曾字養可工詩能以筯代筆畫竹入神品山水尤多逸致百技精妙篆刻奇古年開八𨻶猶善行草

汪古香謙受堂集詩云我學繇羲徒刻鵠君宗皇象富雕蟲書儷石友神仙妬不到窮時不得工

汪一𦋺字柱天號半聾仁和人工篆刻有印學辨體

汪際會號蓮塘壽州諸生官浙江縣丞善畫能詩體格傲岸亦工鐵筆

汪士通字宇亨號東湖黟人官蕭山知縣有循聲山水仿巨然精四體書工鐵筆卒祀鄉賢私謚文潔先生

汪鋆字硯山儀徵人箸十二硯齋金石過眼錄十二卷

汪鴻字廷年號小迂休甯人陳曼生官溧陽小迂客幕中故其鐵筆多得力於曼生凡金銅磁石竹木甎瓦之屬無一不能奏刀花鳥尤擅長以南田新羅爲師

汪寶榮字小盦全椒人

汪之虡本名照字騶卿桐鄉人徐問蘧增嘗從西梅石如炇閑諸君游書畫鐵筆俱有師承惜早卒

汪申字自庵全椒人

汪潭字靜淵號夢鶴錢塘人工刻竹與同里虞君倩相伯仲所作金石章亦佳采入十六家名人印譜

汪小峰揚州人以刻石爲生活營繪山居賣篆圖

汪立功字慭齋錢塘人髫齡嗜學脫口成吟書仿晉唐天然韶秀偶寫花卉有南田逸韻鐵筆亦精絕可喜

汪酉谷歙縣人又字快士以賣印篆貲爲遊費所至卽不能得矣箸黃山印篆一冊紅朮軒印譜

汪文錦字繡谷善詩詞工篆籀精於鐵筆

汪籛字伯年晚自號磵廣居士又號年道士南湖老漁錢塘人官福建知縣殉洪楊之難生平於書無所不讀工詩畫尤精篆刻力追秦漢與吳聖俞趙撝叔稱三傑箸有樽山韻水草堂詩文集

汪鏶原名蔚字嘯霞甯鄉人精鐫碑版善篆刻嘗以丁黃印摹刻爲帖幷旁款均不差絫黍名曰壽石山房印存

汪行恭字仲行號子喬錢塘人光緒乙亥舉人官內閣中書善篆刻精許氏學下筆無俗字說經專主鄭司農庚辰卒於都門年僅二十九箸有景高密齋經說

汪洵原名學瀚字淵若陽湖人光緒壬辰翰林擅書名尤工小篆少時喜刻印非舊友不知也所用印皆自作

汪厚昌字吉門仁和諸生精小學工篆籀學楊濠叟若

有神契刻印必依許書故下筆無俗字篆法高古悉
有本源一洗印人陋習著有說文引經彙攷再續國
朝先正事略後飛鴻堂印存
汪佩玉字韞輝歙縣人工篆隸精刻印
汪洛年字社耆一字鷗客錢塘人戴用柏先生之入室
弟子書畫篆刻皆守師法大江南北皆震其名求者
踵相接然不輕易捉刀也
常掄秋名買未詳雲莊印話云掄秋刺史兼通樵印余
曾和其贈某郎詩有雅調倉山傳妙句玉連環憶印
雙紅之句

廣印人傳卷之八終

廣印人傳卷之九

仁和　葉銘　葉舟　輯

彭年字孔嘉號隆池吳縣諸生書法初工小楷繼習行
草酷類長公兼精治印嘉靖丙寅卒年六十二
彭興祖王衡集云興祖篆刻工雅
荊青字藥門丹陽人能詩工篆刻
程遠字彥明無錫人著有印旨一卷古今印則四卷
程齊字聖卿海陽人有稽古齋印鑑二卷陳繼儒爲序
程邃字穆倩號垢區一字朽民又號垢道人自稱江東
布衣歙縣諸生蚤從漳浦黃公道周清江楊公廷麟

游晚年僑居江都長於金石攷證之學刻印精研漢
法而能自見筆意天都人皆宗之善畫山水多用乾
筆工詩有會心吟王文簡冶春詩云白嶽黃山兩逸
民謂孫無言與垢區也
程大憲字敬敷休甯人有程氏印譜四卷後附自藏漢
印一卷
程大年字受尼長洲人有立雪齋印譜四卷
程原字孟長一字六水新安人自何主臣繼文國博起
而印章一道遂大昌明至孟長尤醉心主臣之學故
得主臣嫡傳者推孟長父子云

程樸字元素孟長子刻印能得何氏嫡傳

程漱泉揚州人

程林字雲來歙縣人移家武林精醫善畫好刻印章

程其武字與繩雲來子稟承庭誥書畫圖章皆合古法

程雲巖名待攷倪印元論印絕句注云余師程雲巖蓄印石最富尤愛凍石曾語余云吾所貯石當令如薛用敏者刻作鐘鼎篆爲佳

程瑤田字易田一字易疇號伯易又號讓堂晚號辨穀老民自號葺荷歙縣人工八法精音律善篆刻箸有琴音備考論書五編嘉慶甲戌卒年九十

程以辛字萬斯穆倩仲子工篆刻

程荃字蘅衫號懷甯明經鄧石如弟子工山水精篆刻有篆隱園集

程士𤪁字商始號松庵常熟人能詩工水墨蘭竹精篆刻

程德椿字受言號壽巖歙縣人精六書工篆刻有十友齋印賞四執園印林述古堂印譜二十四卷

程坎孚吳江人居平望嘗從錢籜石學花卉并善人物工篆刻

程立伯

程孝直

程爲儀福建人有印苑

程士魁原名文𣏌字杓文號牧邨晚號蓮茄子雷溪人工篆刻有春卉艸堂印存

程東一字桐生號萍邨吳江人工分隸善鐵筆尤長於畫山水花卉人物靡不佳妙

程晉字少山號稚昭杭郡諸生善八法工鐵筆

程庭鷺字序伯號蘅薌嘉定諸生畫筆清蒼渾灝逼近檀園輯洓水畫徵錄一書尤有裨於文獻兼擅鐵筆由丁黃上溯秦漢有小松園印存咸豐己未卒年六

十三

程祖慶字忻有號稚蘅嘉定人畫學以停雲爲宗工分隸精篆刻箸有練川名人畫象傳吳郡金石目練水文徵一百卷隸通十四卷旡罣礙庵隨筆小松園閣詩文集

程嶠字方壺歙縣人官浙江鹽場工摹印師事趙撝叔

程份績溪人有紅蕉館編年印譜

程培元字浣芝嘉善諸生工書畫富收藏治印喜仿元人

程兼善字達卿嘉善明經工詩文精篆籀治印以工緻

見長子康年茂才有父風惜早世

程世勛字心梅譜名燿采錢塘諸生蚤棄舉業吟詠之餘尤好爲長短句有燕支山館詩稿與譚復堂戴用柏爲至友兼善畫梅鐵筆尤渾樸入古

程兆熊字孟飛歙縣人工書翰於二篆八分行草皆妙兼精刻印

程文在字郁卿休甯人善人物仕女精治印兼刻竹

丁元薦號長孺長興人有名山言海印譜二卷崇禎戊辰卒年六十六

丁元公字原躬嘉興布衣工書精繆篆善寫意山水晚

年爲僧名瀞伊字願庵嘗遍訪歷代佛祖高僧眞容迄明季蓮池大師繪爲巨冊周氏印人傳列其名未詳其顚末

丁良卯字秋平又號秋室自號月居士錢塘人又云濟陽人

丁敬字敬身號龍泓山人自號鈍丁亦號硯林錢塘布衣丰姿癯秀如鶴立耆古摳奇於書無所不闚尤究心金石碑版嘗偕厲樊榭搜尋古蹟擘蘿剔蘚不以爲勞篆刻直追秦漢於文何外別樹一幟力翹矯揉嫵媚二者之失世所稱浙派之初祖也晚年家愈貧而品愈高方制府觀承索一二方不可得乾隆戊子卒年七十一著武林金石錄其印譜冠西泠八大家之首海內奉爲圭臬即東瀛名彥亦餅金購之印止景行何止吾浙人而已子三健傳佺

丁介祉

丁柱字徵庵錢塘人刻印蒼勁賣篆市中問奇者履常滿

丁仁原名仁友字輔之號鶴廬錢塘諸生松生之從孫其家以藏書聞海內所藏西泠八家印尤夥輔之嗜印成癖撫拓無虛日有丁氏八家印選杭郡印輯石

刻龍泓遺翰二卷袖珍本丁氏秦漢印緒二卷

丁尚庚字二仲通州人

經亨頤字子淵號石禪上虞人篆刻有家學童時已能治印三十後技乃益進書法小爨兼工篆隸好古精於鑒別所藏書畫金石皆精品

淩霞字子與烏程人通小學金石多藏精本

淩有章字杈英號素行海甯人工八分書尤喜治印

昇祿字雲臯滿洲鑲黃旗人嘉慶丙子舉人善書尤工鐵筆山水小景有逸趣

曾紀澤字劼剛湘鄉人文正冢子自幼究心經史喜讀

莊騷詩古文辭卓然成家兼通小學旁涉篆刻丹青
音律騎射靡不通曉光緒庚寅卒年五十二
曾衍東自號七道士山東人善寫意人物花鳥兼治印
劉衞卿字夢仙休甯人博識古篆刀筆古樸
劉渙仲漳海人工刻印與黃子環齊名與周櫟園友善
劉運鈴號小峯吳縣諸生嘗延王茱畦於家肄書讀畫
討論風雅小峯耳擩目染遂以翰墨名家刻印古雅
有法得其鄉先輩停雲風韻
劉湆字叔和號虛白鐵嶺人生而穎慧雅好讀書習詩
賦學篆隸兼究心於印章專意師法秦漢高古蒼健
可方駕龍泓且善琢硯有虛白印稿虛白詩鈔

劉懋功字卓人小峯子能世家學於印章之外尤工畫
劉應麟字機生閩縣人有友書堂印譜一卷
劉維坊字言可號樂山山東人喜治印有樂山印萃
劉紹藜字玉田嶺南人
劉履丁字漁仲漳浦人
劉稺孫字復孺又號七芝居士吳縣人工書得蘇眉山
之奧尤工秦漢篆刻名擅一時
劉漢字倬雲儀徵人善摹漢印得古峭之致
劉鳴玉字封山號鳳岡山陰諸生能詩繪畫工篆刻有

詠茱花句云半畝自邀貧士賞一生不上美人頭
劉慶祥號玉溪平陽人平陽自乾嘉間大雅山房蘇石
綠瑨以金石篆刻鳴一時先生酷嗜其學與瑞安許
啟疇永嘉馬元熙皆善篆刻所論篆法謂當上規鐘
鼎下橅秦漢宋元印譜間資取則以矯時尚有金文
識誤一卷鐵耕小築印集四卷光緒壬辰卒年六十
五
劉眉伯瑞安人
游旭字稺生滃谿人山水人物蟲鳥花卉種種奇絕兼
善秦漢篆刻且能詩雖短篇殘箋人爭寶之

周天球字公瑕號幼海長洲人文待詔弟子萬厤乙未
卒年八十二
周亮工字元亮號櫟園又號減齋又號陶庵祥符人移
家白下崇禎庚辰進士官戶部右侍郎好古圖史書
畫彝器編賴古堂印譜爲篆刻楷模又譔印人傳三
卷以譜中諸人各爲小傳首載文信國海剛峯顧憲
成及其父其弟與其友次爲文彭已下六十人附見
三人不知姓名一人有名無傳者六十一人其例與
讀畫錄同又箸字觸書影讀畫錄入閩記閩小記賴
古堂文集文選鹽書同書蓮書尺牘新鈔藏弆集結

鄭集刪定虞山詩人傳耦儁等書康熙壬子卒年六
十一
周顥字晉瞻號芷巖又號雪樵別號堯峰山人晚號髯
癡嘉定人工書精篆刻其竹刻山水樹石叢竹用刀
如用筆當時以爲絕品乾隆癸巳卒年八十九
周紹元字希安松江人蚤孤攻苦積學年二十困於病
杜門學詩隱居藻里工八分精篆刻著我貴編
周應愿字公瑾吳江人著印說
周應麟字九貞秀水人著印問二卷
周道字瑤泉華亭諸生工書畫印章所居有看山讀畫
樓昆季讀書其上王子卿爲繪圖名流題詠殆遍
周茂漢字晉上華亭人
周翼微婁東人陳其年曾索翼微刻印作四六啟有云
摛文則翡翠盈箱織句則蒲桃竟幅聊爲游戲何妨
暫運郢客之斤姑與周旋何須更刻宋人之葉
周廷增字仔曾會稽人有青蓮館印譜
周整字頓庵仁和諸生性不喜帖括惟專力古文及六
書與穆門徵君京爲雁行晚耽禪悅珠宮梵宇一筇
一笠往往托迹焉年八十卒
周蓮字子愛號己山婁縣人戊辰副貢鐵筆秀潔婉折

多姿書兼四體工畫山水
周芬字子芳號蘭坡錢塘人工鐵筆善製鈕
周靖公楳園弟嗜刻印嘗從梁大年問刀法所用印章
均自奏刀惜年不永未得名世
周以先字爾森工刻玉與江皜臣齊名惜不諳篆籀故
章法筆法稍遜於皜臣耳
周咸字啟賢錢塘人子芳子亦能刻印
周文在字振之號了間海甯人有印譜一卷自爲序性
孝友嗜書史嘗手鈔秘籍逾千卷晚不戒於火惋恨
而歿著有長慶集選香山詩評各二卷
周恒號松崖富陽人道光壬午恩貢官甯波教授工山
水兼刻印
周庚字　陳秋堂弟子曾見善因二字印秋堂爲加
記云周生庚從余游課餘之暇喜事篆刻頗具清朗
妥適之致
周源字錦泉南滙人敦品誼工吟詠書畫皆宗董文敏
尤善寫蘭密葉叢花秀勁絕俗尤工篆刻
周昉字浚明崑山人原籍錢塘工詩文書得褚虞之神
韻以顏柳爲筋骨善寫山水人物花鳥兼能篆刻
周閑字存伯秀水人官新陽令善畫花卉尤工篆刻性

簡傲喜遠遊鄉人鮮識之者著范湖草堂詩文稿
周丹泉吳門人能燒陶印以至土刻印文或辟邪龜象
連環瓦鈕皆由火范而成色如粉定文亦蒼古
周經字權之揚州人與北湖楊秋江以寸石刻陋室銘
誠鬼工也
周儀字確齋震澤人工蠅頭楷精鐵筆兼善刻器揚州
北湖孚估庵碑出其手
周士錦字織雲又號質雲無錫人
周孝坤字易之木瀆人
周之禮號子和長洲人王石香入室弟子專刻牙竹性
懶故刻甚少吳門舊家間有藏者
周德華字小舫一號贅庵又號方舟丹徒人愛蓮之裔
嗜古學精鑒別所蓄古印及自刻印幾及萬鈕顏其
齋曰萬印山房篆刻宗浙派兼學石門頌畫梅學黃
小松胡石查亟稱之著有自怡堂印存沁西唫社詩
詞稿
周承德字佚生海甯人博學好古書宗六朝上規漢隸
以其餘暇戲弄鐵筆所作印章饒有秦漢六朝神韻
周容字梅谷吳縣人刻印宗秦漢有壽石齋印存
邱旼字令和吳縣人作印倣顧元方

邱均程字泗舟青浦人工篆刻好鼓琴
邱欽字竹泉湖州人精刻碑文硯銘尤善鑒別拓本眞
贋刻印宗漢久客雲間以鬻藝自給
裘春湛原名徇字寄康號茉雪錢塘廩生能治印
裘翰興字翀曼嵊縣諸生精於數理星象尤好鼓琴工
治印
仇塏字遐昌自號霞邨歸安人負不羈之才肆力聲詩
久工鐵筆有霞村印譜
仇墺
鄒牧邨武進人
侯文熙字曰若一作越石無錫人篆刻宗文三橋而蒼
勁過之都下王宗立度得其傳前此以鐵筆名者有
倪雪田以晶玉擅能者呂柏庭高培治青田凍石尤
妙絕古今
樓邨原名卓立字肖嵩號新吾亦號辛壺縉雲人善畫
山水書學顏柳篆刻則力摹秦漢深得古媚之致
廣印人傳卷之九終

廣印人傳卷之十

仁和　葉銘　葉舟　輯

林黼字質夫號石峰閩縣人正德丁丑進士官大理評
事通篆籀深於印學

林皋字鶴田一字鶴顚常熟人虞山張若雲序其印譜
曰林君少躭古芬長具逸翮吞丹篆一卷於夢中走
青蚓百枚於腕下五都索厭時呼拋磚半夜鐫狂輒
欲撾鼓蓋人之求者如鐵網珊瑚而君之秘焉等金
壺髓汁矣

林晉字晉白莆田人善鐫晶章既工又甚敏性嗜酒醉

後縱橫任意自乃不知有晶往往擊碎其鈕曰不飲
則腕殊無力奏刀遂昏昏有俗心耳然終以病酒卒

林熊字公兆莆田人家檇李刻印以漢人爲法不妄奏
一刀詩畫及分書皆工

林從直字白雲號古魚乾隆甲子舉人

林應龍字翔之永嘉人精篆隸及刻印

林霔字德澍號雨蒼別號洞漁人晚號㚷坪老人侯官
人工刻印有印商二卷

林鴻字茉生江都人刻印法陳曼生善畫

林曼

林麃字二松

欽蘭字序三吳縣諸生清癯如不勝衣工詩畫尤留心
於印章得文氏之傳當時推元方令和序三爲華岳
三峰

欽岐字維新號支山吳興人嘗從族人序三學鐵筆遂
工篆刻

欽義字師王維新從子工刻印輯寶鼎齋印譜

金湜字本清號太瘦生又號朽木居士鄞縣人正統辛
酉舉人以善書授中書舍人竹石甚佳鉤勒尤妙兼
工篆隸行草絳有晉人風致善摹印篆

金申之工詞賦善篆刻

金逃字祖生吳縣人順治庚子舉人工篆刻善騎射爲
詩不假雕飾

金農字壽門號冬心又號稽留山民錢唐布衣書得古
趣在隸楷之間工畫梅寫佛像自署昔耶居士心出
家盦粥飯僧爲揚州八怪之一印章擺脫文何浸淫
秦漢著有冬心集乾隆甲申卒年七十八

金光先字一甫休甯人家擁雄貲乃多雅尚究心篆籀
之學嘗謂刻印必先明筆法而後論刀法章法故所
作得秦漢遺意

金嘉玉字汝誠新甯人僑寓仁和自號靜齋居士工鐵
筆古勁嚴整尤善擘窠篆書
金汝礪字佩新號香雨海甯人治說文工篆刻有香雨
印譜二卷張梅屋贈詩有從此開匳鈐紙尾何妨爾
雅注蟲魚之句
金鏐字肅臣號壄山山陰人性嗜古文藝愛蓄古硯能
詩善鐵筆
金守正字子則號芷衫蘇州人書法從莫直夫兼工篆
隸刻印喜效漢人古逸之品
金銓字汝衡號野田天津人善六書章草工篆刻一以

秦漢爲宗董小池嘗稱之著野田印宗
金棫字挺之號松崖杭州人喜收藏名人書畫嗜漢印
積千鈕爲譜六冊
金作霖號甘叔吳江諸生詩書皆工麗篆刻仿漢平生
不妄交不輕奏刀以故知者頗少
金闇公蘇州人
金子謙名貫未詳文用和汝梅題其印譜句云常將眞
力運精心自使寶光飛石髓
金峴亭蘇州人
金雲門失其名精於鐵筆鐫石刻竹均能摹古而筆法

之妙結構之精人皆稱絕
金邠居字嘉禾號曹門善金石學出游東瀛以賈字爲
生計生平爲人落拓不羈
金庋字公度嘉興布衣業醫名重一時書畫篆刻皆出
自天然力矯時習
金鑒字明齋號奕隱錢塘人性耽書畫精鑒別立辨眞
贋工書似梁山舟善圍棋江浙幾無匹敵亦能刻印
得浙派正宗不輕爲人作宣統辛亥卒年八十
金桂科字小琴休寧人工畫仕女精小楷刻印婉轉流
麗刀法莊整

金龔源字仲白西安人性情豪放詩文別具機杼幕遊
吳門有年治印初師趙老鐵迨客雲間費龍丁家得
博覽其所藏而藝大進未幾謝世身後蕭條經龍丁
滌舸爲理喪葬卒年三十六著有蝸盦詩蝸盦印存
金鼎字古香
金爾珍字吉石號少芝又號蘇盦秀水人書法鍾王尤
喜學蘇山水有宋元人風格嗜金石工刻印有梅花
草堂詩
金承誥字謹齋號恭度錢塘人善山水工鐵筆喜仿漢
人粗朱文不加修飾得渾厚之氣蓄舊青田石甚多

金鼎字耐青大興人工書善花卉精刻印
金城字鞏伯歸安人收藏甚富工畫精篆刻
金廷麟字漱仙金山貢生博學好古建雪鴻樓十間滿
儲書籍尤愛金石精鑒別所藏商周彝器百餘種著
雪鴻樓彝器録印存等書
金夢吉以字行秀水人善人物花卉篆刻專宗浙派
岑丙炎字午橋
任淇字竹君號建齋蕭山人精篆刻金石竹木無不擅
長
任預字立凡蕭山人從趙悲盦游得其指授刻印似之
任壽祺字恭甫海鹽諸生工書法精刻竹兼治印
譚君常
譚錫瓚字建侯別號師曼茶陵諸生工篆刻神似文何
單刀尤稱絕技
譚蔭祺字受一建侯子善刻印有父風
南光照字麗久號鏡浦一字曉莊昆明人博學好古嗜
金石文字寓情摹印別有天趣
談維仲鎮江人
談懷壽字壺山德清人善八分絕似伊墨卿能治印
談澫字韻泉餘杭布衣性緘默不好口辯遂於醫學工

分隸書尤好治印
甘暘字旭甫號寅東江寧人著甘氏印正自爲序曰顧
氏印藪樵勒精工第翻倣滋多舍金石而用梨棗令
古人心畫神迹湮没失眞其書後曰暘癖古印久矣
憮擬間有不得者雖廢寢食期必得之又著印章集
說
甘源字道淵號嘯巖漢軍善詩古文詞工行草書及山
水餘力摹刻秦漢印章頗自祕惜非其人不輕與
藍漣字公漪閩縣人詩情畫筆蕭疏高寄兼精篆刻
嚴栻字子張晚號髻珠頭陀崇禎甲戌進士有文武才
略能詩工書畫篆刻卒年七十九
嚴坤字慶田號粟夫歸安人工繆篆詩筆倔強著有溲
勃叢殘爲人沖和樸實論印以鈍丁曼生爲宗
嚴翼字晴川號退廬工人物翎毛花卉兼善篆隸鐵筆
惜不永年所作寥寥得者珍之
嚴源字景湘號素峰常熟人工詩古文詞嗜金石文字
究心說文玉篇等書工篆刻師尙秦漢
嚴誠字力闇一字立庵號鐵橋仁和人工詩文山水得
大癡法隸及篆刻皆古致秀勁晚年摹鈍丁能亂眞
但不輕爲人作有小清凉室遺稿

嚴垲字雲亭號敬安嘉定人工畫山水花鳥尤究心金
石六書之學摹印宗何主臣蒼古有法善竹刻
嚴尊字客子海鹽人善楷書隸篆尤工鐵筆其叔止峰
名岳善詩其弟學川名訏工畫人稱嚴氏三絕
嚴錦字晴峰永嘉人恂恂儒雅有晉人清致善吟詠工
六法精鐵筆尤善篆隸
嚴冠字四香仁和諸生著茶壽盦詩稿
嚴漢生失其名鄞縣人以篆印名於時
閻詠字左汾太原人王文簡蠶尾集跋左汾印譜云左
汾文章妙一世游藝篆刻不肯屈曲以趨時好而唯

古是師其於文章亦猶是矣藝云乎哉
詹漢卿
詹泮善刻銅章

廣印人傳卷之十終

廣印人傳卷之十一

仁和 葉銘 葉舟 輯

董元鏡字觀我號石芝漢軍正黃旗人工八體書專摹
漢印爲汪文端所稱賞
董漢禹字滄門善寫松竹精治硯工刻印
董洵字企泉號小池山陰人官通判罷官後落拓京師
以鐵筆自資給所作絕無時習一以秦漢爲宗同時
輦下有印癖者如仁和余秋室學士當塗黃左田尙
書上海趙謙士侍郎揚州江秋史侍御江甯司馬達
甫舍人及紅蘭主人與英窻禪董石芝趙佩德皆有

綈袍之誼焉著有小池詩鈔董氏印式
董熊號曉庵烏程人善篆刻爲人誠謹眞率無趨炎之
態每有所作必精心摹仿咸豐辛酉卒於滬有玉蘭
仙館印譜
孔千秋號瑤山江陰布衣敦行好古精究六書著有說
文疑疑偶游城市見漢銅印一方曰孔千秋愛不能
釋解襆被易之歸遂自名千秋又得奇石高尺許縱
瑩甚美文徵仲署刻瑤山二字其上因自號瑤山其
刻字與俗工異畢氏經訓堂帖多出其手以鐵筆世
其業于昭孔號味茗孫憲二字省吾省吾之子曰慶

嘗爲李中耆弟子

項炳森字友雩嘉興人天籟閣後人也官沭陽知縣書用鷗波法篆刻神似陳曼生又善奕與祝茂才二如爲中表嘗二人對奕觀者曰兩君眞二友如花也其風度可想

項朝藻字壽芝號秋鶴仁和人乾隆己酉舉人學印於蔣山堂秋鶴刻印山堂嘗爲記之云項三此印掃盡作家習氣綺歲已臻此境眞可畏也其推許如此所刻印欵亦神似山堂

項綬章字芝生錢塘人嘉慶戊寅舉人官同安知縣其

刻印頗具浙中諸大家風格

項金宣字少峰友雩子擩染家學亦能篆刻惜不永年

項鳳書字桐隱少峰弟諸生工八分能篆刻兼通畫學作士女有費子苕遺意

項瑞字小果瑞安人

紀大復字子初號半樵又號迷航外史上海人善山水工隸書尤長鐵筆道光辛卯卒年七十

史榮字漢桓一字雪汀鄞縣人善花卉尤精小學工詩文及篆刻卒年七十九

史致謨字彰聖號幹輔陽湖人善篆隸工刻印有雲深處印存

史煥字仲晨吳江人生長京師篆刻上追秦漢不輕爲人作與胡石查相友善年甫三十卒

李流芳字茂宰又字長蘅號香海又號泡庵晚稱愼娛居士嘉定人萬厤丙午舉人工詩善書亦能刻印尤精繪事爲畫中九友之一崇禎己巳卒年五十五著檀園集

李潛昭字海舟明諸生宋丞相庭芝之十四世孫鼎革後隱居黃子湖之野牛灣築斗室以花竹自娛足跡不入城市同學顯貴未嘗通一札素有潔癖長於刻印

著半萬樓史要泡庵樂府印譜共若干卷

李耕隱自號破屋老人維揚人家白門古致蕭然精鑒別好畫竹以印名霸大江南北得漢耕隱章喜其與己名合已得一子毋篆曰李悅已復得一篆曰李尊因以爲其子孫

李榮曾字耕先南通州人其印譜序云其父岑村有城南草堂印譜耕先能繼其家學焉

李根字阿靈又號雲谷居士閩縣人性沈靜愛閉戶獨坐工詩小楷得晉唐遺意畫山水不妄涉一筆尤工刻印頗自矜重不恒爲人作有雲谷堂印譜二卷

李石英字文甫金陵人善治牙印文壽承所作牙章往往出自李手又善雕箑邊所鐫花卉皆玲瓏有致

李穎字箕山海陵人少精篆籀之學嘗攻古金石文多人所未見深思窮研豁然有得故點畫刀法之妙洞擷穿穴人巧極而天工出其性情高澹超然塵俗之外尤不可及觀命名可知其人也

李希喬字遷于號石鹿山人歙縣人長於竹石人物精篆刻鉤勒法帖斲竹鏤刻如寫生稱絕技

李樹穀號東川晚號方翁夏口人乾隆辛卯舉人官祁陽知縣善寫山水寥寥數筆自足生趣篆刻之妙直逼秦漢

李德光字復初號石塘華亭人絕意進取耽玩篆刻鋼玉牙石莫不精妙爲丁龍泓所稱賞

李鏞字山濤嘉興人工畫蘭兼精篆刻有印學集成

李元闓號中泠山陰人與姚江都素修俱受業於師黃之門兩人所刻雖與今之板弱者迥別然不及其師遠矣

李奇昌字若谷嘉興人好學嗜古工篆刻

李崇基字德安若谷子亦工鐵書刀法蒼勁能入漢人之室尤善摹古以所刻雜諸印藪中未易辨也最爲張叔未所稱

李明善工刻印篆摹秦漢刀法入古王彝作印說千餘言遺之

李渫字貫未詳江陰何悔餘栻敘其印譜略云妙斟肥瘦變錯方圓陽紆陰縵左折右旋信能截曼生之腕拍穆倩之肩動則破乎五玉貧不名乎一錢

李汝華號松溪鎮洋人弱齡嗜畫工篆隸精鐵筆

李聘字一徵善隸書得漢禮器諸碑法精於賞鑒兼工篆刻

李弄丸忘其名鍾伯敬云善玉章可媲美鎬臣

李效白原名堃字嘯北儀徵人寫生法新羅山人鐵筆師秦漢金石竹木每奏刀各極其妙

李宗白鳳陽人工山水善篆籀之學尤精鐵筆

李石件楚中人

李溎字稼軒桐鄉人

李瑛字渭珍江甯人

李東琪字鐵樵一字鐵橋長洲人

李合光甘泉人孝威子少工篆籀而隸書尤精孝威工篆隸賞之者謂賢於其父因投筆不書又能刻印

李栩字蝶广江西人工篆刻能攻堅所治晶玉與石章

無異以爲翡翠太燥瑪瑙則堅滑無匹然亦能治之
李宜開字肇叔號鏤雪撫州人以摹篆世其家學有師
古堂印譜五卷
李成字榮舟
李嘉福字笙魚一字北溪石門人精鑒賞收藏極富銳
志學畫曾爲戴文節畫學弟子講求詩律嘗問字蝯
叟篆刻整飭規仿秦漢光緒甲午卒年六十六
李允泉字雲卿號伯濤休甯人嗜古有金石癖偶得文
三橋何雪漁遺印數方發奮治印然不輕爲人作所
藏舊拓善本碑帖甚夥歿後旅橐蕭然盈笥者惟碑

帖印章而已
李輔燿號幼梅晚號和定居士湘陰人以中書改官浙
江博學多才工詩善畫八分尤爲當世所珍工篆刻
然不輕爲人作箸讀禮叢鈔四卷
李慶霄字漢青山陰人治印酷肖秦漢畫學惲東園善
鼓琴且能修補亦絕技也
李繼翔字賓甫華亭人少時穎悟絕人弱冠舉孝廉工
書善詩古文詞篆刻摹秦漢不輕爲人作卒年三十
六其孫名修則號文來篆刻能傳家學
李息字叔同號息霜又號壙廬老人平湖人工書嗜篆
刻中年失恃病狂居恆鬱鬱若有所思因自謚哀公
李二木長沙人性孤癖篆刻超絕秦漢
李鍾字古愚常熟人工篆刻
李巨千嘗爲梁小曙鐫十二硯齋平生珍賞小印筆法
雄健又善奕稱國手周小松巳下一人也
李鍾瑛字潄昌上海人能詩精奕工摹印
李禎字苦李山陰人善畫工刻印均師苦鐵
呂柏庭無錫人
呂留良字光倫又字東莊石門人明儀賓呂熯之孫與
黃晦木交善箸書講學望重一時游隱海昌賣畫及

篆刻自給
褚成烈字蓮生餘杭人性瀟灑不拘於俗髫齡作書卽
秀勁有法於金石篆刻丹青音律靡不精美箸有玩
花軒詩草遊幕卒於皖
褚成憲字孟章號孝矩餘杭諸生其弟叔雲伯約稚昭
孟章宦遊江蘇精篆書擘窠尤精鐵筆性情高亢鬱
鬱以終子德馥字以韋號同堂別號大滌山人亦善
篆刻有父風
褚成棟字松生號梁叔餘杭諸生少有奇氣工詩書畫
似惲草衣尤精篆刻隱於酒壯而不娶嘗假館嘉興

不合拂衣逕去然自此竟不知所終
褚德彝原名德儀字守隅號禮堂别號漢威孟章猗子
精篆刻沈著遒勁筆力横絕
許初字復初一字元復吳縣人官漢陽通判書法二王
尤工小篆莊整而秀兼善印章
許宋字有介原名宰又更名友字介壽亦字介眉侯官
人性疏曠以晉人自命詩文字畫恆多逸致年四十
餘卒
許儀字子韶號鶴影子又號歐公無錫人官中書工山
水人物花鳥蟲魚無不盡善沒骨點綴得徐熙法能

寫照花下印章併以手畫成眞絕技也善篆籀刻印
尤精醫理年七十一卒著有鶴槎詩稿
許容字實夫號默公如皋人官閩中善山水作印上追
秦漢著有說篆印略印鑑谷園印譜韞光樓印譜又
輯篆海數十卷
許奎號西雲嘉善人鐵書蒼勁年五十餘卒
許鉞字錫範歙縣人性穎敏嘗爲幕僚工篆刻規橅雪
漁穆倩修能諸家而能自出機杼脫去作家窠臼
許詮
許士宗

許至字芳墅無錫人善詩精篆刻並習醫恆製丸劑活
貧病者不責其報士大夫多敬禮之
許希仲原名蔭堂字子與一字壽卿號默癡青浦人錢
竹汀壻善書於晉唐宋元罔不蒐討畫於梅菊蘭竹
外間作設色小品逸韻天成又喜作印章硯銘游戲
奏刀神與古會
許光治字羲梅號龍華海甯諸生工書畫篆刻辨別金
石精通漢隸常患王蘭泉金石萃編各碑釋文筆畫
舛譌手摹原刻校勘閱十寒暑已縮臨三冊因病而
輟年四十八卒

許兆熊字黼周光福人
許瓚字玉粲江都人工小篆善鐵筆有鹵亭印譜
許威字子重號鐵珊婁縣人廩貢官歸安知縣搜藏金石
甚富著有碑版目錄古泉錄秦漢印存工篆隸兼繪
蘭偶治印
魯友柏以字行餘杭人分隸蒼古楷書法顏魯公擘窠
巨字尤有魄力旁及圍棋卜筮彈絲品竹靡不精究
嘗於琵琶上手寫琵琶行全篇爲時稱誦喜爲小詩
工篆刻自署風塵逸客蓋紀實也
浦寶春字少篁嘉善諸生畫山水兼刻印章極有功候

惜少神韻殆天分未超耳

杜拙齋葑溪人工分隸藏漢人殘刻極多又善鐵筆性嗜菊嘗乞吳下畫家合寫菊花長卷王惕甫題菊隱二字因自號菊隱散人

杜世柏字參雲自號葭軒嘉定人嗜篆刻研究八體搩討石鼓壁經及各碑版又能鑄銅印直逼秦漢有葭軒印品四卷浣花廬印繩

杜正源

杜聖源

杜超字越倫一字月舲號南岡散人婁縣人究心六書耽篆刻凡秦漢印藪印統宣和印史諸譜搜羅購覓晴窗臨摹深得古法有鏡園印譜及鑑定顧商珍冰玉齋印譜

杜就田忘其名山陰布衣善篆刻私淑撝叔

鄔鎬臣

米漢雯字紫來宛平人順治辛丑年進士書畫仿米南宮工金石刻

底雲字奇峰鹽城人工美術精篆刻

閔貞號正齋南昌人以孝聞工繪事其白描羅漢數亂能眠之眞寄情篆刻專宗秦漢朱竹君翁覃溪極器重之咸有閔孝子傳云

閔澐字魯孫錢塘人善畫蘭篆刻師陳曼生性好交遊座客常滿有漢陳遵之風後卒於滬

惲彥彬字次遠號樗園老人陽湖人善繪花鳥別饒風趣尤精鐵筆然不輕爲人作故知之者絕鮮

阮充字實齋號雲莊儀徵人文達之弟善篆刻箸有雲莊印話一卷

阮常生字彬甫號小雲文達伯子官清河道隸書渾厚鐵筆古雅在三橋修能伯仲之間箸有印譜團雲書屋詩鈔

阮九如儀徵人

阮惟勤字拙叟奉賢諸生官浙江主簿書學顏魯公畫宗米襄陽印摹松雪詩近香山各極其妙

阮銘字石梅儀徵人

阮汝昌字壽鶴奉賢諸生官直隸知府善摹鐘鼎文字家藏比干銅盤治印有漢人風趣

管平原號金牛山人善畫尤精六書箸有金牛山人印譜文衡夫爲題詞

廣印人傳卷之十一終

仁和　葉銘　葉舟　輯

趙孟頫字子昂號松雪湖州人宋宗室幼聰穎讀書過目成誦詩文清遠操筆立就書入逸品尤以書名天下眞行篆隸皆造古人地位刻印與吾邱衍齊名專尚玉筋一洗唐宋陋習至治壬戌卒年六十九謚文敏有印史二卷

趙宧光字凡夫太倉人國學生中歲折節讀書不肯蹈常襲故廬寒山親墓旁手闢荒穢疏泉架壑一時勝流爭造焉所著書數十種尤專精字學說文長箋其

所獨解也能刻印作草篆創古人未有之奇天啟乙丑卒著刻符經刦草篆

趙時朗字天醉休寧人書畫清妙篆刻蒼健嚴緊

趙端字又呂時朗姪亦工篆刻古樸渾雅

趙彥衡字允平漳浦人有巧思能作指南鍼自鳴鐘尤究心西洋算法兼工篆刻能詩

趙煦字笛樓揚州布衣工詩擅篆刻性情古樸終身不娶

趙大晉號夢庵又號夢道人錢塘人生於吳門年甫弱冠即工篆隸及鐵筆

趙野字堯春號雪蘿天津人明經不仕惟以金石刻書自娛其所鐫印稿刀法神似何不違知其於寸鐵中非草草下筆者又工詩著有版屏集

趙學轍字季由號蓉湖陽湖人嘉慶己未進士書學米南宮而上窺顏平原晚年專學思翁戲寫墨蘭篆刻精朱文自謂得沈凡民秘傳恐妨於目三十後即棄去

趙嘉淦字雁湄又字燕謀仁和人工書尤精小楷雖細如麻粟而雍容寬展儼然有搢笏垂紳之度兼善鐵筆竹頭石乳宏我漢京人爭寶之著有閣帖源流考

證四卷

趙完叔

趙祖歡廣東人

趙福字小莊銅山人工詩畫兼善古篆及刻印著有容止齋印譜一卷詩二卷

趙丙棫字芃若號敔拙居士一字仰才山陰人嘗從胡曙湖劉楓山董二樹遊故所學有自工小篆及摹印皆能超出時流尤篤好古書不惜重貲購之

趙之琛字次閑號獻父錢塘人精心嗜古邃金石之學篆刻得陳秋堂傳能盡各家所長曼生首推之阮氏

積古齋彝器欵識半出次閑手寫兼工醫法行楷畫
山水師大癡雲林間作草蟲花卉無不佳終年杜門
棲心內典時寫佛像名其室曰補羅迦室咸豐庚申
年七十餘卒

趙懿初名祖仁字穀庵號懿子錢塘人次閑從子摹印
學陳曼生書亦似之兼工畫梅學金冬心喜飲酒不
治生產流寓江淮鬱鬱不得志以貧死

趙喆字琴士琴川人善書工琴能作印

趙之謙字撝叔號益甫又號憨寮別字冷君亦號悲盦
晚號无悶會稽人咸豐己未舉人官江西知縣於學
無所不窺讀書丹黃爛然書畫奇逸天成刻印窮數

十年之力天資人事各盡其妙光緒甲申卒年五十
六著有二金蝶堂印譜補寰宇訪碑錄

趙榮字子木別字懷公丹徒諸生工山水秀潤尤精篆
刻有研妙室印譜

趙遂禾字稼雲號嘉生又號南徐畫隱子木從子工詩
精篆刻所作花卉筆意秀逸山水規四王嘗游大江
南北名區勝迹靡不周覽故落墨瀟灑令人作志在
千里想

趙果字念因

趙穆字穆父號仲穆毘陵人流寓杭州工刻印幼學吳
讓之後乃追踪秦漢別樹一幟一時從學者甚眾亦
工書有孔廟先賢姓氏爵里印譜

趙怡亭

趙于密字延盦一字伯臧武陵人喜收藏吉金樂石書
籀字畫一經寓目立辨眞贗書法疏秀兼通六法有
石濤遺意隨筆揮灑天趣盎然所刻印章直追秦漢

趙慈垦號岦璺字公顗別號金鷲山民延盦子嗜金石
書畫之學尤癖印每見佳者多方購求或力不能致
則輾轉胸次者累月課餘之暇摹倣古印數十冊以

漢為宗

趙時棡字叔孺甯波人以同知需次於閩收藏吉金如
叔氏寶琴鐘中五父敦蓋漢藍田鐙魏帳構銅等名
其室曰雙弩機篆刻以悲盦爲師

趙石字石農號古泥常熟人吳缶廬入室弟子工篆刻

趙增瑛字仲霍華亭人博學好古所藏金石書畫印譜
甚富能鼓琴篆刻規仿漢印畫仿南田白陽

鮑鑑字仌士善畫梅兼工篆刻

鮑言號聽香桐鄉人淥飲之孫篆刻仿鈍丁具體而微

鮑昆字旭昭餘杭人乾隆己卯歲貢善詩文工篆刻箸

有春江日詠越中懷古諸詩
鮑逸號問梅錢塘諸生性沖澹不求仕進與湯雨生陳
曼生趙次閑吳平齋諸君遊工書善畫梅兼精鐵筆
藏有東坡讀書堂銅印
鮑衡字逸農歙縣人收藏金石牌版甲於東南工小篆
喜治印藏有安素軒石刻
鮑康字子年歙縣人箸有觀古閣泉說
鮑存叔
鮑濬字汝舟秀水人
鮑天成

保時字升甫通州人性高潔沈酣子史善詩畫工六書
尤精篆刻作古文碑記磊落不可一世箸有逋園集
梅花吟
保逢泰字極蟠號仙巖通州人善寫生尤長蝴蝶未冠
即工篆繇鐵筆有仙巖詩鈔
左亭字筠溪江甯人善八法工六書尤精篆刻嘗客汪
秀峰家
馬思贊字仲安又字寒中號衎齋又號南樓海甯人工
繪事精篆刻有衎齋印譜五冊朱竹垞跋箸道古樓
藏書目道古樓歷代詩畫錄寒中詩集

馬麟字生白仁和人
馬駿字西樵山陽人
馬德澄字若水號雪林山樵平湖人精書畫篆刻之學
馬惟陽字嶧桐號秋客海甯人能詩工篆刻有洗硯詩
稿紅葉山房文稿石居印略
馬咸字當洲號澤山平湖人工山水兼南北兩派仿小
李將軍尤渲染工細兼工繆篆精小楷凡番舶入市
必購其畫以歸
馬文煜字起留吳江人工書畫篆刻兼精醫
馬俞字芴堂號附飛善治銅印

馬行素字稼儒晚號南漁讀書好古精於篆刻
馬子高
馬拱之字頡雲
馬棠字燮南山陰人
馬衡字叔平鄞縣人工八分書喜刻印收藏書畫碑版
甚富
賈栖
蔣仁號山堂原名泰字階平於揚州平山堂得古銅印
曰蔣仁之印因易名又號吉蘿居士女牀山民仁和
布衣工篆刻與丁龍泓黃小松奚鐵生齊名行楷書

尤佳彭進士紹升推爲當代第一手阿林保官運使
時延之入署偶書蘇詩有白髮蒼顏五十三之句遂
以病歸乾隆乙卯卒年適符其數

蔣元龍字乾九一字雲卿號春雨秀水人篤學嗜古工
詩文精賞鑑究心金石書畫出其餘技寄興鐵筆喜
用釘頭隨意鐫刻不假修飾頗饒古趣蓋私淑丁龍
泓者嘉慶己未卒年六十五

蔣宗海字星巖號春農丹徒人乾隆壬申進士工古文
及漢隸精賞鑑善畫篆刻文秀精雅頗得漢人遺意

蔣開字徑三號夂壺海甯人工書法精篆刻著有西園

草堂印譜夂壺吟稿

蔣確字叔堅號石鶴松江人專畫梅兼工鐵筆光緒己
卯卒年四十二

蔣田字稻薌浙西人工書畫精篆刻蒼勁古逸不趨時
好八十餘猶能作巨幅山水魄力雄厚蒼莽中具挺
秀之氣

蔣節字幼節上海人工詩善八分精篆刻受業莫子偲
又能作花卉疏秀有致

井玉樹字丹木號柏亭文安人博覽羣書工八法精篆
隸善山水有柏亭鐵戲印譜

耿葆淦字介石華亭諸生豪放好騎自幼好刻印弱冠
遊庠橐筆遊四方傭書自給後入都爲人稱賞

歐龍光字劍客龍津人

鈕福疇號西農烏程人家素封而雅嗜篆刻收藏尤富

鈕樹玉字非石吳縣布衣往來齊魯吳楚閒性嗜縹緗
好校讐攷訂遇有碑版精拓及舊書善本必傳錄而
藏弆並通音律尤工小學旁及刻印著有說文新附
攷說文段注訂

鈕承慶字小雲號小蘿吳興人

沈遴字逢吉婁東人工刻印一以和平爾雅出之而又

不失古法故世極推重之

沈世和字石民常熟人工書畫而於刻印尤三折肱焉
一以國博爲宗驅刀如筆故能名重一時

沈野字從先吳縣人著有印談其略云昔居斜塘一載
此中野橋流水陰陽寒暑多有會心處鉛槧之暇惟
以印章自娛每作一印不即動手以章法字法往復
躊躇至眉睫間隱隱見之宛然是一古印然後乘興
下刀庶幾少有得意

沈萊字殿秋號瘦沈華亭人工書善篆刻寫山水筆意
挺秀性疎冷不耐治生産亦不喜通賓客居恆相識

者或投以尺縑片石往往庋閣多時難得其奏刀揮
翰故其藝之精即在同郡人知之者亦罕

沈樹玉號蓬夫杭州人善花鳥鉤勒及細輭設色極鮮
麗翎毛不特得飛翔之態而且曲盡飲啄神情兼工
篆籀客都門乾隆丁未歲召入南薰殿寫鶺鴒百隻
宛然如生

沈鳳字凡民號補蘿江陰人官南河同知虬髯古貌廣
顙方頤世人稱為古君子受書法於王虛舟淹通博
鑒工鐵筆善山水自言生平篆刻第一畫次之字又
次之畫多乾筆嘗臨倪元鎮小幅鑒者莫辨有謙齋
印譜二卷乾隆某年卒年七十一

沈心字房仲號松阜仁和諸生性落拓不事生產精篆
刻圖繪旁及星遁卜筮脈訣葬經無不洞澈而尤精
於詩著有孤石山房集

沈皋字聞天歸安人生而警敏絲竹篆刻無不精妙其
刻印尤工白文絕類何雪漁蘇明氏有六泉印譜四
卷

沈世字卜周又字瘦生錢塘人世為伍伯賦性孤介無
塵俗氣於古文篆籀源源本本頗為淹貫所作印蒼
秀淳樸七君子不以身賤而輕之

沈祚昌字秉時原名御天自號虹橋居士吳縣諸生嗜
古文研討六書究心碑版金石篆刻蒼秀雅勁深得
古趣詩及漢隸楷書靡不精美有虹橋印譜

沈承昆號硯亭烏程人世世力田讀書硯亭則兼習丹
青篆刻頗能深入堂奧然自矜貴不輕為人作又能
絲竹管絃彈棋六博性兀傲不稍入時落落以終古
所謂獨行君子也

沈剛字心源號唐亭又號唐堂婁縣舉人山水宗王時
敏尤善蘭竹間作小印亦秀勁

沈潤卿長洲人嗜古甚篤工摹印嘗摹孟思所未見之
漢印若干與孟思所摹者併列入譜焉

沈淮字均甫號貽簪桐鄉人官山東知縣工刻印與郭
友三刻者甚夥

沈遴奇字子常一字觀侯號章谿慈谿人工書尤精篆
印深得梁幼從法

沈翃字映霞昭文人善畫菊工琢硯鐫印及草書尤愛
鼓琴詩宗唐賢尤工五絕

沈賓字永嘉號雪齋仁和人精鐵筆善蘭竹工書法

沈鶴生漳海人工刻印與黃子環齊名

沈學之上海人工篆刻文秀嫣潤張膽園嘗摹仿之

沈道腴字淡庵嘉興人工詩兼篆刻善醫

沈工字康臣書法王柳顏歐鈞畫摹脫盡變極神旁通篆籀偶刻行為印記士林寶之

沈伯蔡長洲諸生善漢隸精篆刻室人湯坤善畫蘭人稱雙絕

沈千秋

沈六泉字竹溪烏鎮人

沈慶餘字子雲錢塘人

沈沅字芷庭石門人鐵筆蒼古秀勁得何雪漁遺書

沈松年字季申號紀子平湖人精寫眞工山水及篆刻又能仿鐫古鈕

沈愛蘐字琴伯淡庵子工篆刻出入秦漢古雅渾厚專講奏刀其邊欵必署明用單刀法或用舞刀法之類亦創例也馮柳東太史跋其卍雲小築印譜云詰曲參差漢印之妙訣也鈍丁不得專美夾閉何論焉其推重如此能詩善醫

沈壬字斯立工隸書及篆刻

沈國淇號少石秀水諸生善詩詞精篆刻

沈石泉秀水人失其名能篆刻蚤卒

沈近光字石甫嘉興諸生書行草峭拔喜畫工篆刻咸豐庚申全家殉難僅與其幼子偕遁轉徙他郡窮餓以死

沈錫慶字咸中號秋繇後改名桂銑詩文妍麗眞隸書俱工整尤精篆刻

沈雷字簣溪善隸書工篆刻不能家食遠遊作客九峰三泖間多攬環結珮之好

沈兆霖字尺生號朗亭又號子菼錢塘人道光丙申進士官陝甘總督贈太子太保諡文忠博通經史工詩古文旁及篆隸刻印奕棋子平無不通曉

沈振銘字藕船石門人自號稞兒鄉農擅長花卉翎毛山水墨法蒼潤極見工力書摹董文敏頗得神似工

詩精篆刻所作黃楊木章為諸名流推重

沈湄字少潭

沈忠澤字瘦棋號靖卿錢塘人游寓成都年未弱冠印學有成凝勁工秀兼鄧浙二派之長後乃進而愈上直入秦漢之室刻牙印尤工有壯泉簃印譜蜀多古物靖卿尤癖嗜古泉嘗得新莽壯泉四十眞品因以為名也

沈乾定字健石長洲人

沈銛字元咸號誠齋婁縣廩貢工山水得天眞爛漫之

趣刻印亦然著有阿蘭那館印草十二卷
沈岸登字覃九平湖人性恬淡工鐵筆詩詞書畫皆精妙有墨蝶齋詞
沈宗昉字寄凡山陰人工篆刻
沈寶柯字伯珊桐鄉人
沈淸佐字右岑號篔村歸安人
沈冄書字笛漁山陰人
沈唐字雪廬吳江人工山水花卉亦善篆刻
沈拱宸字春江婁縣人淸貧力學多才藝尤工鐵筆
范永祺字鳳頡別字莪亭鄞縣人乾隆丙午舉人工篆隸及刻印所藏明代名人尺牘甚多足資掌故
范安國字治堂廣陵人僑居秀水天資穎異博學多通旁及操琴彈棊寫生八法風鑒堪輿方診六微河洛推步莫不悉心研會其鐵筆尤與古合卽專門名家不能過也
范摹字行式涉獵經史善詩歌多藝能於書畫刻印奕棋無不精通凡金石款識篆刻書畫皆能別其時代定其眞贋
范業字立芳沈虹橋弟子能傳其業虹橋歿後立芳爲之輯虹橋印譜傳世

范穎字若傾仁和人
范濳夫
范西漢
范風仁號梅隱嘉興人寄居笠澤工畫梅自號梅影其篆刻尤精古
范松字守白山陰人善山水工草聖精刻印

廣印人傳卷之十二終

廣印人傳卷之十三

仁和　葉銘　葉舟　輯

宋珏字比玉自號荔枝仙莆田人流寓金陵山水脫盡畫史習氣寫松尤秀工八分善摹印後人稱爲莆田派海甯周春論印詩云聞說莆田宋比玉創將漢隸入圖書

宋思仁字藹若號汝和長洲人好鑑古精篆刻多蓄古印章成印譜詩有藁餘存藁廣輿吟兼通星卜堪輿年七十八卒

宋聖衛字蘅園商邱人工篆刻與李光耀合刻雙松閣印譜汪容李文㸌爲之序

宋葆淳字帥初號芝山晚號倦陬安邑人乾隆癸卯舉人精金石考據之學性傲岸不羈官解州學正年餘即告歸游迹半天下所至以詩畫名善山水筆意奇恣兼南北兩宗得元人古趣書法唐人亦遒樸可愛嘗於王福庵齋中見芝山刻印數方超邁絕倫故知其能篆刻也

宋寯字人龍高郵人嘗以徑寸壽山石摹禊帖筆意工緻幾欲駕玉枕而上之

宋心芝失其名台州人性喜搜羅古甎工篆刻與許鐵山友善著有瓴甋錄四卷

宋侃字竹亭高郵人刻有積古山房印譜奏刀運腕綷有慧業同里王石臞夏濟人敘而行之其族人實甫中翰亦深篆隸之學

季開生字天中泰興人順治己丑進士少時輒喜臨仿宋元名蹟後游蘭溪覩富春嚴灘之勝故邱壑深邃大得子久三昧又喜治印

季厚燾字瀛山江陰人善山水精鑒賞富收藏金石書畫工治印

費錫奎字亦洲石門人

費皡字太初治印兼善狂草

費淞字小漁號菊壽華亭人少好弄弦曲擅山水花鳥雖淡墨簡筆而氣韻沈厚並嗜治印惜未永年

費成霞字孫裳鐫石印及各器箴銘工雅絕倫

費硯字劍石華亭人工篆刻能詩善畫有蟫廬印存

費源深字潤泉劍石姪孫早歲能文亦嗜篆刻

魏植字楚山一字伯建莆田人

魏閬臣號又虞桐城人刻紫檀黄楊印甚工緻

魏兆琛字璇叔錢塘人咸豐辛亥副貢得其世父午芋之教詩學頗深工書善篆刻時譽日起辛酉城陷後

遊於山陰之下方橋壬戌春以病沒

魏本存字道門又字稻門號性之錫留于仁和諸生官福建縣丞家學淵源夙工楷法時趙撝叔在閩書宗北魏及刻印頗得其傳尊甫稼孫所編績語堂金石文字性之摹寫登木絲髮不走傳布藝林足承先志家貧母老急於祿養年才四十卒於閩

魏耆字綱紀湖南人

顧瑛別名德輝字仲瑛號金粟道人崑山人年三十始折節讀書舉茂才署會稽教諭辟行省屬官皆不就以貲雄吳下所居界谿別業名玉山佳處集四方文

士相與歌詠篇什其後更名完璞所著詩曰玉山璞槀洪武二年卒年六十

顧藹吉字畹先改字天山號南原吳縣人以貢生充書畫譜纂修任儀徵教諭精繆篆工分書兼長山水著有隸辨

顧聽字元方亦字元芳吳門人性好潔室中器具皆有別致其刻印直接秦漢意欲俯視文何

顧光烈字開周號楓林錢塘人幼即研究六書篆刻凡有所作務取合古故求之者不可驟得

顧苓字云美又號濁齋居士吳縣人負奇癖自闢塔影園隱於虎邱工書留心漢隸凡漢碑皆能默識作印得文氏之傳吳中印人多宗之

顧樸字筑公一字山臣又字琢公錢塘人立品高迥不屑類從流俗作印恥雷同不輕視人故流傳甚稀

顧貞觀字華峯一字梁汾無錫人官中書以理學文章世其家文藝棋酒無不勝人戲爲圖章遂臻妙境其營捄吳漢槎一事風義卓絕古今著有楚頌亭詩文集屆從詩纑塘集清平遺調彈指詞唯彈指詞有刻本

顧文鉷字蘆汀長洲人精鐫刻

顧奇雲

顧亓山

顧藩字六雲湖州人

顧汝修

顧溥字子將錢塘人

顧湘字翠嵐號蘭江常熟人喜治印集有小石山房印譜

顧元成號松谿吳縣人秀野後人篆刻秀整尤工牙章

顧蕙生號竹琦無錫人工詩精篆刻

顧振烈字雪莊昭文人善山水工篆刻其畫中每作草

房三間人謂之顧三間云
顧仲清原名康孫字咸三又字閑山號中村又號松壑
處士嘉興人善丹青以畫蝶擅名時稱爲顧蝴蝶又
善篆刻師法徐士白
顧超字子超華亭人工詩善畫兼精篆刻
顧恩來原名鳳起字竹賢仁和諸生性嗜飲而豪以筆
耕爲諸侯上賓善鐵筆工八法
顧有凝字▇奉賢人工書善篆刻深得古趣與鞠石
農相友善
顧祖詒字訒孫吳縣人篆刻宗浙派

傳山又名眞山初字青竹尋改青主又字僑山別號公
之他亦曰石道人又號嗇廬太原人康熙己未薦舉
鴻博未與試授中書工詩文善畫兼長分隸尤精篆
刻收藏金石最富辨別眞贋百不失一稱當代巨眼
箸有霜紅龕集康熙庚午卒年八十二
傳潛字麗臣山陰副貢篆刻有漢法書學蘇長公更善
山水
傳孔彰山陰人
傳雲龍字懋垣德淸人直隸候補道工文詞通小篆亦
工刻印箸有日本金石志

傳沅字香泉
傳萬字一凡南皮人精治印兼刻竹木
計芬初名煒號小隅又號儋石秀水人
衞聞遠字承芳中州人有存古齋印譜專用薤刀法不
下二百方均摹昔人詩句及成語間架之妙無能過
之
衞鑄字鑄生常熟人工書兼治印
桂馥字未谷又號濆井復民曲阜人少嗜小學研究八
體源流寄興鐵筆慨摹印一燈欲絕謬傷日多作繆
篆五卷存印學一線又撰續三十五舉補吾子行之
不及爲文何功臣嘉慶乙丑卒年七十

厲小庵揚州人
厲良玉字蘊山錢塘人工刻印
賴熙朝字得位汀州人
蔡泳字珠淵號一帆金壇諸生篆隸眞草皆精刻印尤
工絕似雪漁三橋諸名手乾隆己丑庚寅間卒年幾
七十
蔡召棠字聽香震澤貢生晚年謁選爲廣文博學多能
畫法挺秀兼善隸古所用印章皆自製精雅絕倫
蔡振龍字海瀾仁和諸生喜吟詠精篆刻好摹鐘鼎文

字有神似處以攻苦得疾甫弱冠卒

蔡照原名照初字容莊蕭山人善刻畫金石論者方之

新安黃君蒨旁及碑版竹木罔不精妙任渭長所繪

列仙酒牌君手刻也其奇巧工細有觀止之歎

蔡雲字鐵耕元和人工篆刻嗜古錢著有癖談

艾顯字無山嗜奇若鶩尤癖於金石篆籀力抉根荄獨

游繩契避囂入桃源深谷誅茆架屋插槿編籬署曰

石耕小隱性孤岸局戶不與世接上溯金石之傳自

斯冰已還不絕如線先生獨深入篆室與古相見匪

人力矣

蒯增字小亭吳江人治印刻竹皆得天趣性極脫略

蒯文馨字韻春揚州人篆隸法鄧完白與蕉庵齊名時

稱二蒯

戴啟偉字士奇號友石休甯人嗜古好學以所摹秦漢

元明及自刻印集成一百名曰嘯月樓印賞七卷

戴厚光字滋德號花癡休甯人工詩善山水人物花鳥

考究六書仿古秦漢印著有花癡印鏡江湖賸集

戴熙字醇士一字蒓谿號鹿牀錢塘人道光壬辰進士

官兵部右侍郎詩書畫並臻絕詣偶亦作印頗有古

趣山水尤兼董巨之長咸豐庚申杭城陷殉難年六

十贈尚書謚文節有習苦齋集

戴以恆字用柏錢塘人文節從子山水得文節正傳與

楊伯潤張子祥齊名從學者百餘人遠至日本朝鮮

皆願執弟子禮來見其名重海外如此風工刻印然

繪事雲涌無暇為人作也著有醉蘇齋畫訣光緒辛

卯卒年六十六

戴並功字行之上元人腕力甚健能以寸鐵刻玉如畫

沙常有人以碧霞玭小印屬刻眉語樓三字刻成語

人曰世間最剛之物恐無逾此周存伯鑄鐵笛一枝

行之為刻龍腸二字以鐵刻鐵不覺其難也

戴滄林號景遷蘇州人喜金石書畫善刻古篆藏舊磁

器尤多金石家之巨擘也

戴書齡字文圖大興人善書精小學工刻印

印學禮字日庭又號茅齋嘉定人工吟詠善書法究心

摹印之學所製多天趣

萬壽祺字年少彭城人為人風流豪邁傾動一時滄桑

後冠僧冠衣僧衣自名明志道人沙門慧壽癖嗜印

章精六書作玉石章俯視文何一一精好對客每自

摩挲愛護如頭目云

萬光泰字循初號柘坡秀水人乾隆丙辰進士薦試鴻

博工山水尤精篆刻兼精周髀之學工詩有柘坡居
士詩集箏莊印樸

萬允誠鄞縣人善書工篆刻

萬承紀號廉三字曙五南昌人以明經佐楚戎幕頗箸
猷略後官南河同知山水仿小李將軍篆書有石鼓
繹山遺意作印似雪漁不違道光丙戌卒年六十一

萬青選字少筠承紀孫工篆刻

邵光詔號飭益山人師事程松益工篆刻

邵潛字潛夫自號五岳外臣通州布衣漁洋詩話云邵
潛萬厤間詩人錢牧齋亟稱之性孤僻僑居如皋年

八十餘池北偶談云邵潛夫性傲僻不諧俗人多惡
之所箸友誼錄循吏傳諸書多可傳者陳其年云古
今文人多窮未有如邵先生者聽其言愴然如劉孝
標所自序云有皇明印史四卷

邵詠字子言號芝房霑白優貢官曲江訓導山水倣黃
鶴山樵能詩工篆刻

邵士燮字友園號范村又號桑東園丁蕪湖諸生工詩
善分隸篆刻尤嗜畫

邵士賢常熟諸生性兀傲嗜金石受業趙次閑印宗浙
派不輕視人

賀千秋著有印衡董文敏序云昔顧氏印藪不如今之
印衡印衡雖一家之書具有血氣印藪則百補之衲
都無神明

賀緒仲海鹽人善晶玉印

賀萬統平原人

謝杞陳繼儒妮古錄杞能刻印章元貞錢翼之有二私
印爲吾衍所篆而杞刻之翼之特識於衍手蹟後焉

謝廷玉字雪吟金山人好以水墨寫生仿米氏雲山世
多珍之尤工篆刻

謝黃山新安人工刻印汪淇尺牘新語陸敏樹云手筆

逼秦漢晶玉尤絕

謝庸字梅石吳縣人楊龍石高弟工篆刻尤善鐫碑爲
吳中第一手有梅石盦印譜

謝修曾字省三一字東石山陰人工詞翰尤善屬聯又
精鑒別富收藏善行草得十七帖法隸學禮器篆刻
仿曼生專用切刀別具一種逸趣惜不多作

夏儼字守白秀水人能詩工鐵筆又善仿製古硯箸寒
碧齋集桐下雜鈔茗譜畫眉譜

夏允彝字彝中華亭人弱冠舉於鄉好古博學工屬文
是時東林方講學蘇州張溥楊廷樞等慕之結文會

名曰復社暇時偶作印章

夏一駒字昂千江陰人箸古印考略一卷

夏寶晉字玉延高郵人以孝廉官刺史精於篆刻兼長倚聲箸琴隱詞

夏鸞翔字紫笙錢塘諸生官光祿寺署正性穎悟善詩文旁及音韻天文卜筮星命績事篆刻皆究其奧

夏麟字梅生

夏龍字悅周華亭人其族兄桂甫工山水花卉間嘗從事鐵筆每一印成必摹仿之久之所造日深遂得盛名

夏孫穡字稻孫江陰人廣搜金石極工篆刻

夏鑄字丙尊號悶庵又號夏蓋山民上虞人自幼穎悟及長嗜古久與石禪游間亦從事篆刻

華半江無錫人精大小篆兼精鐵筆其論篆云流弊至草篆識者心所鄙守正不徇人汲古搜根柢秦漢印歌云纖綺怪僻非康莊數語盡之

華學本字道生號惺子仁和諸生工篆刻

華復字松庵號无疾錢塘人錢叔蓋弟子所作能似其師人莫能辨庚申之亂叔蓋闔門殉難松庵挾其次子式出得不死人以此義之

況祥麟字皆知號花矼桂林人嘉慶庚申舉人砥行劬學年開九秩猶能伏案精篆籀六書之學間作印章蒼勁入古箸有經述四卷六書管見二十卷紅葵齋詩四卷

況仙根初名桂本以字行號幼棋自號味道人花矼孫玉棋詞人之從兄也廩生官昭平訓導篆摹彝器款識蘇學禮器史晨精研刻印媲宗秦漢鐵綫滿白尤所擅長

上官周字文佐長汀人工詩精畫兼善篆刻所交盡當世名士每遊歸題贈盈帙與查愼行黎士弘尤善箸有晚笑堂詩集畫傳印譜

鄭基相字宏祐歙縣人印章得何氏之傳隱於秦淮挾技不肯示人竟以貧病終

鄭梁號禹梅又號寒村慈谿人黃梨洲弟子以篆刻名善山水暮年右臂不仁以左手刻印作畫尤饒別致有曉行詩最佳人呼爲鄭曉行

鄭基成字大集號東江長泰人遷居青浦性耽金石文字窮岩絕壁披榛剔蘚手自摹搨證以志傳以故篆刻私印字字師承秦漢有花甲壽言印譜二種

鄭際唐號雲門侯官人早入詞垣暇喜摹印箕穿六書

覃思研精章法刀法文秀絕倫

鄭燮字克柔號板橋興化人乾隆丙辰進士官濰縣知縣書有別趣善蘭竹印章筆力樸古逼文何有手書板橋詩鈔行世

鄭錫字彝章號雲叟山陰人年三十餘始折節讀書潛心小學精篆隸工刻印好畫能詩嘗遊京師買朝鮮布為衣人稱鄭布衣

鄭簠字汝器號谷口上元人以八分擅名又能刻印康熙甲戌卒

鄭之鼎字台軒工倚聲得兩宋風格同時維揚以詞鳴者秦玉笙王寬甫周雨窗夏瘦生周筱雲數人而已台軒尤精篆刻用筆雅秀

鄭埴

鄭公培字子元號葭村善篆刻徐貞木弟子有印譜

鄭魯門濟甯布衣精鐫刻手摹秦漢官私印五百種幾欲亂眞

鄭家德字叔彝號樵龕泉唐諸生中年作客維揚精岐黃術酷嗜倚聲金石篆刻之學力追秦漢所鐫款識喜效悲盦時作漢碑額文獨饒古趣著有樵龕印存

孟毓森初名金聲字玉笙又號玉簫甘泉人工鐵筆山

水尤妙庚戌游袁浦寓普應禪院一日晨起沃盥甫畢無疾而逝

鄧渭字德璜號雲樵山人嘉定人善鐫印章筆筒臂閣得羊欣法顧性嗜酒非極乏之時不輕奏刀以故人甚珍之

鄧承渭字定丞江陵人工書畫篆刻喜收藏金石字畫有石濤和尚戴文節畫冊皆精品

鄧琰字石如懷甯人以字行更字頑伯又號完白山人少丁書嘗客江甯梅鏐家得縱觀秦漢已來金石善本每種臨摹各百本曹文敏稱其四體書皆爲國朝第一工刻印出入秦漢各碑而自成一家世稱鄧派嘉慶乙丑卒年六十三

鄧傳密原名尙璽字守之號少白完白子敦樸能詩篆隸有家法同治庚午卒年七十餘

繆日湆號貫谷又號熙熙生秀水人善畫工篆隸飛白鐵筆寫眞尤得曾波臣法喜畫桃花有繆桃花之稱

繆元英字侶峯原名綏武嘉興人工詩及八分愛江南鄭簠筆法晚年態益秀潤兼善篆刻有髻山樓集

壽季眉

廣印人傳卷之十三終

仁和　葉銘　葉舟　輯

陸天御字漢標鹿城人工刻印能運以己意而復妙得古人之意

陸惠字仁父仁和人

陸鼎字子調號鐵簫吳縣布衣詩古文辭靡所不工精篆刻擅山水花鳥人物性嗜酒酒酣談鋒風發不知者以爲狂也

陸焜字復華號吟竹太倉人工篆刻書宗吳興善畫蘭竹究心岐黃箸有吟竹齋詩草

陸雋字升璜仁和人能詩工篆刻

陸擎字子安玉溪人

陸霣東字融伯德清人有陸隲文印譜

陸學欽字子若太倉人嘉慶庚申舉人書從晉人入手後乃出入唐宋諸家尤喜學米南宮畫則專法元人旁及篆刻圍棋撥絃擫笛諸技靡不精絕有蘊眞居集

陸繩字直之號古愚吳江人幼工篆隸直追古人善刻金石款識晚居蘆墟道光辛巳卒

陸元珪號瑤圃青浦人精鑒古工詩詞篆刻善寫蘭蕙師衡山古白意氣豪邁座客常滿眞率弗尙虛禮酒後高歌屋瓦爲震

陸鳳墀字芝山海鹽諸生工分隸精鐫碑版過雲廔石刻皆芝山一人手筆

陸泰字岱生長洲人擅篆刻繼楊龍石而起爲吳中名手尤善岐黃

陸廷槐字花谷號蔭亭笠澤人有問奇亭印譜四卷

陸安清字似梅嘉興人官長蘆運使亦能刻印

陸費墀字丹叔一字頤士號頤齋晚號吳涇灌叟桐鄉人官至侍郎罷歸自幼讀書即寄興丹青究心篆刻

深入古人之室有頤齋賦稾枝蔭閣詩文集

陸費[illegible]字孝青丹[illegible]同治間客河南[illegible]工篆刻尤精署款書學趙文敏

陸費垓字頌陔號蓮龕桐鄉諸生善篆隸精鐵筆不拘成法別創一格

卜暢昌言字筠庭復姓也秀水諸生治印直窺秦漢渾雄雅健一洗姿媚之習惜不永年留傳極少

祝潛原名翼銘字兼山又字紉三號野亭長又號初陽山人海甯人少有孝行張楊園極重之家貧隱居以篆刻名有初陽印譜竹垞爲之跋後

祝翼艮字漢師嘗自刻一印云百八峯間祝埜老行十八名翼艮字漢師自號識字農有髮頭陀澹道人二十八字康熙雍正間與兄兼山均以篆籀名於世又雜取字之有關於漢師二字者更仿古各爲百印名自娛集

祝昭字亮臣當塗人工畫能詩善八分彈琴鐫刻莫不精絕

祝同治字杏南錢塘人精治印

祝有琳原名震字靖叔號玉生又號吟廬海甯增生詩詞書畫皆有聲尤工鐵筆挾技走四方率不偶年甫强仕侘傺以歿

濮森字又栩錢塘人工刻印專宗浙派秀逸有致不輕爲人作

鞠履厚字坤皋一字樵霞又號一草主人奉賢人夙耽六書尤精摹印箸有印文考略一卷坤皋鐵筆二卷

鞠曜秋字石農奉賢諸生工漢隸兼精篆刻嘗師事山左史兆珽盡得其傳

郁石麓

畢宏述字既明號念園歙縣人後遷海鹽能詩文工書印章棋畫靡不精妙冠時篆隸尤直逼秦漢嘗手寫六書通篆文以行

畢星海字崑圃宏述孫歲貢生善屬文兼工篆隸鐵筆箸有六書通摭遺

岳高原名載高號雨軒歸安人世業醫暇輒棲情篆刻規摹秦漢偶亦作畫有雨軒小稾

岳鴻慶字餘三嘉興諸生工鐵筆與曹山彥齊名喜吟詠結社唱酬晚年專集唐人詩有餘三集

屈培基字子載號元安昭文人嘉慶戊午副貢淹雅能文性孤癖有古畸士風工篆隸楷法精鐵筆畫山水竹石無所師承匠心爲之皆合古人矩矱

屈頎滿字子謙號寅甫常熟人生有夙慧數歲能作擘窠書畫山水花草竹石涉筆入古工行草篆隸善鐵筆能吟詠好古琴凡所肄習過目即能惜早卒

葛定功字城武海甯人有種瑤居士印譜二卷郭濬序張燕昌古印品所列又有懶庵印譜

葛潛又名起字振千號南廬華亭人有印譜朱竹垞爲之序末云予見葛氏之譜凡攻乎堅者益工深合夫秦漢之法獨有會於心而序之也

葛洪業原名覃字方夏海鹽人工詩文精篆籀行楷不輕落筆鐵筆得漢刻精意有無隅館集

葛師旦字匡周號石村寶山人工山水精篆刻通陰陽
地理博學多能詩亦清遠性澂淡非素交不易致也
葛繼常字奕祺號莘南海甯諸生精堪輿工篆刻善山
水嗜金石見必手拓
葛唐號西槎崑山人工書法善篆刻畫花鳥學南田忘
庵兩家筆意疏老設色明豔
葛問源奕祺子能書畫篆刻
葛元煦號理齋仁和人少工篆隸不輕以酬應家藏書
畫甚富嘗輯刻叢書兼擅鐵筆
葛同原名起同字青伯通州人邃於金石之學篆隸行

楷近魏晉人筆法工刻印年逾而立遽歸道山
薛居瑄字宏璧其先晉江人後籍侯官工刻印直入秦
漢人室
薛銓字穆生宏璧子侯官諸生其癖印章一似宏璧世
有羲獻之目
薛龍光字少文上海諸生工詩文精摹印得秦漢法有
玉屏山房詩選
郭啟翼字鳳舉號蓮溪濰縣人工刻印有松雪堂印萃
郭紹高號憩仙自號棄翁吳縣人工八分能篆刻專尚
工整製鈕尤精

郭麐字祥伯號頻迦又號白眉生一號蘧庵居士芋蘿
長者吳江諸生書法逼似山谷工篆刻最後畫石又
畫竹詩人之畫偶一爲之刷有天趣著有金石例補
靈芬館詩集詩畫詞集雜著蘅夢詞道光辛卯卒年
六十五
郭以慶號怡雲華亭人有方竹居印草姜皋文小枚爲
之序
郭允伯關中人有松談閣印史
郭雲村精篆刻有聽鶴廬印譜松江張子白若采題詞
云勝事傳來煮石農雷同腕底破春風郭香香察從

人辨家世曾窮汗簡工劉菉不是無奇字擿扃還須
悟上乘何日秋窗同聽鶴翦燈重與話斯冰
郭上垣號星池嘉興諸生擅篆刻師曹山彥得其神髓
惜年不永其名未張
郭偉績字芸亭濰縣人
郭家琛字碩士海甯人精繪事工刻印受業於戴用柏
之門
郭鍾嶽號外峯揚州人官浙江同知工詩詞能鼓琴及
刻印書法各體皆妙著有蘇天倪齋詞譜二卷東甌
竹枝詞百詠東甌小記一卷

郭似壎字友柏號季人一號寄純秀水人工人物花卉
及篆刻頗自矜貴不輕奏刀箸有續藝林悼友錄
郭藺枝字起庭寄純次子書畫篆刻皆得力於庭訓
鄂曾字幼輿仁和人本姓岳宋武穆王之後躭吟詠工
篆刻
郝瑞侯
迮朗字輝庭號卍川吳江諸生善畫工鐵筆私淑張雨
亭顧云美陳山陽一派有印譜箸繪事瑣言八卷
石韞玉字執如號琢堂又號竹堂吳縣人乾隆庚戌狀
元官山東按察使歸田後閉戶箸書謝絕塵綱偶弄
鐵筆亦古雅如其爲人擬其品在穆倩年少之間箸
有獨學廬詩文集道光丁酉卒年八十二
石渠字西谷歸安人善分隸
石麒號巽伯又號容卿吳縣人幼嗜篆刻嘗游屠琴隖
之門得見古名家手迹故落筆不俗喜摹書畫金石
文字於竹木器皿之上亦精雅可愛
柏樹琪號玗林海昌人讀書外紛華無所鶩以其餘力
吟詩作畫摹印訪碑搜羅既富拓室儲之顏曰四癖
翟漢生字容清號岸舫涇縣人敦篤孝友且耕且讀不
慕榮利究心六書尤善刻印箸有岸舫詩鈔語古堂

印存
翟賞祖號戀齋容清子天性渟樸能讀父書亦工鐵筆
弋中顏字右度平湖人工二篆精印章
葉森字景修錢塘人早歲從吾子行游古文詩歌咸有
法度箸有漢唐篆刻圖書韻釋
葉承字子敬號松亭雍正甲辰進士官常山知縣品性
敦樸學問淹雅工書尤善小楷寫山水極韶秀善刻
印遒勁古茂然不苟作
葉煥字士和號華岳山人上虞人精石鼓斯籀大小篆
文鐫刻銅石印章古雅絕倫見者莫不疑爲秦漢間
物奕棋亦工
葉廷琯號調生又號苕生自號龍威鄰隱吳縣人工鐵
筆蒼勁可愛嘗論歷代印學原本本碑見洽聞箸
有吹綱錄鷗陂漁話間涉印故
葉熙錕字匀丘歙縣諸生精醫學尤工鐵筆有說劍庵
印存學漢印存各四卷
葉錦字魏堂嘉定南翔鎮人有古猗園在鎮西極池亭
水木之勝本李浥庵別業後歸魏堂有澄懷堂印證
葉伯武熙錕子以孝廉仕江蘇工詞翰能製印
葉日就字未詳南匯人書法趙承旨尤工篆刻

葉筠潭

葉羽遐蘇州人與葉四可合作名山堂印譜

葉桂字天池蘇州人

葉德榮

葉原新都人

葉鴻翰字墨卿號硯農永嘉人天性孝友喜吟詠工篆隸精治印有榴蔭山房印譜

葉德堉字小漁號簡庵爲余族叔祖工書兼刻印

葉希明字璋伯號鷗侶一字松雪西楣叔祖之長子性沖淡善鼓琴工篆隸蓄金石小學書甚夥兼治印絕

精箸有松雪廬詩草

聶際盛號松岩長山人篤志好學閉戶下帷留意六書寄情鐵筆以蒼深雅健爲宗旨高自標許不輕爲人奏刀遇書畫家則欣然鐫贈有司空表聖詩品印譜

法嘉蓀字莘侶丹徒人工篆刻

廣印人傳卷之十四終

廣印人傳卷之十五

仁和 葉銘 葉舟 輯

方外

興傳字心越金華人性聰敏善書尤工水墨花卉又能撫琴精篆刻初住杭州永福寺於西湖得關壯繆銅印永以珍佩康熙丁巳遊日本住水戶岱宗山天德寺後爲祇園寺開山初祖元祿八年即康熙三十四年卒臘五十七

明中初名演中字大恆號煑虛桐鄉人俗姓施工繪事嘗主西湖聖因寺尤長於詩與樊榭堇浦月田龍泓結吟社相唱酬暇亦寄興篆刻著有煑虛詩鈔

湛性字藥根一作湛汎字藥庵俗姓徐丹徒人揚州祇園庵僧有文字結習而尤嗜詩書法精美兼工篆刻頗自貴惜不輕爲人落墨著有雙樹堂詩鈔

篆玉字讓山號嶺雲能詩與大恆結西湖吟社閒涉摹印別出機杼能以心印印世箸有讓山語錄墮話集

芝田德清人住明因寺誦經之暇以篆刻繪事自娛閒涉吟詠風度雅潔文士多樂與游乾隆丁未怛化

湛福字介庵能參文字禪方望溪嘗稱之善八分精鑒別閒亦寄興鐵筆別饒天趣

續行字德源號墨花俗姓羅崑山人禪學之餘得印心之解遂工摹印宗文何法集生平所篆印爲墨花禪印譜王逊庵稱其於篆學淵源頗有心領神悟之妙

佛基字瞿曇號椮花道人歙縣人俗姓葉爲靈隱寺僧工詩詞及刻印

佛眉丁原躬法裔也篆刻一如其師工詩善書能左手持巨石右手握管腕力愈勁

石橋保定蓮花池僧善蘭石工篆刻

見初號孄堂杭州人與陳曼生司馬爲方外交故得工鐵筆之學

了學字小石杭州人善詩工篆書精刻印往來邗上爲伊墨卿洪桐生所賞康山江文叔欲延之主平山席不就

宏鐸字蓮然唐六如六世孫居西郊小雲棲能詩工隸書篆刻宗文三橋

竹堂石莊弟子居揚州桃花庵工畫兼刻竹根圖書名與潘老桐埒

兆先字朗如號虛亭隱西湖寫山水宗北苑變出己意峯巒深邃幽遠多姿尤善鐫印及隸書

達受字六舟自號萬峯退叟俗姓姚氏海昌白馬廟僧

耽翰墨精鑒別古器碑版阮文達以金石僧呼之間寫花卉及篆隸飛白鐵筆並皆佳妙摹拓彝器精絕能具各器全形陰陽虛實無不逼眞時稱絕技又善㕍拓古銅器款識嘗游黃山爲程木庵剔竟寧雁足鐙自厲太鴻翁正三巳來所疑爲殘蝕漫漶者一旦軒豁紙上纖豪畢見因作剔鐙圖徵海內詩人歌詠之行腳半天下不受禪縛後主杭州西湖淨慈寺著有寶素室金石書畫編年錄

野航字蓮谿不知經典精於繪事工篆刻好豪飲座客常滿

趙蓮字菱舟號玉井道人海鹽棲眞觀道士工寫梅善吟詠能篆刻所居盆花拳石位置楚楚交遊多一時名士

實珍佚其姓字伯庭常熟道士善墨蘭精鐫章工書法有潔癖

衡山道士蘇州人王石香弟子印仿文何精於撫琴

朱鶴字松齡吳縣人工行草尤深於篆學印章刻畫精甚旁及雕鏤靑玩罔不稱絕

秀琨姓馮氏字子瑛英廉從孫山水取法虞山婁東工詩詞精篆刻有聽秋堂集

吳潤字大潤婁縣人幼孤廢讀不克自立粥身廛存得
侍秀峯先生遂習摹印所作楚楚可觀畫山水學陸
日爲蘆雁草蟲頗得散逸雅趣

魏喬字喬年號壽谷如皋人降爲青衣自知向學遂麤
通文義小楷甚整齊畫蘭竹亦具蕭疏之致能摹印
不染江湖習氣

張守岑字勤訪又字琴訪吳山文昌閣道士工書善篆
刻尤好鼓琴

妙慧本姓張家金陵南市樓從假母之姓姓馬名汝玉
字楚峙熟精文選唐詩善小楷八分及繪事兼工篆

刻後受戒於棲霞寺

閨秀

韓約素字鈿閣梁千秋侍姬也幼識字能擘阮度曲兼
工琴嘗從千秋學篆遂能奏刀頗得梁氏家法名流
巨公以爲鈿閣圖章較重於千秋云

賀桂字秋安號竹隱居士蓮花廳人龍有珠知縣室工
詩善鼓琴兼精篆隸治印有竹隱樓詩草

何玉仙自號白雲道人金陵史癡翁忠字廷直姬人

孫鳳臺字儀九崑山人吳宗萬諸生室得其家傳好吟
詠尤長鐵筆頗有漢人神趣有水南繡餘草

高元眉字燕庭嘉善人山水入香光之室精篆刻

許延礽號雲林德清人爲周生兵部女梁楚生夫人也
博通書史教諸女以書畫琴碁鐫印無不精妙花卉
仿陳白陽與顧太清春友善

方若徽字仲蕙桐城人敏恪孫女仁和汪秋田元炳室
能詩善畫工琴尤精篆刻並世名人得其一二印章
雖結綠縣黎不啻也

周綺字綠君小字琴孃昭文人善韻語解音律精醫能
篆刻兼工山水花鳥得蕭遠生動之致著有擘絨餘
事

楊瑞雲字麗卿號靜娥吳縣人幼穎慧嗜學鍼黹之餘
輒臨池弄柔翰樵小歐道因碑書態娟勁多逸致喜
六書學篆刻亦秀潤可觀

金素娟長洲人幼多病偶以鐵筆遣興殊有可觀

孫錦字織雲山陰人山陰吳石潛隱繼室工篆刻尤精
小印善拓旁款又能拓古彝器款識及全形可與陽
湖李墨香齊名

卍霞女士常德羅朗秋茂室精鐵筆秀潤可愛

熊巧男字襄如錢塘守默女刻印宗漢工花卉

廣印人傳卷之十五終

廣印人傳卷之十六

仁和　葉銘　葉舟　輯

日本附

池永榮春字道雲號一峰江戶人以鬻藥爲業餘暇好篆學工鐵筆著有一刀萬象印譜四卷

細井知愼字公謹號廣澤淹貫羣籍於藝無所不知曾受知遇於栁澤侯致仕後專以墨池自娛當時書家奉爲圭臬尤長鐵筆著有觀鵞百譚紫薇字樣篆體異同歌奇文不載酒諸作子知文字九臯承家學亦工篆刻

趙養字仲頤號陶齋長崎人原籍中國性豪宕不羈好遊歷工詩精書法篆刻雄健逼似蘇嘯民有耒耨幽期擊壤餘遊淸閑餘興諸作

池無名字貸成號九霞山樵世稱大雅堂者是也京師人襟度蕭散有嵇阮之風五歲能大字長則規摹晉唐結體飄逸畫法仲圭雲林兩家零縑尺楮人爭寶之亦能鐵筆別饒逸趣

高孟彪字孺皮號芙蓉本姓大島甲斐人資性聰穎博涉衆藝好作書畫先是日本篆刻一道不過窺明人之一斑芙蓉出而印章制度遂溯秦漢淵源另皆川淇園柴栗山推爲印聖從學者極衆舊學由此一變著有漢篆千字文四卷古今公私印記一卷

葛張字子琴號蠡庵博綜羣書尤工詩翰刻印蕭雅不亞芙蓉

曾谷之唯字學川善詩刻印宗芙容著有印語纂印籍考

三雲孝字子孝號仙嘯京師人篆刻師芙容著有快哉心事若干卷

稻毛直道字聖民號屋山讚岐人長詩古文詞受篆刻於芙容之門著有紅霞印影飲中八仙歌印譜

濱村藏六繼業五世皆稱藏六初世者名茂喬字君樹芙容弟子二世名參號貫齋三世名籍號訥齋又曰鼂禪四世名大澥號薇山善書精六書之學著晚悔堂印識六卷五世名裕號无咎曾游中國與諸名士結金石緣

源常德字伯行小笠原氏南紀人官事鞅掌猶有篆刻之癖得程彥明印則程受尼立雪齋印譜卽摹之名曰二程印譜

田中正容號艮葊常陸人精篆刻工力絕倫其半生所刻幾五萬之數有笠澤印譜古今印式鐵筆人名譜

自珍印譜十餘種

杜澂字澂公號松窠平安人詩書畫琴印皆擅長自號日五適道人山水具元明風格刻印宗秦漢著有徵古印要七卷徵古畫傳三卷

田邉憲字伯表號玄玄山人京師人風流跌宕善書畫旁及鐵筆尤工製璽印以至土刻印文作鈕由火范成白定青華莫不如意蓋東方之周丹泉也著有玄玄璽印譜

細川潔號林谷氣宇清高工鐵筆廣江殿峯極器重之善詩畫獨標新意不落恆蹊著有詩鈔印譜子訒號林齋亦工刻印

立原任字遠卿號杏所常陸人翠軒子爲人慷慨尙氣節重然諾工書畫有明人風格善篆刻尤長元人朱文法富收藏鑒別尤精

曾禰隼字翔卿號寸齋肥前唐津人工漢學從益田勤齋學鐵筆雖病不廢其篤嗜如此著有古今印例皇朝古印攷

山本竹雲備前人住京師有盧陸之風兼工書畫篆刻晚病狂投池死

篠田德字直心號芥津美濃人工詩精刻印性豪逸多奇行而於事極謹密凡作一印必搆思慘澹數日始成尤喜規撫丁黃刀法

中井兼之字資同號敬所江戸人幼好鐵筆從濱村寵禪益田遇所遂有出藍之譽晚作帝室技藝員博涉羣書善鑒識著有日本古印大成皇朝印典日本印人傳印譜攷略

山本拜石伊豆人明治初遷居東京嘗遊佐藤一齋之門博學多文工塡詞尤精刻印直摹秦漢渾厚入古

石川鴻齋三河豐橋人天資穎敏於學無所不窺工山水精篆刻曾何如璋授日本公使獲與幕中諸名士

遊學益進晚歲著述尤富行世者已有四十餘種

益田厚字香遠江戸人能書畫尤工篆刻祖濤號勤齋父肅號遇所皆長詩書以篆刻名世香遠繼承家學克紹箕裘

圓山大迂自幼好治鐵筆以中日篆法不同遂遊中國師事徐三庚盡得其秘著有篆刻思源四卷

日下部東作字鳴鶴爲舊彥根藩士元治慶應間從征討逆明治初歷官太政大書記書學印學悉有工力鄰蘇老人極推重之嘗遊中國諸名士目之爲東海書聖云

木村香雨陸前仙臺人工書善畫山水初學四條派後
專法南宗周遊各國十三年畫益進卓然成家又巧
刻印鈕

松木偉彥字五峯伊勢山田人工書善刻印受業於福
井端隱之門端隱爲芙容第四世傳統

永阪石埭名古屋人善詩畫工篆刻書法劉石庵居室
服御純仿中國嘗充帝國大學醫學部敎授

高森碎巖上總廳南人受漢學於服部蘭石學六法於
山本琴谷精鑒賞嗜硯石收藏尤富家於市河米庵
七松亭菡萏池邊清風拂拂令人作出塵世想

西川春洞世居江戶龜年孫篤嗜金石書承家學相傳
幼年曾書隸楷二體千字文呈幕府當時已目爲神
童星使李文忠極贊許之

前田默鳳播州龍野人癖嗜金石書法蒼勁古茂得漢
魏遺韻箸有書鑒書海五體字書印文學書訣東亞
新字書畫研究法

椰川雲巢名古屋人篆法超絕賞鑑精審爲金嘉穗衣
鉢弟子

今泉雄作字文峰博學能文長於美術精鑑賞酷嗜金
石現官帝室博物院部長

南靜山備後福山人工六法精篆刻受知於梅本古鐵
葛巾野服蕭然塵外

木內醉石曾充海軍技師喜書畫好金石嘗摹何雪漁
七十二候印譜

久志本梅莊系出名門性耽翰墨工蘭竹氣韻飄逸擅
長行草筆勢遒婉曾充學習院敎授餘事作印亦精
整

中村蘭臺別號香草居主人嗜古研篆籀曾受知於高
田綠雲治印刀法奇古直逼秦漢

山田寒山或謂名古屋人善書畫工詩詞精鑄銅鐵篆
刻尤佳喜被緇衣誦佛經自稱中國寒山寺僧

加藤有年名古屋人精篆刻幼即見賞於富岡永年復
見知於圓山大迂尤喜收藏法書名畫

高田竹山東京人學問淵博書法超逸精說文六書之
學有行草字彙朝陽閣字鑑漢字原理漢字系譜說
文捷要漢字詳解古籀篇說文段注辨疏

岡村梅軒東京人爲中井敬所衣鉢弟子醞雅清儁恪
守師承歷充美術協會及美術展覽會審查員

長尾甲字子生號雨山讚岐高松人性愛石又號石隱
善山水工詩書尤精篆刻著有古今詩變儒學本論

何遠樓詩稿
田口米舫爲醫學博士和美長子氣宇倜儻性嗜古工
書畫嘗游中國錢塘朱硯臣爲題齋額曰米舫因以
爲號
杉溪言長字六橋爲伯爵山科言繩第三子工書畫善
吟詠與人交無城府華冑中未易多得者也
桑名鐵城長於鐵筆名震京畿明治間兩游中國與蘇
杭士夫相往還搜採秦漢古銅印譜甚夥刻有天香
閣印譜十二卷九華堂印存四卷續編二卷九華印
室集古四卷鐵城袖珍印譜二卷

宗重望號星石舊對馬之藩主也學畫於大倉雨村兼
工篆刻初仿明印後改摹秦漢充朱白印會長嘗語
人曰篆刻一道非金石書畫融會貫通不能得其眞
趣識者推爲知言
三井聽冰伊勢松阪人爲半痴翁子幼承庭詰善書精
金石學收藏之富埒於淸閟鑑別之精亦一時無兩
落合東郭爲槐南詩社祭酒性和而介品學兼優喜金
石書畫所藏文玩極多媚古劬學鄉里無間歷充高
等學校造士館敎授官宮內省云
黑木安雄字飛卿號欽堂讃岐高松人漢學深粹吐屬
風雅工古文詞善篆刻摹古尤佳
菊池惺堂爲大橋訥庵孫陶庵子好古力學私淑陽明
工詩善刻印尤喜收藏東都罕有其匹
高橋櫨堂爲吉田東伍之弟出嗣高橋氏善畫工寫眞
篆刻亦精
大西拜梅讃岐人三世收藏秘笈頗夥拜梅書法超邁
詩才雋雅篆刻宗明人得宋拓寶晉齋法帖自號小
寶晉齋
岡本椿所美作津山人父堅堂以篆刻名家椿所內承
家學復問業於中井敬所技益進時人目之爲敬所

門下之千里駒
伊藤古屋名古屋人家學淵源建築極精篆刻專宗徐
三庚
河井仙郎字荃廬西京人精倉史之學工篆隸善鑑別
金石碑版數遊中國江浙間曾入西泠印社受知於
吳倉石刻印專宗秦漢渾厚高古金石家樂與締交
焉
江上景逸字瑱山號希古長崎人精六法工刻印
片岡高立備前人豪於貲以琴棋書畫自樂治印亦精
整

奠村竹亭日向高鍋人工篆刻以書名家
沓取秀眞上總人主講東京美術學校金工史好金石
之學研究銅印尤有心得
三村竹清東京人私淑狩谷棭齋性嗜古以蒐羅古書
古印攷證爲樂
福田循誘主深川本誓寺席精於鑒別古錢尤以精書
梵文名兩京從遊者極衆喜治印
釋宗活爲宗演高弟人以禪界鳳雛目之工書善鐫刻
又長丹青
欣欣女史爲江木冷灰博士夫人博學能詩性閒淡居
恆惟以書畫篆刻自娛爲近今巾幗中不可多見者

廣印人傳卷之十六終

廣印人傳補遺

仁和 葉銘 葉舟 輯

馮時明
馮損字崙江東海人有餘淸閣印譜
馮漢字師韓號鄧齋鶴山人喜畫蘭工篆書
豐道生原名坊字南禺號存禮鄞縣人精法書工篆刻
洪昇字昉思
洪石田黃山道人
洪復初
容肇新字千秋東莞人鄧爾疋之甥六書篆隸之學無
所不闚刻印師其舅

容肇庚字朗西肇新之弟工山水喜篆刻
容肇祖字液調肇庚之弟偶治印
江道文
江之澐
江造舟字仲槃號澹尋居士新都人有印歸二卷
江星羽字右軫天都人刻游藝集二卷
江萬全字昌符新安人刻有娃苑印章二卷
麗達
施于俊字去私有印正集

歸道山
徐象梅字仲和武林人善書畫
徐霏
徐而化字君重桐邑人
徐元懋箸古今印史
徐易字觀復刻鳳凰村印譜一冊
徐照字城玉貞木孫有對山草堂印譜一卷
徐江松江人
徐松齡字青侯平湖人有印稟正宗
徐浩字雪軒松江人有扶清閣印譜二卷

徐坦邨
舒竑字伯度
諸文星字紫隣語水人
諸葛祚字子倫
諸葛紀
虞訪
朱廷柱江南人有印是續集
朱含生
朱昌禩字仲子語水人
朱必信

朱元公
朱煌字笑菴語水人有怪石供印譜十六卷
朱長統
朱勇均字粹也號灌園桐溪人有愛古樓印譜
胡兆鳳字翽羽燕越人
胡全
胡聚五有嗜古齋印譜
胡右寅平湖人仲袁之兄
胡曙湖新安人有印籍一卷
胡曼字漢秋號洞雪番禺人以橄欖核刻印極精

胡毅生番禺人
吳啟泰字于元海鹽人
吳丘愚
吳端字定元平原人有古今印選
吳可賀字汝吉新安人有古今印選二卷
吳本忠字貴一號秋水
吳琛字西珍武林人
吳潤字大潤婁縣人善山水及寫生
吳泰
吳于河

吳魯峰

吳家鳳

吳東發字侃叔號芸父海鹽人工書畫精鑒賞兼篆刻

有耘廬詩鈔石鼓讀等書

蘇應制

俞嶔奇字丹嶼平湖人有衡素齋印稾十二卷

俞遜字廷輔仁和人

黎錫侯順德人世精醫學喜摹印

喻天錫

倪灝字元穎語水人

陳汝秩字惟寅自號大髯

陳古凡

陳詢字士問海鹽人善山水

陳林道

陳繼儒字仲醇一字眉公華亭諸生善書畫工梅竹

陳雷字古尊杭州人

陳瑤典字文曉

陳瑍字復生有延綠齋印概四冊

陳棣字郁唐黃山人有望古遙集

陳齡字介亭海甯人

陳士倜山東人

陳雲岩

陳九南海甯人

陳曾貽海甯人乾初曾孫

陳伯鍾

陳魯公

陳少逸字少和漳州人精篆刻善人物山水

陳元孝字恭尹廣州人

陳明暘字錫龕

陳之達字大我號微塵番禺人

陳協之番禺人喜治印積績語堂論印詩百章

陳景濂字蓮舫號華庵順德人書仿趙悲盦能治印

文士英號白華老人

温伯堅

温其球字幼菊順德人

孫文石

孫仲微

孫樸

孫太初號太白山人

孫毓雲字峻贍燕山人有汲古齋學印

孫暵樾字月卿桐鄉人

孫長壽字蘭子號琴秋別號琴隱桐城人能詩書畫善
鼓琴刻印師陳曼生

潘思安

潘璠璵

潘魯珍

潘茂弘字元道新都人箸有印章法二卷

潘龢字至中南海人嗜金石書畫喜橅印

闞九思字仲通一字虛白烏程人善書畫

錢封字軼秦號松崖杭郡諸生善山水

錢若芬

錢循周

錢東塾字學仲號蓼田晚號石丈嘉定竹汀宮詹次子
工詩善分隸尤精篆刻

蕭雲從原名龍字尺木號無悶道人當塗人工山水

蕭世瑢

姚子玫

姚觀元字彥侍歸安人喜治印集漢印偶存一卷輯咫
進齋叢書

包桂生字子丹丹徒人有問經堂印譜八卷

高深

何世基字雲石吳縣人有篆摹印譜一卷

何魯字伯頁宛平人

何尹字允谷

何瑗字遵愈昆玉弟工寫梅善摹印

查岳原名聖俞字勝予介龕之姪

查若農介龕之孫

巴雪坪

楊伯奇新會人

楊其光字崙西番禺人工倚聲刻印橅丁黃

張玄鈞

張成吾

張夢錫自號破屋先生有漪蘭館古印選

張子魚字公魯甬東人

張君玉武林人

張觀垣字在宇粱溪人有芙蓉館印言

張紫庭嘉定人

張翼房字瑤石吳山人有印譜二冊

張文奎字星次有友文堂印譜

張坤字南山華亭人有我樸偶篆又五馬金章印譜

張鈞字平圃號寫樵僕昌諸生有槃古齋印存
張在乙字亶安
張鶴佺號洞三福建人
張孝孚字憶鱸吳江人好金石收藏古人名印甚夥輯
清承堂印賞
王玄陽
王無穎
王成龍
王策
王章
王晉之
王安石
王子萱松江人
王夢璋
王基
王長春福建人
王璋字赤玉錢塘人有雕蟲技印譜
王融
王統理字文聚有足佩堂印譜
王度字立中有偶村印譜

王大集
王鷹字眅生吳興人
王翠嵐
王石經字君都有西泉印存陳簠齋潘伯寅所用印章
皆出其手
王祖光字心齋大興人
王虢字雙治號介庵閩縣人
王聲字振聲與董洵胡唐巴慰祖合刻印存一卷
方雲嶠
方鈞
方耕緣
方德醇字劍潭桐城人工篆刻善詩詞
梁曉山武林人
梁清長洲人
梁星堂新會人工治玉印
章有成
章皋字鳴九
姜應鳳
姜文炳
姜筠字穎生

黃上元
黃元初字象珠越客人
黃子仁
黃古喬南海人
黃文錦字錦泉三水人梁淑貞子
黃雲紀字禹銘號叚釋晚號淸遺南海人工詩歌通篆
繆精治印有百忍齋印棄
黃君選蒼梧人耽金石工鐵筆
唐仁玉山人
强體乾

强運開字夢漁溧陽人
桑豸江都人工書兼篆籀刻畫之學
湯燧字堯文一字隣初仁和人山陰教諭工書法兼工
篆刻
莊公馭
汪元範
汪雲
汪買生
汪枚字卜參天都人
汪之元字體齋海陽人有印藝一卷

汪雨山
汪稚川
汪楷字仲范陽湖人淵若猶子喜刻印
程鴻緒字石琴號蘿裳休甯人著有印述及瑤原十六
景印譜
程元兒
程景宣字竹韻南海人解詩畫通篆隸工鐵筆
丁雲鵬字南羽號聖華居士休甯人善寫佛像
丁日新字又新綏安人有寶籀齋文玉一冊
丁鈞溪有莊譜一卷

曾景鳳字木庵古郢人有印擬一卷
凌雲字見龍臨淸人有印紀二卷
凌霄漢精醫卜星相詩詞書畫喜刻印
劉光祖字亦有刻印選六卷
劉雯
劉杰人泉唐人
劉慶崧字聘孫號萍僧南城人
周朗生
周元會字環生錢塘人
周蓮亭武林人

周時舉
周桐邨
周蘭齋
周易
周理山
周懋泰字階平績溪人有松石齋印譜
周篙雲博羅人收藏金石書畫甚富喜治印
金允迪字叔向吳縣人有媚淸居印閒一卷
金一疇字抽田號月波有珍珠船印譜四卷
金德樞字月笙號希農泉唐人善書工墨梅精治印

林穆與徐天池友善
嚴閶
嚴乘字佛宣閩中人有秋間戲鐵八卷
詹淑正
詹敬鳳
董光國字觀之海鹽人
董青芝
董士標有眞賞齋印林
項聖謨字孔彰號易庵又號胥山樵嘉興人善山水枯
木

項魯青
項道瑋
項懷述字惕孜歙縣人有黃山印藪
史惟德松江人
李穎字考叔仁和人
李眉州
李鵰字九扶福建人有雪齋印選二卷
李兼字山西吳江人有印宗
李彬
李其焜字光耀大興人與宋聖備合刻雙松閣印譜

李峻字子峻陽朔人喜治印
李尹桑字模柯號壺父吳縣人
許彥輔
許當世
許光祚字靈長仁和人善書法
許文濤
許之衡字守白番禺人工吟咏喜治印
尹右原名世右字啟宗號青喬又號滋亭老人順德布
衣善花卉精刻印有五葉堂印存
褚嚴霍州人

伍德彝字懿莊南海人工書畫善詩詞偶治印
阮煜字亦張有花甲重周一卷
阮明
倘經綸字琴齋番禺人分書古致似曼生篆刻亦似之
趙徵士東嘉人
趙穗卿
趙聖
趙璧一字嬾農婁東人
趙杜
馬翰字羽樵西湖人有問古齋印譜四卷

賈楠
蔣立樞字冠中有花洲散人篆
沈奇字無奇語水人
沈策銘字炳垂號能圃平湖人有閒中弄筆二卷
沈學鏊號負暄老人平湖人
沈瑞鳳字鳴岐號渭川仁和人善書畫精鐵筆
沈鼎新字自玉錢塘人
范敏
范文成號小范有雋園摹印存稿四卷
宋嶸字峻華有檜巢印編

魏喬字嵩年號壽谷如皐人
顧名端字正卿海鹽人有澹烟館印削
顧隆三字企賢西湖人有點筆軒山水篆
傅雲癡
傅鑑
許元瑞
蔡士桐字琴緣順德人工墨梅喜治印
蔡文原名有守字哲夫號成城子又號寒道人順德人
工書畫富收藏喜篆刻著有寒㢈碑目寒㢈金石跋
續說文古籀補宋錦宋紙考補繆篆分韻漆人傳瓷

人傳畫璽錄印雅等書
萬夬
萬石南昌人
邵雍字康庵平湖人有印確
謝儁
謝善勛
謝敷遠平湖人
謝身汝
鄭璧
鄭璘

鄭濬字禹卿新安人

鄭方蘇州人

鄭笏字雨篁莆田人有硯齋印譜一卷

鄭采

鄧萬歲原名溥字季雨號爾疋東莞人精小學喜刻印

陸師

陸遵祜字耐庵

陸費娫字子昌彥青子喜篆刻

葉期字退庵南海人工分書治印酷似徐三庚

郁素脩

葛還初

辟一鷗

郭見龍字德普芸亭之子

莫藏字用行海鹽人工詩善花木翎毛草蟲

翟賞祖字愁齋涇縣人岸舫之子

戚長卿吳門人

方外 附青衣

自彥字朗若有圖書府六卷

隆彩字一素有古今印商二卷

充文

曇鍔

蓮生

古心

實旆字旭林工書畫精篆刻

永光治印似垢道人

三明俗姓馬臨桂人善治印

見如俗姓陸番禺人

陳靜函西樵道士刻印仿玉井道人

李朋亭饒平黃春海家僕性聰慧能繪事喜治印

曹小漚順德蔡梧叟之歌童工琵琶蔡氏著名人刻印

甚夥使拓旁款爲譜久之能篆刻喜摹補羅迦室神

似之

閨秀

張頻娍工繪事精拓金石全形偶治印

梁淑貞晚號南枝老人三水人適黃氏工詞翰富收藏

古泉甚夥摹泉文入印秀勁絕倫卒年七十

黃苑玗字騷香南海人工小楷善律詩偶治印

香紉蘭字佩香東莞人性聰慧工書能詩偶樵印

楊瓊笙字匏香順德蔡哲夫安侍姬善鼓琴工摹印

張可字無可合浦人頻娍之姊工篆隸鐵筆

梁宛素喜填詞工分隸治印

況月娛字未央臨桂人順德周竹雲鴻翊室耽詞翰喜

篆刻

李錦褢字倚仙香山劉甦堪超武室工書喜橅印

柳七孃姑蘇人

廣印人傳補遺終

印識序

刻印有書始學古編印人有傳始周櫟園夫印符也信也因也篆刻合信古天子諸侯大夫通稱璽璽節璽書是已秦漢後璽專屬乎至尊後漢輿服志蔡氏獨斷詳之其在官者謂印又謂之章見漢公卿百官表漢官儀唐以寶易璽寶又專屬乎至尊惟印爲上下所用之通稱抱朴子有黃越章印則常人稱印私印也禮正義封禪封之印璽宋有內府圖書之印則至尊稱印然宋以識圖畫書籍故既曰圖書又曰印而俗謂私印爲圖書王制金璋卽考工記金飾璋自皇甫氏謂用金爲印璋而俗謂私印爲圖章嗚呼古義湮晦區區一印有如此

嘗聞心專則事成事成則名立然而用心由我傳名在人天下有研精覃思成就德藝竟聲稱泯泯不得播遠方而垂後世雖曰有命是亦後之人莫爲之傳之所致吾友馮子少眉輯篆刻及譜錄者名氏里居由秦迄明得百有九十八人曰印識合璽與印章一之且埽圖書圖章諸謬說遠繼學古編近接印人傳采摭羣言爲注可信可徵少眉爲人光明磊落博雅多藝能偶然寄興篆刻卽思傳篆刻之人傳譜錄篆刻之人志意蓋已善矣既來問序走筆爲之婁縣楊秉杷拜譔、

余既集自秦至明印人傳爲一卷梓行矣茲復增輯
國朝諸家於後又以時下鐵書之有名者自譔小傳別
爲一卷共得三百餘人嗣後更有採錄容俟漸次續入
道光十七年嘉平月少眉又識於梅花樓

自序

印肇嬴秦斯從其朔遜矣兩漢人習雕蟲而傳者反泯
宋元以來稍知學漢明季諸家大暢宗旨標圖一傳稱
備矣予酷嗜篆刻謬邀時稱竊念小學一途印爲津涉
讀書識字上可通經而史氏立傳不載其人豈以小技
而遺之也暇時檢閱有得輒錄彙成一書尚多闕遺寥
寥海宇有同志者補所未備予之幸也夫
道光九年三月朔日眉道人馮承輝書於古鐵齋

印識 一 西泠印社 印學叢書

印識

婁縣馮承輝少眉纂

秦

李　斯字通古上蔡人　後漢書秦始皇既定天下取藍田山玉命丞相李斯篆其文曰受命於天既壽永昌

孫　壽　崔彧進璽牋秦始皇得楚卞和之璞命李斯篆其文玉工孫壽刻之

魏

楊　利

宗　養　魏志傳註魏氏春秋曰允善相印將拜以印不善使更刻之如此者三允曰印雖始成而已被辱問送印者果懷之而墮於厠相印書云相印法本出陳長文長文以語韋仲將印工楊利從仲將受法以語許士宗利以法占吉凶十可中八九仲將問長文誰從得法長文曰本出漢世有相印相笏經又印工宗養以法語程申伯也

栁菴雜志云印章之妙莫過秦漢而作印者泯然無聞蓋斯時皆善摹印書學增減結搆運臂純熟刀法沉著自然合度悉盡美而非難能故無傳也魏晉間有陳長文韋仲將楊利從許士宗宗養並系淵源相接技藝神妙并能覩印而識休咎

唐

祝思言　見下祝温柔註

宋

祝温柔　宋史輿服志乾德三年太祖詔重鑄中書門下樞密院三司使印先是舊印五代所鑄篆刻非工及得蜀鑄印官祝温柔自言其祖思言唐禮部鑄印官世習繆篆卽漢書藝文志所謂屈曲纏繞以模印章者也思言隨僖宗入蜀子孫遂爲蜀人自是臺省寺監及開封府興元尹印令温柔改鑄焉

歐陽修字永叔廬陵人　合璧字類嘉祐八年英宗卽位作受命璽命歐陽篆其文曰皇帝恭膺天命之璽

舒　通　三朝北盟會編高宗得善開圖書匠舒通能鐫金銀銅圖書取鏤塵白字令刋白文爲璽由是人皆效之

姜　夔字堯章自號白石生番陽人著有集古印譜一卷

王　球字夔玉一字子弁　按子弁所著嘯堂集古錄二卷其間有古印數十方論之尤詳

明俞仲蔚云王球集古錄亦頗采漢印文而鄭氏又多七十餘印文曰漢印式

王厚之字順伯臨川人著有復齋印譜

晁克一著有圖書譜又名集古印格　文獻通考克一

張文潛之甥也

顏叔夏字景周吳人有古印譜二卷

元

趙孟頫字子昂號松雪道人湖州人始創圓朱文有印史一卷

印史序云一日過程儀父示余寶章集古二編則古印文也皆以印印紙可信不誣因假以歸采其尤雅者凡摸得三百四十枚且修其考證之文集為印史漢魏而下典刑質樸之意可仿佛見之矣

何震云元朱文始於松雪殊乏古雅但今之不善元朱文者其白文必不佳故知漢印精工實由工篆書耳

吳福孫著有古印史　見杭州府志

錢選字舜舉號玉潭又號清癯老人湖州人　沈明臣云善摹印

吾邱衍字子行號竹素又號貞白太末人有古印文二冊

珊瑚網先生住杭之先花坊時年二十七郎不下樓樓上下分業子弟客至僮輒止不便登通焉使登先生好古變宋末鐘鼎圖書之繆寸印古篆實自先生倡之真第一手趙吳興又晚效先生法耳所著有學古編字源七辨篆品三十八則私印有竹素山房吾氏子行我最嬾懷真樂飛丹霄數印印鼻小章帶常在手弄之蓋欲和其四棱令有古意

按俞希魯楊氏集古印譜序云竹房吾子行學古編其所收盖富則學古編有印也而今世所傳學古編無之

葉　森字景修錢塘人　杭州府志景修早從貞白先生吾子行游古文詩歌咸有法度著漢唐篆刻圖書韻釋

吳　叡字孟思號雪濤散人杭州人子行弟子也有古印譜

揭汯序云是編自漢至晉凡諸印章搜求殆盡一一摹搨類聚品列沿革始末標注其下吳氏孟思素以篆隸名而是編皆其手錄尤可寶也能君仲章得之以示余余故書此而歸之至正十五年五月甲子書

虞　集字伯生蜀郡人　輟耕錄云文宗奎章閣作二璽一曰天歷之寶一曰奎章閣寶命集篆文

王　冕字元章號煮石山農又號竹堂諸暨人　七修類稿冕始以花乳石刻印

楊　瑀字元誠錢塘人居松江之鶴沙自號竹西居士　輟耕錄云明仁殿寶洪禧二印瑀所篆也

楊　遵字宗道浦城人徙居錢塘有集古印譜　書史會要云宗道篆隸皆師杜待制

唐愚士後序云右集古印譜四冊其一署曰上之上皆官印印文百有六其二曰上之下亦官印文如一冊而益其十有四其三曰下之上皆私印文如二冊而復益其五十有七其四曰下之下亦私印文視三冊而損其五十有二下之下尾文有吾氏摹印篆官私具一百五十六去其重複八十四而取其七十有二復綴以收附私印百有十六連詩文題跋所識印十五共凡七百三十一譜始集於浦城楊遵宗　後歸吳郡陸友仁今藏西平沐府余爲前軍左都督李公手摹一過公覽而愛之遂裝潢以藏諸篋其尚友古人之意爲何如哉若余所書目眊手拙以戊寅歲七月戊戌肇工八月壬子畢手歷十有七日而僅得其髣髴云乃書而識之會稽萍居道士唐愚士書

朱　珪字伯盛吳人　蘇州志珪從吳叡授書法凡三代金石靡不極意規倣

明

朱應辰字文奎　開國臣傳應辰與楊維楨游洪武初辟掌教爲文繁而不猥詩工長句篆籀法古嘗命書符印

文徵明名壁一字徵仲以字行長洲人　蝸廬筆記文太史印章雖不能法秦漢然雅而不俗清而有神得六朝陳隋之意至蒼茫古樸略有不逮今之專事油

滑奉强成字者諸惡畢備皆曰文氏遺法致爲識古家所傳夫文氏之作豈如是乎

文　彭字壽承號三橋　印人傳三橋衡山之伯子官南京國子監博士工金石刻爲明一代之冠兼工墨蘭其弟嘉亦精是藝

周櫟園與黃濟叔書云文三橋力能追古然未脫宋元之習

馮鈍吟云詩句作印起於近代文三橋

按三橋印譜二卷張其堅字竹村所集

文　嘉字休承　見前

徐　霖字子仁號髯仙金陵人　韻石齋筆談鐵筆之妙如徐髯仙許高陽周公瑕皆係書家旁及篆體印文章法心畫精奇李長蘅歸文休以吐鳳之才擅雕蟲之技銀鉤屈曲施諸符信典雅縱橫

許　初字復初一字元復吳縣人

董文敏云印章一道復振於文壽承許元復

李流芳字長蘅嘉定人

歸昌世字文休崑山人　印人傳昌世爲有光孫十歲能爲詩歌有聲詞苑與李流芳王志堅稱三才子屢困諸生遂棄舉業發憤爲古文詞善草書精墨竹風流儒雅易直近人

張夷令云文休刻印與文三橋王梧林鼎足

周天球字公瑕號幼海長洲人文待詔之弟子

何　震字主臣又字長卿亦稱雪漁婺源人　印人傳主臣往來白下最久其於文國博在師友間國博究心六書主臣從之討論日夜不休常曰六書不精義入神而能驅刀如筆我不信也

雪漁論印云筆之害三聞見不博學無淵源一也偏旁點畫湊合成字二也經營位置疎密不稱三也刀之病六心手相乖有形無意一也轉運緊苦天趣不流二也因便就簡顛倒苟完三也鋒力全無專求工緻四也意骨雖具終未脫俗五也或作或輟成自兩截六也　又云筆有尖齊圓健刀宜堅利平鋒不堅猶之不健不利猶之不圓無鋒猶之不尖不平猶之不齊用筆有中鋒用刀亦有中鋒　又云章法要整齊更要活潑

韻石齋筆談雪漁刻印如絳雲在霄舒卷自如

丁元薦云白下有僧學篆法於何主臣主臣秘不與語從窗竇窺之訖語余曰主臣故善酒置一壺案頭時時以手畫几上且飲且畫或盤礴竹石間或反手繞屋走或長臥至酣醉竟日有促之者主臣怫然怒偶意到頃刻成鼓掌自快其運刀重如舉鼎砉然生風曲肱道人曰所謂臣之子不能受之臣也凡以技千秋者無名心故

蘇爾宣號朗公彰郡人有蘇氏印略四卷

馮鈍吟云一兩字大印蘇爾宣所作多用古人碑額上字爲得體亦一長也

趙宧光字凡夫太倉人有印統若干卷　蘇州府志宧光入貲爲國子生豪華自喜故廬居寒山親墓旁手闢荒穢疏泉架石一時勝流爭造焉所著書數種尤專精字學說文長箋其所獨解也篆亦精絕

梁　袠字千秋維揚人家白下　印人傳千秋印一以何氏爲宗惜未能變化（其甥姪韓約素字鈿閣喜作小凍石）

韻石齋筆談云千秋受業於雪漁

梁　年字大年　印人傳大年爲千秋弟精鑒別古器每搆一印必精思數時然後以墨書之紙熟視得當矣又恐朱墨異觀復以朱摸之盡得當矣然後以墨傳之石故所鐫皆有筆意大年生平不奔走顯貴故蘭隅朱尚書獨欽之

朱　蔚字文豹婁縣人　婁縣志朱蔚居婁縣之泗涇工篆刻兼善墨蘭

顧　聽字元方亦字元芳吳縣人　吳縣志元方精於字學趙宧光纂說文長箋聽相與考訂其摹古篆鐫印章爲海內冠又研窮歷數造漏壺算刻度數不爽毫髮

王穀祥字祿之長洲人

印人傳梁谿鄒督學彥吉曰此道惟王祿之文壽承何長卿黃聖期四君稍稍見長亦時有善敗

沈

邁字逢吉太倉人　印人傳逢吉篆刻一以和平爾雅出之而又不失古法故其里中張夷令於學山堂印譜中極推重焉（學山堂譜中皆詩文印董其昌陳繼儒爲序）

張

奇字正甫廣陵人　無聲詩史正甫善山水人物花卉兼工篆籀印章

朱

簡字修能休甯人著有印書印品　陳眉公云修能固博雅尤精古篆凡予山中花戶鳥巢悉令其題誌瑯琳鐘鼎爛然空谷發其囊所著金石書數種又三年而印品始成修能家黃山葱蒨間有美田園棄而遠游詩宗陰鏗鮑照秘不示人而獨恣討於魚蟲籀跡之學豈無所存而然哉

印人傳斯道之妙原不一趣有其全偏者亦粹守其正奇者亦醇故嘗畧近今而裁僞體惟以秦漢爲歸非以秦漢爲金科玉律也師其變動不拘耳寥寥寰宇罕有合作數十年來其朱修能乎

修能論印云印文爾雅惟漢是則曰字曰章法具而思過半其異同可言也至筆力有神不可得而言

又云唐以塡篆作印而印繆宋元嗣其餘脈不足觀也間有三數君子師心好古力振頹波其合作婉麗而多姿雖高古微遜漢晉而超超越俗亦荒萊之特

苗鹵田之善秀與

楊當時字漢卿甬東人

按潘氏印範成於萬歷丙午共二千六百有奇潘雲杰所集蘇爾宣楊漢卿同摹

全

賢字君求錢唐人有集何雪漁印譜二卷

李弄丸　鍾伯敬云善玉章

程立伯　見鍾伯敬集

盧貝乘　鍾伯敬云有語石齋印譜

何

通字不違太倉人　張夷令云王文肅公世僕也

按何通印史皆以古人姓名作印即注本傳於下有藍格黑格二種藍格者人尤重之

金光先字一甫休寧人　印人傳光先家擁厚貲乃多雅尚究心篆籀之學所作印皆歸顧氏之印藪鄒彥吉曰此道惟王祿之文三橋何長卿黃聖期稍稍見長而亦時有善敗惟金一甫兼四君之長而無其敗矣按金光先有印選一卷

吳

迥字亦步歙縣人工圓朱文著印印四卷

按曉采居印印刻於萬歷間董文敏題序

胡正言字曰從休寧人　印人傳正言寓於秣陵官中翰留心於理學旁通繪事縮古篆籀爲小石刻以行人爭寶之印譜曰印存　又云正言印譜舊名印史我友王雪蕉易曰印存以言墨印者曰元賞

按胡正言印存元覽二卷

丁元薦號長孺長興人其所著印譜二卷名山言海印篇

按印篇自序云昔者余在都中始究同文好集古今印章交文三橋次何長卿然書馬者輿尾而五則天下尠矣今吾家山言海印篇集三百有奇方見古人書契大學焉余轉歎此篇整頓字法有數未全人文之粲然篆印紀綱舍是無皈也

丁元公字原躬嘉興人　明詩綜原躬負奇恒與俗齟齬書畫俱入逸品兼精繆篆詩亦不屑作庸熟語晚爲僧號願菴

汪　關字尹子又字杲叔黃山人　印人傳汪尹子原名東陽後得漢汪關印少自治之貽人曰吾得漢汪關印合名關遂更今字子宏度名泓亦以此名汪氏父子皆不羈宏度尤風流自命得錢不爲人奏刀必散之粉黛散盡冀復得錢始爲人作故有大小癡之號

按汪尹子印式四卷以烏絲爲規而印印於中前有趙宧光題序

汪　泓　見前

張夷令云汪杲叔素不解奏刀每濳令其子代勒遂浪得名

屠宗哲　列朝詩選張宣鐵筆詩云四明乃遇屠宗哲

吳　阮字省游竟陵人　印人傳省游印似朱修能

郭允伯閩中人有訟談閣印史　感舊集錢牧齋有詩

文及先金陵人　印人傳及先自少年卽好篆籀從金一甫學印每曰吾得之一甫金夫子夫子得之何主臣先生其不忘本源若是

程　邃字穆倩歙人　嘯虹筆記穆倩工詩精四體書爲陳眉公弟子少與萬年少諸人游銳意篆刻醇古蒼雅篆家不可及晚遇汪虎文出其所作相質汪曰君去奇古一歸繆篆正派斯得之矣穆倩誌其言故暮年所作尤爲海內寶重年八十餘卒其次子以辛字萬斯傳其業

程以辛　見前

方其義字直之桐城人　印人傳其義才氣奔放不受拘縛書摹顏魯公兼精石刻嘗與陳大樽李蓼齋輩置酒高會詩歌灑灑數千言立就公父撫楚會寇亂乃破家資募劍術遁甲之士欲往助中丞會中丞爲讒言中事乃無成中丞卒後其兄去而游方外卽青原和尚也直之鬱鬱家居以瘍疾卒

顧　苓字云美元和人　元和縣志云美太僕卿存仁後少篤學尤潛心篆隸凡金石碑版及鼎彝刀尺欵識皆能誦之尤精臨摹秦漢印章見者以爲不滅吾

衍文彭

周紹元字希安婁縣人　婁縣志紹元思兼之子隱居力學工八分精篆刻著有我貴編

黄周星字九烟江寧人　今世說周星崇正庚辰進士官戶部以文章名節自任擅篆籀工圖章性骯髒難合雖處困窮不改其操君子高之後自溺水死

李耕隱號破屋老人揚州人家白門　印人傳王臣劭叟繼起遂以印章覇江南北好畫竹爲周櫟園所歎服兼精鑒別古器寒山子爲傳虞山爲跋一時重之

欽　蘭字序三長洲人　印人傳序三能詩書尤工印章得文氏之傳與元方令和爲華岳三峯

尤西堂詩云故國山河驚戰鼓琵琶千載高麗舞投筆看君臥草廬躬耕帶索良辛苦金石聲寒滿天地慷慨常捷鐵如意尚求館穀飽妻孥且事雕蟲傳方技

俞　褒字允宣上海人　松江府志允宣詩詞醫卜[illegible]琴篆刻無所不通

萬壽祺字年少徐州人　畫徵錄年少崇正庚午舉人國變儒衣僧帽往來吳楚間自號明志道人沙門慧壽云世稱萬道人工士女及白描人物兼精篆刻書學顔魯公而變之著有隰西草堂集

王　槩字安節白下人　印人傳槩與其弟宓草名著同工篆刻安節直追秦漢宓草古逸無近今俗習

王　著　見前

姜正學字次生蘭谿人　印人傳次生喜飲酒無子常言曰麴蘖我鄉里我印必傳即我之嗣續也我何憂焉

璩之璞字君瑕上海人　松江府志君瑕工書畫尤精於篆印在吳門文氏伯仲間人品高潔不趨榮利士論多之

張　恂字穉恭涇陽人　印人傳張進士詩畫皆凌一世與黄山程穆倩游故畫與印皆似穆倩其子若水名湛儒愛書畫圖章與父同

張湛儒　見前

傅　山字青主太原人　畫徵錄青主又字公之他崇正間袁臨侯督學山西爲巡按御史張孫振誣劾被逮山槖饘左右伏闕上書白其冤馬君常作文士傳比裴瑜魏劭亂後爲道裝以醫爲業工詩文善山水分隸書及金石刻

黄　經字濟叔一字山松如皋人　印人傳濟叔畫高簡得倪黄遺意印章入神品性高潔岸異惟與杜茶村紀蘗叟交他不妄造焉後坐脫于延令季氏家生平嘗論定六書二十卷云

顧　圤字筑公又字山臣武林人　印人傳筑公立品

高迴不屑俯從作印耻雷同
杭州府志竺公摹印與施萬齊名
明詩綜顧圤字琢公錢塘人工繆篆詩不爲格律所縛有今年草

施　萬字大千別號汗漫子錢塘人　杭州府志大千以詩名家又善篆隸摹印在何震陳士衡上

江皜臣歙人　印人傳皜臣精切玉用刀如畫沙嘗語人曰堅者易取勢吾切玉後恒覺石如宿腐余贈二絕句云窺得軒皇寶鼎文垂金屈玉更藏筋分明五色仙人筆劃取黃山一片雲鳥篆蟲書總擅奇興酣十指似懸槌生平不學秦丞相手搨衡山岣嶁碑其

門人石公亦得其傳
程嘉燧題江皜臣印冊云皜臣恂恂貞不異俗和不狥物無山谷僻陋之氣無江湖脂韋之態專精於所事而無矜能爭勝之意昔我邑有汪杲容先生師何長卿其技妙絕一時惜未之見若皜臣之擅長乎刻玉比蹤前人爲所推挹固無俟余言矣

葛　潛字南閭婁縣人　婁縣志南閭工金石刻
抜曝書亭集亦有葛南廬名起字振千華亭人著有葛氏印譜

徐貞木字士白又字白榆嘉禾人　嘉興府志士白書法鍾王工篆刻人爭購之

程　林字雲來歙人　印人傳雲來精醫能起人於死好爲圖章隨手而變又好寫花卉予與繩名其武爲制舉業有聲亦精治印

程其武　見前

張　風字大風上元人　印人傳大風自稱上元老人作印章秀逸如其人兼精畫

陳玉石號師黃　印人傳師黃自云平湖人或曰陳非其本姓亦不籍平湖未能辨也工圖章不肯爲人作刻必深刓其底光滑如鑑乃止嘗目工印章者爾輩持刀將用以削人足指甲耶其傲慢自矜如是或又曰師黃實本姓陸云

胡曰從號十竹休寧人　嘯虹筆記曰從寓南都以印章名然學有而資分不足

周靖公　印人傳靖公弟亦嗜印在楊署見梁大年爲余作印因向大年問刀法但性躁不略細究源委又豪於飲一印未成醉即磨去

包　容永嘉人　永嘉縣志容善書畫工篆刻萬歷間授中書舍人江陵當國雅愛重之一日以玉章相屬巳鐫就促之急容怒磨而返焉遂拂衣歸

程　原字孟長又字六水新安人　印人傳孟長印學主臣大索主臣篆滿篋或購石或蒐譜復檄四方好事郵寄共得五千有奇命其子元素楧選千餘摹爲

工秦漢篆刻名擅一時文待詔以兄之子妻之

劉昌孫蘇州志云稺孫號七芝居士

林應龍字翔之永嘉人　溫州志應龍精於篆隸爲印局大使

李文甫金陵人　印人傳三橋所爲印皆牙章自落墨而命李文甫鐫之李善鐫箑邊其所鐫花卉皆玲瓏有致公以印屬之輒能不失其意故公牙章半出李手

秦　漁號以巽原名德滋梁谿人　印人傳漁以高閣負異才少游馬文肅公門以制舉業名中年與華聞修諸公以詩名書法顏褚印章遠追秦漢近取文何眞苦心此道者

朱　鶴字松隣華亭人　思勉齋集松隣徙居嘉定精圖繪雕鏤之技以高雅名爲陸祭酒深客

按鞠坤臯篆文攷畧松隣一作松齡　工篆刻

彭興祖　王衡集興祖篆刻工雅

來行學字顏叔西陵人著有宣和印史

按印史官印共六十卷以漢剛卯冠其首自序云余有印癖每抱越楮一帙游於齊楚三晉燕趙之墟總得官印四百有奇已而石箐山畔畊夫從桐棺丹筒獲宣和印史更載官印千二百有奇中間合者什四爰摹勒石草莽就緒其他封建姓氏次第未遑彙其譜洵主臣之功臣也

程　樸　見前

按樸摹雪漁印譜共四卷陳繼儒爲序

沈世和字石民常熟人　印人傳石民書畫妙天下印以毛潁之法驅使銛刀宜其獨步壇坫俯視一切也

吳　麐字仁趾　印人傳麐天都右姓隸籍廣陵詩歌超超無凡響摹劃篆刻不規規學步秦漢而古人未傳之秘每於兎起鶻落之餘別生光怪文三橋何雪漁所未有也

錢履長字雷中　印人傳雷中戲作印章幾幾乎欲登作者之堂

李　根字阿靈號雲谷居士閩縣人　印人傳雲谷工詩小楷頗得晉魏遺意畫佛像仿吳文中山水不妄設一筆恒能引人入淨地尤留心篆學嘗同福清林朱臣廣金石韻府增入刪正一無譌謬自言吾不欲以此微技供後來小兒指摘也其矜愼如此故不恒爲人作印云

徐　堅字子固　印人傳子固其先吳門人移家白下仿古小秦印章筆法不讓朱脩能

鄭基相字宏祐歙人　印人傳宏祐圖章得何氏之傳性孤介秘不示人隱於秦淮貧且老焉

劉稺孫字復孺吳縣人　吳縣志稺孫字學蘇眉山尤

甲乙尚娭異日後尚有私印一册

吳考叔歙人　見俞仲蔚集

按吳一作胡

程大憲字敬敷休寧人有印譜四卷

按程氏印譜四卷刻於萬歷中皆詩文摘句及時人名字印後附自藏漢印一卷

程　遠字彥明梁谿人著有古今印則

按印則彥明摹漢印及同時詩文印朱之蕃屠隆張納陛董其昌顧起元沈濯何淳之虞淳熙丁元薦馮夢禎爲序　又有印旨二卷

孫　宓字幼安著有印苞

九　西泠印社 印學叢書

印識

按徽芳齋印苞二卷俱摹名人印成於崇正間

陸　儁字升璜　今世說儁能詩工篆刻

張宗齡字江如梁谿人　印人傳宗齡父嵋以遴選制舉業名宗齡於文章之外旁及印事亦臻妙境

陳瑞聲字朝喈梁谿人　印人傳瑞聲父曾爲南陽太守君能世其家學諸生中儶骬也工圖章能詩

沈子雲　見譚友夏集

倪　耿字覲公梁谿人　印人傳耿雲林後少時左足不良遂隱居水村借以謝客工篆籀

王　定字文安梁谿人　印人傳圖章似元方令和更留心製鈕與漳浦楊玉璇毘陵張鶴千齊名

袁曾期名魯吳門人　印人傳作圖章多正字

須礽孫字西來毘陵人　印人傳礽孫制業爲時所推尤留心於六書之學甲申之變絕粒死

袁　雪字臥生吳門人　印人傳精圓朱文

吳明玕字頌筠又字虎侯梁谿人　印人傳明玕爲諸生有名著典林一百四十卷甲申後棄儒衣冠爲野人服不甚與人見篆籀直追秦漢文何不得專美矣

程大年著有印譜四卷

按大年印譜四卷分元亨利貞上二卷摹漢印下二卷自製

吳良止字邱隅

十　西泠印社 印學叢書

印識

按攷古正文印藪六卷萬歷間江都張學禮誠甫集歙吳良止中足摹其中所載皆重摹顧氏印藪諸印誠甫自序述摹邱隅吳君玉谿董君雪漁何君島南吳君

洪元長著有印譜一卷

按元長印譜一卷祝世祿陳繼儒顧成憲爲序

黃應聞字起聲莆田人著有問字編

按問字編分月下花間茶顛酒困四集中皆時人名印每印下有跋

張日中字鶴千毘陵人　印人傳日中初從蔣列卿學製鈕能出新意與楊玉璇齊名篆印全撫文國博子

堯典能繼其學

按堯典印史一卷並無刻本皆印稿也前有周清源

序

吳　山字仁長又字拳石　印人傳山與垢道人爲兒女姻作印亦似之子萬春字函公亦能作印

吳萬春　見前

陸天御字漢標鹿城人　印人傳天御作印能運以已意而復妙得古人意

林　晉字晉白莆田人　印人傳晉鐫晶章工而敏好飲酒醉後意到神來目不知有晶往往驚壞其鈕然其所鐫之印縱橫任意一往有奇氣

薛居瑄字宏璧　印人傳居瑄本閩之晉江人後籍侯官其印直入秦漢之室遠出諸家上

薛　銓字穆生　印人傳銓爲居瑄之子諸生其印似之

按銓著有漢燈一卷

邱　旼字令和吳門人　印人傳旼印仿顧元芳

黃　樞字子環漳浦人　印人傳樞以圖章名凡金石典册靡不精研辨證其譜名欵識錄子克俟名炳與沈鶴生善每有印事互相訂正一印成卽槃一說於上皆有雋永致

黃　炳　見前

陶　碧字石公晉江人　印人傳碧嘗從江皜臣學圖章而不拘拘皜臣一家

楊玉暉字叔夜閩長汀人　印人傳玉暉以孝行爲鄉里所推詩文皆能獨出已意汀士多從之學晚以明經作教南靖印章偶一爲之遂臻上品

童昌齡號鹿游　冒襄同人集題印史册云印史焜煌點畫新射穿老眼見精神知君絕藝留千古一册能昭歷代人

沈康臣　今世說康臣書法王柳顏歐鈎畫摹脫盡變極神旁通篆籀偶刻石爲記士林寶之

洪元長武林人洪太保兩峯之裔也有印譜一卷

印識　西泠印社印學叢書

周應麟字九貞秀水人有印問二卷

按印問二卷皆時人名印

程聖卿著有印鑑

按聖卿印鑑皆用古人名字作印陳繼儒爲序

吳　晉字平子莆田人　印人傳莆田有宋比玉者善八分書有聲吳越間後人效之至用於圖章古無是也後平子從余遊遂一洗其舊習久客都下名重一時

林　熊字公兆莆田人　印人傳熊棄家游吳越間爲印動以漢人爲法不妄奏一刀詩畫及分書皆楚楚可人

吳　暉字秋明閩樵川人　印人傳暉能詩工畫行楷亦逸致圖章好仿文何

吳道榮字尊生新安人　印人傳道榮家於閩工詞印章能出己意

汪鎬京字宗周歙人　印人傳鎬京能於主臣修能之後繼黃山一脈云

李　穎字箕山海陵人　印人傳穎工詩畫精篆籀之學考古金石之文多人所未見深思窮研豁然有得故點畫之妙能洞微穿

賀千秋著有印衡

董其昌序云昔顧氏印藪不如今之印衡印衡雖一家之書具有血氣印藪則百補之衲都無神明（按顧氏印藪上海顧汝修集凡六卷玉印一百五十有奇銅印一千六百有奇沈明臣黃姬水爲序是譜成於隆慶六年僅印二十本每本白金十兩當時珍重若此後翻以木版無復生氣思翁所云或是木本）

甘　暘字旭父秣陵人

按暘集古印六卷許令典爲序

陳懿卜著有集古印選

按印選董其昌爲序

姜　貞字羊石金華人（以下俱見印人傳）

吳正暘字午叔休寧人

胡其孝字全子休寧人

龔　坤

朱石臣

丁良卯字秋平錢塘人（按秋室印文丁良卯又號秋室自號月居士清陽人注聖木曾）

（集其印文今世已斟篆法何雪漁朱修能兩家）

王夢弼字叔卿歙人

張平憲

汪　徽

汪　銛字先之

程　晋字文叔仁和人

陸　惠字仁父仁和人

胡　湞字克生錢塘人

俞時篤字企延

高　治字培宗仁和人

馬　麟字白生仁和人

范　穎字若傾仁和人

黃　璞字素心錢塘人

李　穎字考叔仁和人

周廷增字仔曾會稽人

胡　鍪字闌渚山陰人

劉履丁字漁仲漳浦人

羅　坤字宏載會稽人

王　言字綸子休寧人

陳上善字元水嘉定人

陳　枚字簡侯錢塘人

汪　如字無波休寧人
倪越石字師魯江寧人
張我法字雪鷗武進人
孫　吳字竹民秀水人
何延年字大春桐城人
馬　駿字西樵山陽人
顧　溥字子將錢塘人
祁天壁
毛會建字子霞武進人
范西漢
方雲施字彥博桐城人

李石英文甫
方雲聘字東來桐城人
范潛夫
王人龍字靈長錢塘人
魏　植字楚山一字伯建莆田人
錢昌祚字燕穀武進人
吳　宏字不移宣城人
徐　光字東皋蘇州人
李　瑛字渭珍江寧人
周丹泉　娓古錄吳門丹泉周子能燒陶印以堊土刻
印文或辟邪龜象連環瓦鈕皆由火範而成色如白
定而文亦古

婁縣馮承輝少眉纂

元

盧仲章天台人　元陳基夷白齋稿有贈仲章詩序云能刻金石印

顧瑛字仲瑛號金粟道人崑山人　畢氏廣堪齋印譜題其自製玉山完璞（竹根印上刻邊款云金粟道人製）云此印乃顧仲瑛之物仲瑛元季時以貲雄居吳下所居界谿別業名玉山佳處集四方文士相與詠歌篇什今所傳玉山雅集詩是也亭館聲伎之奉圖書彝鼎之多甲於一時晚年視天下將亂盡散其家產隱於吳興之商谿得全其身以浪迹江湖與倪雲林同一卓識其後更名完璞故所著詩曰玉山璞稿印爲老友玉山得之玉峰人家玉山寶藏篋中幾廿載己亥冬玉山下世余從其弟金山易之朝夕把玩如見故人弁幸名物之得所歸矣至於鐫手之蒼秀樸雅不待余言當與彝鼎璠璵同一寶貴可也竹癡道人記

顧嗣立元詩選顧瑛一名阿英別名德輝輕財結客年三十始折節讀書舉茂才署會稽教諭辟行省屬官皆不就卜築玉山草堂以隱

謝杞　陳繼儒妮古錄謝杞能刻印章元貞錢翼之有二私印爲吾衍所篆而杞刻之翼之特識於衍手

蹟後焉

明

沈潤卿長洲人　黃雲晉漢印章圖譜序沈潤卿嗜古甚篤又摹孟思之不及見者通計若干印譜無刻本潤卿刻之以孟思與己所摹者併刻焉用繼伯順子昂

金湜字本清號太虛生又號朽木居士鄞人　書史彙傳本清于正統辛酉舉于鄉以善書授中書舍人至太僕丞竹石甚佳鉤勒竹尤妙善法篆隸行草綽有晉人風致善摹印篆

周紹元字希安松江人　松江府志希安爲思兼子蚤孤攻苦績學年二十困於病杜門學詩隱居藻里性不可一世憤時激俗崚嶒不可近人亮其坦衷久而安之工八分精篆刻所著有我貴編

陳助字賢佐崑山人　姑蘇志正統初以薦授桐廬縣丞歷臨江新淦金谿知縣寫喬柯竹石精率更書旁曉篆隸漢晉印章通理學里中號爲十絕

孫一元字太初號太白山人　徐元懋古今印史孫太初印多自製時有方唯一者眇一目而善謔孫爲製一印唯一書輒用之李獻吉戲題其上曰方唯一目印制甚曲信是盲人罔覺其俗唯一知而亟毀之印制乃朱文三字相連而横界其中寓目字也

朱彝尊明詩綜太初不知何許人或曰安化王孫也嘗西入華南入衡東入泰南入吳就昏於吳興施氏與劉麟吳琬陸崑龍覽稱苕谿五隱有太白山人漫稿

黄宗炎字晦木一字立谿餘姚人　畫史彙傳晦木人稱鷓鴣先生忠端公次子崇正時明經甲申後隱遊石門海昌賣畫自給宗小李將軍趙千里工繆篆善製硯著有周易象詞尋門餘論學圖辨惑諸書

陳于王晉江人　福建通志于王能詩畫工篆隸鐫刻圖章尤精雅絕倫

祁豸佳字止祥山陰人　畫史彙傳止祥爲天啓丁卯

孝廉以教諭遷吏部司務甲申後不仕隱梅市山水入荊關室又善花卉書學思翁詩文詞皆有致至于歌奕圖章百戲俱善

黄正卿　李舒章蓼齋集黄正卿詩印冊序黄子正卿能爲詩雅逸清超勝者儲孟之閒而古文摹印自成作者近代何朱之學無以過之要不離乎秦漢者近是

金申之　蓼齋集吳門金申之爲弟方外友其人今之樓君卿也工詞賦善篆刻字皆絕人

汪　炳字虎文休寧人　嘯虹筆記虎文之先人暨其兄俱官京師虎文又燕産也少讀書過目成誦其兄既明爲中翰精四體書是以虎文於書法特有家學焉甲申以後挈家南還僑寓武林見朱修齡印譜中即倣之一捉筆即能度越其妙再遊維揚遇程穆倩彼此出印譜相證穆倩歎服握其手曰始自以爲無踰者今見子則此事當與子分任之

徐念芝浙人　嘯虹筆記念芝遇虎文於鄭中丞座念芝固名手即席從虎文學焉

汪　濤字山來休寧人　嘯虹筆記山來多膂力人呼之夢龍將軍眞草隸篆以及諸家法書無所不精大則一字方丈小則徑寸千言鐵筆之妙包羅百家前無古人岳陽樓額字徑丈乃濤所書也

方仲芝歙人　周亮工印人傳家大人印多喜歙方仲芝以其工象牙黄楊也

何　濤　印人傳濤雪漁子亦能印

陳　雷字古尊杭州人見印人傳

翁　陵字壽如閩之建寧人　周亮工讀畫錄壽如工畫能詩小楷圖章分書皆有意致

朱修齡休寧人　嘯虹筆記修齡倣漢銅頗入妙但生動之中不無太過

按朱簡號修能亦休寧人未知是一是二、

楊敏來吳人　嘯虹筆記敏來汪虎文弟子也

劉衛卿休寧人　嘯虹筆記衛卿博識古篆刀筆古樸

趙時朙字天醉休寧人　嘯虹筆記天醉書畫入妙篆
刻蒼健嚴緊

趙又呂　嘯虹筆記又呂時朙之姪也篆刻古樸渾雅

趙端　見嘯虹筆記

汪以菊休寧人　嘯虹筆記以菊篆刻爽秀精勁尤工
鐘鼎

國朝印識卷一

婁縣馮承輝少眉纂

米漢雯字紫來宛平人　王士正香祖筆記紫來順治
十八年登第工書畫仿米南宮尤工金石刻以長葛縣
行取舉博學鴻詞官至侍講

張貞字起元號杞園安邱人　盧見曾山左詩鈔起元
康熙壬子拔貢生舉博學鴻詞　召試授翰林待詔有
勉厚堂集
王士正半部集序君博學好古能鑑別書畫鼎彝之屬
精金石篆刻間歲出游吳越與高士名僧邂逅山水間
觴詠以爲樂旣而購書千卷以歸

何鐵字龍若小字阿墨鎭江人　陳其年湖海樓詞龍
若流寓泰州精詩畫工篆刻

嚴漢生鄞縣人　鄭梁見黃集余幼習篆印於同邑沈
章谿及族伯父省菴兩先生皆以余爲能爲余言其法
甚詳蓋章谿得之鄞邑章君載道章君得之慈谿姜君
應鳳其法實源於吳中文氏而我伯父爲章谿密友其
講究大略相同亡何章谿物故伯父亦老而嚴子漢生
游四方數十年來歸一旦赫然以篆印名邑里間

鄭梁號禹梅又號寒村慈谿人　見黃集黃梨州弟子
也幼習篆刻
畫徵錄鄭梁康熙戊辰進士官至高州府善山水暮年

右臂不仁以左手作畫鐃別致詩有曉行詩最佳人呼爲鄭曉行

沈遴奇字子常一字觀侯號章谿　見黃集沈章谿墓志章谿慈谿人早歲卽補弟子員以好事蕩其家產工書尤精篆印梁幼從先生時時舉其法以告之

羅鴻圖字文河披縣人　山左詩鈔文河康熙壬子拔貢生與卽墨楊六謙同爲學使施愚山先生所賞識稱諸生祭酒壬子貢入太學屢試京兆不利乃專精六書之學工於繆篆自號寓意子其金石刻畫士大夫爭購而什襲藏之有鐵筆譜二卷行於世

王睿章字曾麓南匯人　松江府志曾麓工鐵筆學古

而無迹自謂妙處全在神韻名與莫秉清張智錫相鼎峙卒年九十八有醉愛居印賞

丁敬字敬身一字鈍丁自號龍泓山人錢唐人　汪啓淑飛鴻堂印人傳鈍丁起闤闠中而矢志向學於書無不窺嗜古耽奇尤究心於金石碑版著有武林金石錄該博詳審詩古文筆力超雋有皮陸之遺以其餘緒留意鐵筆古拗峭折直追秦漢所著詩文集甚富鄉人不戒災及其廬蓄所藏弆所流布者蓋幾希矣年六十有四

蔣元龍字乾九一字雲卿又號春雨秀水人　汪印人傳春雨篤學嗜古工詩文精賞鑒究心金石書畫出其餘技寄興鐵筆用釘頭隨意鐫刻多白文不暇修飾頗饒古趣

陳鱸詩注春雨以羚羊尖手刻名號傳爲韻事

王澍字虛舟號篛林金壇人　查昌岐論印絕句鄭填徐貞木絕技擅名同程邃許容他時號國工最愛金壇王吏部篛林先生雕蟲游戲亦神通

閔貞號正齋江西人　汪印人傳正齋山水花鳥設色別具幽趣而潑墨尤高古雅淡其白描羅漢士女則幾奪龍眠之席又寄情篆刻專宗秦漢

萬允誠鄞縣人　鄭梁五丁集允誠善書工篆刻

沈鳳字凡民江陰人　鄭燮板橋集凡民官盱眙縣令

王篛林太史門生工篆刻

朱犇字公放歸安人　汪印人傳公放初名杏芳字奐裁諸生屢困場屋遂改今名字漁山自號黃稗道人蓋自寓其意也放情山水肆志篆刻尤精音律辛未春翠華南幸莊滋圃大中丞撫全吳時延譜迎鑾新曲一時爲之紙貴盧雅雨運使再至兩淮館於署齋月餘成玉尺樓傳奇授之梨園著有摹印篆一卷印律一卷漁山刻印稿一卷宮調譜八十卷、

徐夒字龍友長洲人　汪印人傳龍友著有裛爽亭詩集寡女以女工所入壽剞劂而行之歸愚宗伯爲之序龍友於書無不窺詩文悲壯間作金石篆刻蒼雅秀健

得文何二家法

周鼇字頓菴仁和人　汪印人傳頓菴棄帖括而專力於古文及六書與穆門徵君京爲雁行相與切磋隆譽日起爲文有孫樵劉蛻遺風彈琴詠歌寄情篆刻壽至八旬而卒

王宛虹　五丁集宛虹入孝友出謹信淡泊於世故之紛華而孜孜焉臨徽仲之書倣三橋之印其性情亦已過人矣

陳炳字虎文吳縣人　吳縣志虎文性狷介不肯隨俗而意致高逸詩宗王孟又好鐫印章類顧苓晚喜效趙宧光作草篆八十餘卒

沈龢字石民常熟人　虞山畫志石民工書畫善篆刻

巢于號阿閣蘭陵人　江上漁郎印律阿閣著林佶爲序

閻左汾　王士正蚕尾文集跋左汾印譜云左汾文章妙一世游藝篆刻不肯屈曲以趨時好而唯古是師其於文章亦猶是矣藝云乎哉

顧藹吉字畹先改字天山號南原吳縣人　吳縣志南原以貢生纂修得官終於儀徵學博精繆篆工分書兼長山水爲宋駿業王原祁所稱賞

楊陞字幼清松江人　婁縣志幼清工金石刻書法二王沈文愨公徒步往訪焉

沈心字房仲仁和人　厲鶚樊榭山房集有和房仲論印詩十首

金農字壽門又字冬心錢唐人　沈房仲論印詩隻眼只推金壽門

張庚畫徵錄壽門好古力學工詩文持論不同流俗精鑒賞工書畫著有冬心詩鈔

祝潛號兼山又號野亭長海寧人　周春和論印絕句註楊園先生極重兼山世人但知精篆刻而已

張宏牧篆學淵源兼山號初陽山人名譟儒林刻印亦倣白榆但刀法欠精神耳

祝翼良海鹽人　翼良印譜其自刻一印云百八峰間

祝埜老行十八名翼良字漢師自號識字農有髮頭陀潛道人三十八字康熙雍正間與兄兼山均以篆籀名於世

周春和論印絕句兼山猶子漢師能於徑寸石上作數百言

陳鱣和論印絕句註兼山之弟嘗取字之有關於漢師二字者更倣古各爲百印名自娛集

按漢師周云兼山猶子陳云是弟未知孰是

徐寅號虎侯　篆學淵源虎侯白榆之子名重京師過於乃翁其所刻印雖多斧鑿痕未造自然然循循乎規矩不失家學之傳

韓韞玉字美斯　陳鱣和論印絕句註徐虹亭南洲草堂集有海寧韓美斯印譜跋稱其博學好古美斯與余家隣近爲先君子刻圖章最多今莫能舉其姓氏矣

查介龕　陳鱣和論印詩註介龕工鐫筆爲初白所最稱姪舜俞孫若農並傳家法

陳乾初海寧人　陳鱣和論印詩註余六世叔祖乾初公兼精篆刻曾孫曾貽能世其學又九南高叔祖得文氏三昧子卽目耕先生

黃樸字素心錢唐人　倪印元和論印詩註

萬光泰字柘坡秀水人　蔣元龍論印詩註篳莊印樸乃柘坡萬孝廉手刻印存惜不可問矣

江濯之字漢臣徽州人　篆學淵源漢臣所刻晶玉印甚佳名重公卿間曹秋岳先生延之上賓後游閩卒石刻不概見

陳戴高字山止亦稱山明號鶴崖仁和人　篆學淵源山止贅於濮因家焉書法鍾太傅其篆刻的眞三橋雖與白榆友善而實私淑之

俞廷諤初名經字夔千又號葵軒　篆學淵源葵軒因眇一目遂號眇狂桐之鳳棲里人工書法耑精篆刻其得意作入白榆刻中幾無辨也

范風仁號梅隱嘉興人　篆學淵源梅隱寄寓吳江笠澤上工畫梅故自號梅隱書法蒼勁其篆刻似雪漁鄭生禹甸寄余苑印一卷百五十方今入四先生刻冊四先生何雪漁丁元公蘇嘯民范梅隱也

陳王石號師黃　見宏覺禪師印藪

篆學淵源師黃爲木陳上人作印三十餘方秀婉可喜他亦不多見觀其欵刻蘇人訪之不可得雖其人已死其名何可沒也

張曙號玠菴上海人　見宏覺禪師印藪

篆學淵源玠菴爲木陳篆刻甚蒼老又不類師黃余如海上訪之名藉甚也

李元閎號中泠山陰人　見宏覺禪師印藪

篆學淵源中泠與姚江都素修俱受業於師黃之門兩

人所刻雖與今之版弱者逈別然不及其師遠矣

莊允錫字廷占　篆學淵源廷占號浣躬梧桐里人少師白榆結搆矜嚴但欠精神耳

陳成永號元期海寧人　篆學淵源元朞本世家子庚辰進士讀書中秘篆法三橋惜所作甚尠

及孔威　篆學淵源孔威印師眇狂晚年太求老到未免入俗耳

魏閬臣號又虞　篆學淵源又虞桐人所刻紫檀黃楊印甚工緻文人之作也

吳暉字秋明樵川人　彭蘊燦畫史彙傳秋明工畫能詩行楷多逸致圖章仿文氏以多技稱

顧貞觀字華峰一字梁汾　周印人傳貞觀官中翰其
祖父皆以文章理學名世中翰能繼之戲爲圖章遂臻
妙境
李根字雲谷侯官人　畫史彙傳雲谷畫有遠致佛象
極靜穆工詩小楷得晉魏遺意精篆籀之學圖章倣秦
漢註廣金石韻府
李希喬字遷于號石鹿山人歙人　施潤章愚山文集
石鹿山人長於竹石人物工篆刻鈎勒法帖斵竹鏤刻
如寫生稱絕技
張在辛字卯君號柏庭　山左詩鈔在辛貞子康熙丙
寅拔貢生授觀城教諭有隱厚堂遺稿畫石瑣言又云
先生工鐵筆嘗爲鐫小印膠州高西園鳳翰閱予印譜
見卯別之日此非我卯君不能作也家有寶墨樓藏書
彝古玩燬於火詩文集亦燼故傳世無幾篇
林公兆甫田人　阮文錫詩林君巨族出甫田寄迹燕
吳家在魯篆學一掃庸俗工搨筆嶄巖勝釵股
王游無錫人
呂柏庭無錫人　二人見李耕先印譜
謝黃山新安人　汪淇尺牘新語二編陸敏樹曰手筆
過秦漢晶玉尤絕
陳觀瀾　尺牘新語二編善印章嘗自論曰非僅以秦
漢爲師尤貴師其變動入神耳

沈焱字殿秋華亭人　畫徵錄殿秋爲獅峯曾孫山水
得家傳通六書精篆刻
許容字默公如皋人　畫史彙傳默公曾官閩中善山
水及著色芭蕉諱而不作六書小篆圖章不讓秦漢
篆學淵源實甫往來京師十年王公大人聞其名延致
之嘗爲閩吏因風輸餉舟覆罷官
按默公著有印略印鑑谷園印譜韞光樓印譜又輯
篆海數十卷
高鳳翰字西園號南村膠州人　畫史彙傳南村晚號
南阜老人因右臂不仁以左手作畫號尚左生雍正丁
未以生員舉孝廉端方任歙縣丞山水氣勝不拘於法
草書圓勁飛動嗜硯收藏千餘自銘大半著硯史繆篆
印章全法秦漢乾隆癸亥年六十一自譔生壙誌
高翔字鳳岡號西唐甘泉人　畫徵續錄西唐山水人
法衞江參石濤之縱恣能詩工繆篆其刀法師程邃
聶際茂號松巖山東長山縣人　汪印人傳松巖留意
六書寄情鐵筆師安邱張卯君以蒼深雅健爲宗著表
聖詩品印譜北平黃大中丞叔琳爲之序
按戴亨通慶芝堂集有題聶松厓印譜詩云爲我嬲
石鍋數方但覺鴟黃氣逐窈時地相同或集此人耳
李鏞字山濤嘉興人　畫徵錄山濤畫蘭法何其仁能
取其長而滌其習兼精金石篆刻

陳延字遐伯潛山人　江南通志遐伯折右臂書用左腕與蕭奭從稱畫院二妙幼而多慧見技之善即爲摹仿尤精篆刻著孤行齋集

侯文熙字日若無錫人　鄒炳泰午風堂集我鄉侯日若文熙精篆刻宗文三橋而蒼勁過之都下王中立度得其傳前此以鐵筆名者有倪雪田以晶玉擅能者呂栢庭高培青田凍石尤極千古

按日若一作越石見李耕先印譜序

陳詩桓字岱門號石鶴江蘇華亭人　汪印人傳石鶴工丹青善章草性兀傲不諧於俗鐵書高古闖入兩漢閫奧

陳龍書字山田詩桓子　顧楨詩六香父子相挺出挽力直使千人靡西庵陳鍊沈皋杜衡工瘦勁各以寸鐵爭權奇

黃孝錫字備成號約園吳縣人　汪印人傳約園家吳縣之木瀆鎮饒於財好結客屏棄一切專精篆籀三十年藝益工而家益落聲名藉甚吳會聞得其一波一磔莫不珍庋以爲枕秘著有棣花堂印譜篆學二種

朱綸字郁文號霞川江寧人　徐承烈聽雨軒雜記郁文別齊王樽十一世孫世居秣陵文德橋謙厚誠古之君子也詩文音律鐵筆篆書俱妙冠當時

袁三俊字頌尊號抱甕長洲人　汪印人傳三俊工篆刻章法秦漢兼得顧苓陳炳之神品高潔非可以貨得也著有抱甕印稿沈歸愚宗伯爲之序

袁孝詠字慧音三俊子能世其業

沈皋字聞天歸安人　汪印人傳聞天鐵筆最工白文絕類何雪漁蘇嘯民所著有六泉印譜四卷

黃呂字次黃號鳳六山人歙縣人　汪印人傳次黃白山先生之嗣君也白山著作等身名藉藉大江南北間通六書工篆刻鳳六舞象時即秉庭訓所製印多遒勁蒼秀有秦漢遺風兼精繪事山水人物花鳥縱所如皆臻妙

畫識次黃作畫成題詩幀首以自鐫印鈐之人謂其四美具焉

胡志仁字井輝號曙湖山陰人　汪印人傳曙湖晚號華顛老人能詩工篆刻

顧光烈字開周號楓林錢唐人　汪印人傳楓林研究六書篆刻凡有所作精心擘畫必窮其根源務合於古人乃已風韻在蘇泗水吳亦步之間

嚴源字景湘號素峯常熟人　汪印人傳素峯究心金石等書又親承浩菴徐太史指授遂以鐵筆名師尚秦漢唐宋不屑也

強行健字順之號易窗道人上海縣人　汪印人傳易窗道人書似谷口詩法劍南篆刻師何主臣蘇泗水著

有印管十二卷

徐堂字紀南號秋竹又號南徐仁和人　汪印人傳紀南仁和諸生工詩習篆籀鐵筆其所製印皆秀整中蒼勁所著有藉谿古堂詩集二卷

許儀字子韶號鶴影子又號歇公無錫人　畫史彙傳子韶官中書窮舅氏李采石技軼出其上山水人物界畫花鳥蟲魚無不盡善沒骨點綴得徐熙法能寫照花下印章每以手畫成眞絕技也善篆籀圖章尤通醫理卒年七十有一著詩集甚夥

華半江無錫人　午風堂集我鄉華半江精大小篆兼精鐵筆其論篆云流弊至草篆識者心所鄙守正不徇

人汲古搜根柢秦漢印歌云纖綺怪僻非康莊數語盡之

潘西鳳字桐岡號老桐新昌人　汪印人傳王虛舟摹十七帖成命桐岡書丹以竹簡勒之名之曰竹簡十七帖亦工製印

潘封號小桐　汪印人傳小桐善製竹印桐岡子也能傳家學

劉淳字叔和號虛白鎮嶺人　汪印人傳叔和摹古印章專師秦漢

李德先字復初號石塘江蘇華亭人　汪印人傳復初好金石文字肆力摹古銅玉牙石莫不精妙

朱笠亭海鹽人　汪印人傳笠亭丙戌進士官直隸阜成縣知縣摹印宗何主臣

陳浩字智周號芷洲嘉定人　汪印人傳芷洲嘉定諸生棄舉子業養疴林泉惟攷核三代古文秦漢篆隸以寄興摹印尤得同里張紫庭秘授王鵠林題所著古藤齋印譜曰吳興復見洵非虛語也

張鈞字石衡號鏡潭歙縣人　汪印人傳鏡潭刻印蒼勁著有鏡潭印賞十卷

徐堅字孝先號友竹吳縣人　畫史彙傳友竹山水得子久意工隸書善篆刻挾術游公卿間無不倒屣工詩有緄園詩鈔

王瑾字亦懷常熟人　畫史彙傳亦懷其先自閩遷常熟畫筆直入古人之室王翬極稱之兼篆刻

黃德源字茂叔　馮金伯畫識茂叔洞曉音律嘗於市中得古鐵簫品之有異聲因爲號工山水蘭竹寫生善篆刻

黃恩長字奕載號蒼雅長洲人　畫識蒼雅花卉宗南唐徐氏人物山水工細學仇十洲尤精篆刻有敦好齋印譜千頃堂畫譜

吳坤字皆六紹興人　畫識皆六工山水印章

姚燕字季調自號樗園居士長洲人　汪印人傳季調工詩文善草篆偶寄興鐵筆宗雲美顧氏摹漢印工整

一派

張慶壽字裕之又字拙餘嘉興人　汪印人傳裕之居張山之麓又號張山樵夫工詩古文為人倜儻有奇氣善水墨花卉尤精畫蘭兼通六書專祭文氏一燈著有拙餘印譜

余元之字貞起號介石金華人　汪印人傳介石工刻印

沈世守卜周又字瘦生　汪印人傳瘦生書法晉唐詩臻宋元工刻印某方伯俾鐫名印二方後令重鐫纖媚者卜周即于廳事前階下磨去辭以不能其傲慢如此

印學禮字庭曰又號茆齋嘉定人　汪印人傳茆齋摹印多天趣

余珽字君儀號笏齋婺源人　汪印人傳笏齋初名培有　上諭十六條印譜行世

程瑤田字亦田歙縣人　汪印人傳亦田生而有文在手曰田故名之讀書研求精蘊為文根於性道經史餘暇棲情篆刻一以秦漢為法又留心音律考辨琴聲著有琴音備攷素工八法頗得晉人筆致庚寅舉人　大挑選授嘉定縣教諭

黃易字大易號小松仁和人　汪印人傳小松習刑名之學有聲運幙工丹青得北苑關仝筆意刻印事師秦漢曾問業於丁龍泓兼工宋元純整諸家欵識亦古雅

桂馥字冬卉號未谷曲阜人　汪印人傳未谷慨摹印一燈欲絕遂集古若干乃以唐韻次之釐為五卷甚有功於藝苑由明經貢於京師得官學教習撰續三十五舉以補吾子行之不及絢文何功臣也

欽岐字維新號支山吳興縣人　汪印人傳支山族有名蘭者擅摹印傳習其章法刀法遂工篆刻

周芬字子芳號蘭坡錢唐人　汪印人傳子芳工篆刻倣古尤逼眞兼精製鈕

杜世柏字參雲嘉定人　汪印人傳參雲所著有蔭軒印品四卷

陳渭字桐野號首亭平湖人　汪印人傳首亭鐫筆詩格皆淡遠蒼秀

徐必達字東明號星橋華亭人　姜兆翀松江詩鈔東明華亭諸生詩文外旁及陰陽樹蓺臨摹篆刻未娶卒年四十

徐熙泉字唐運上海人　上海志唐運工詩善書長於繆篆性迂僻乞其書即素交亦不肯作興至縱筆數十幅不倦

諸葛胙號永年蕪湖人　松江詩鈔永年能鐫銅章鍒銅鋼皆自為之鹿文啓有詩

吳逵號心禪婁縣人　松江府志心禪禮部儒士工書

畫花鳥善篆刻

祝昭字亮臣　當塗縣志亮臣能詩善八分書至鐫一石彈一調圖一幅無不稱絕游歷所至士大夫皆重之

吳肅雲字竹蓀號盟鷗徽州人　圖繪寶鑑竹蓀工山水能篆刻爲人磊落不羈隨父淮陰家焉

瞿元鏡字端淑常熟人　虞山畫識端淑爲忠宣公式耜子喜花鳥兼篆刻

朱文震字清雷號去羨歷城人　汪印人傳清雷初任西隆州改詹事府主簿少孤家寒肆力翰墨擅花卉翎毛山水幾奪婁東虞山精篆隸會館需善校篆隸之員改京職

國朝印識卷二

婁縣馮承輝少眉纂

沈昨昌字乘時吳縣人　汪印人傳乘時原名御天自號虹橋居士自幼穎異嗜古不屑爲科舉學篆刻師顧雲美陳虎文詩宗王韋書學褚柳著有虹橋印譜

張燕昌字芑堂號文魚海鹽人　汪印人傳芑堂以丁酉優貢舉於鄉精金石集所見爲金石契補前人所未備嗜篆刻丁鈍丁徵君弟子

王順曾號青山宛平人　汪印人傳青山爲敬哉相國之曾孫詩文倚馬立成屢躓棘闈屏棄舉業棲情篆刻弋志丹青實嶔嶔磊落人也

汪士通字宇亨號東湖黟人　黟縣志東湖系乾隆癸酉孝廉爲蕭山知縣山水仿董巨精眞草篆隸鐵筆居官頗著循聲卒年五十八歲祟祀鄉賢私謚文潔先生

程士璉字商始號松菴常熟人　虞山畫志松菴工寫墨蘭竹精篆刻兼詩

周昉字浚明崑山人　畫史彙傳浚明原籍錢唐寫山水人物花鳥兼工詩文書法褚虞蔡顏柳能篆刻

李榮曾字耕先南通州人　耕先印譜序其父岑村有城南草堂印譜耕先能繼其家學焉

王燮字理堂號小山蕪湖人

沈承昆號硯亭烏程人　汪印人傳硯亭篆刻頗能深

入堂奥而厚自矜貴俗人以金帛餌之岸然不顧也以窮餓客死於旅館

唐村字志霄號半壑嘉定人　汪印人傳半壑習鐵書所著有游藝贅筆四卷印說一篇

范安國字治堂秀水人　汪印人傳治堂博聞强識書無不讀凡操琴彈棋寫生八法風鑑堪輿方診六緻河洛推步皆心領神會其鐵筆尤動與古會即專門名家者不能過也

金嘉玉字汝誠安徽人　汪印人傳汝誠祖業鹽筴因僑寓浙江之仁和縣印學何雪漁蘇爾宣尤善擘窠篆書

朱宏晉字用錫號治亭長洲人　汪印人傳治亭工鐵筆凡金銀瓷竹牙角無不擅長而刻玉尤精絕著漱芳草堂印商四卷

嚴誠字立菴號鐵橋仁和人　汪印人傳立菴文師韓昌黎詩法韋蘇州畫宗王大痴隸學蔡伯喈篆刻仿丁龍泓尤爲逼肖

吳士傑字僞千自號漫公歙人　汪印人傳漫公刻印金玉晶牙瓷竹無所不善其欵識尤精絕

仇塏字霞昌號霞村歸安人　汪印人傳霞村爲滄桂先生曾孫善刻印晶玉尤妙著有霞村印譜

張錫珪字禹懷號雨亭又號遯雪震澤人　汪印人傳雨亭鐵筆法顧苓陳炳著雨亭繆篆

王穀字榘軨號東蓮黟縣人　汪印人傳東蓮以保舉得荷澤縣縣丞鐵筆古雅

董元鏡字覲我號石芝漢軍正黃旗人　汪印人傳石芝以議叙得大理寺筆帖式又以漢文應試得茂材刻印專以漢印爲宗兼師文氏純正一派

汪芬字桂岩號蟾客　汪印人傳桂岩讀書制義之外旁及篆刻

王世字蘭亭號寫蕉東湖縣人　汪印人傳蘭亭工眞草隸篆能刻印

懷應中字庸安又字慵菴號蘭坡婁縣人　汪印人傳

蘭坡善鐵筆

余鵬翀字少雲號月村懷寧縣人　汪印人傳月村槃筆從事幕府踪迹幾半天下性機警習諸材藝

汪禎字寂照號芥山歙縣人　汪印人傳芥山寓居錢唐臨摹文何却不落許有介李根輩闌中窠臼

甘源字道淵號嘯巖正藍旗漢軍　汪印人傳道淵喜讀書以騎射爲苦善詩古文詞餘力摹印一宗秦漢頗自貴惜

戴厚光字遜德號花癡休寧人　汪印人傳德遜工花鳥山水人物印以秦漢爲宗

汪成字洛占歙縣人　汪印人傳洛占肆力古學銳意

摹印得文國博一派

南光照字麗久號鏡浦又號曉莊昆明人　汪印人傳麗久摹印刀法蒼莽別具天趣

方維翰字南屏號種園大興人　汪印人傳南屏印學程穆倩

黃景仁字仲則武進人　汪印人傳仲則家貧刻苦力學古文則肆志史漢詞華則專心文選二十餘已得詩二千餘首以其餘技旁通篆刻惜不永年著鹿非子詩集西蠡印稿若干卷

栁德字容之號庾山南城人　汪印人傳容之文章有奇氣四庫館謄錄議敘以州倅分發山右鐵筆仿文三

橋

俞廷槐字拱三嘉興人　汪印人傳拱三白文宗程穆倩朱文宗朱修能又通星命象數之學

嚴煜字敬安嘉定人　汪印人傳敬安刻印宗何主臣兼工山水花鳥及刻竹之術

黃掌綸字展之龍谿縣人　汪印人傳展之山水師荊關鉄筆楓與古合迥越時流有吟川詩鈔

陸裳東字融伯德清人　陰騭文印譜融伯著

吳蒼雷嘉興人　春暉堂印始四卷蒼雷著汪秀峰爲之鐫板以行鄉大業爲序

吳鈞字陶宰華亭人　松江府志陶宰爲懋謙曾孫性孤癖見人無寒暄問窮搜秘籍刻苦爲詩文生平未嘗應試所居賢游涇頫其堂曰梅花書屋風鈔雪蕉冷韻翛然詩不襲雲間舊派詩餘尤工篆隸入古摹古名印雖吳亦步蘇爾宣未之或先著有獨樹園詩稿風朴詞年逾五十遽卒

趙彥衡字允平漳浦人　福建通志允平有巧思能作指南針自鳴鐘尤究心西洋算法洞悉其義兼工篆刻能詩

徐僖字松坪婁縣人　松江府志松坪明司寇陟五世孫工篆刻子奕蘭世其學並擅分書

王錞原名鑑字幼堂號鞠人上海人　松江詩鈔幼堂

善蘭竹精篆刻工詩

王光祖字雲湄吳人　畫史彙傳雲湄工山水清腴可愛兼長點染作篆書鐫刻玉印精琴理通音律明數術醫復有名

王玉如字聲振奉賢人　松江府志聲振精繆篆嘗館洞庭葉錦懷堂中鐫石千餘方宣以丹泥編成印譜四卷長洲李果同里黃之雋序之

張圻字仕一吳興人　畫史彙傳仕一篆刻多巧思製硯尤良百工技藝試手皆能意匠優於師法也高阜評云張君之可愛處正在通與不通之間

馬文煜字起留吳江人　江震續志起留工書畫篆刻

兼精於醫
馬咸字嵩洲號澤山平湖人　畫識澤山工山水兼南北兩派倣小李將軍尤渲染工細兼工繆篆精小楷凡番舶入市必購其畫以歸
鞠履厚字坤皐南匯人　松江府志坤皐爲王玉如弟子頗得其傳著坤皐鐵筆二卷印文攷略一卷
汪啓淑字愼儀號秀峯又號訒菴歙縣人　松江府志秀峯官至兵部職方司郎中居婁縣金沙灘癖愛古刻家中開萬樓藏書數千種兼喜篆籀窮搜歷代圖章編成集古印存飛鴻堂印譜漢銅印叢退齋印類以及各種印譜共成二十七種

按飛鴻堂諸譜中有秀峰自製名印篆法似鈍丁蒼勁秀潤宜其賞鑑之獨真也
陳寅仲海寧人　鍾大源論印絕句詩註同里陳寅仲詩翁諱園次子也工篆刻有銅香書屋遺印譜一卷於靄夫子序之稱其蒼潤秀勁雅似子昂
朱藉山碭山人　吳騫論印詩註朱藉山司馬鐫古印一以漢人爲宗嘗聚古銅而自倣鑄號翻沙刀法蒼勁雄之漢印幾莫能辨今爲括蒼令
張智錫字學之上海人　上海縣志學之以鐵筆見稱渾老道勁有薑尾盤曲之勢自謂秦章漢篆得之心而應之手云

弋中頎字右度平湖人　平湖縣志右度工篆書精印章爲時所稱
梁登庸號惕菴高郵人　垂棘山房印譜惕菴著陋室銘九如百壽共三集後附篆藪八則
邵光韶號飭盐山人　嘯月樓印譜序飭盐山人師事程松盐工篆刻
徐有琨字維揚號心禪婁縣人　婁縣志心禪工金石刻
陳鍊字在專號酉菴華亭人　松江府志在專能詩善書能以素師法寫古鐘鼎文高古奇雅章法絕妙其得意者遂過金壽門工篆刻著有秋水園印譜適安堂詩鈔

按西菴印譜有超然樓印賞四卷秋水園正續兩集共六卷屬雲樓印譜四卷
吳鑄號錦江金匱人　朱海妄妄錄錦江弱而穎七歲過目了了工詩精篆刻年三十卒
蔣家海字星巖號春農丹徒人　汪印人傳春農壬申進士官內閣中書古文師汪鈍翁隸學桐柏廟碑精鑑賞工篆刻仿文國博
花榜字玉傳長洲人　汪印人傳玉傳摹印宗三橋杲叔娟秀一派
徐觀海字匯川又字袖東號壽石又號幻庵上虞人

汪印人傳匯川八法寫生撫琴彈棋莫不精妙籀篆古樸蒼勁庚辰舉人官定邊縣知縣

許鉞字錫範歙縣人　汪印人傳錫範工篆刻

毛紹蘭字佩芳號雲樵又號溥堂遂安人　汪印人傳佩芳丁酉拔貢研究經史博通藝術摹印一以秦漢爲法

杜超字越倫又字月輪號南岡散人婁縣人　汪印人傳越倫摹印與古會著有鏡園印譜

井五樹字丹木號柏庭文安人　汪印人傳丹木鐵筆合秦漢法度刻有柏庭印譜

姜煒字若彤上元人　汪人印傳若彤摹印仿秦漢

翟潰生字容清號岸舫涇縣人　汪印人傳容清工青鳥之術刻印非其人不輕爲奏刀著有岸舫詩鈔語古堂印存

金鏐字肅臣號壁山山陰人　汪印人傳肅臣諸生工鐵筆

岳高原名戴號雨軒歸安人　汪印人傳高原篆刻摹秦漢

施景禹字濬源號南畇如皋人　汪印人傳濬源篆印私淑文氏饒嫣潤秀逸之致著小停雲館印略

張梓字幹庭號瞻園上海人　汪印人傳幹庭詩宗盛唐隸書仿曹全碑刻印宗同邑沈學之繼仿王梧林歸

文休

鄭基成字大雋號東江青浦人　汪印人傳大雋刻印仿秦漢所著有花甲壽言二種印譜

黃塤字振武號丙塘歙縣人　汪印人傳振武少有神童之名以父祟鹽筴於浙以商籍補博士弟子員工書畫篆刻宗蘇嘯民吳亦步

鄭際唐號雲門侯官人　汪印人傳雲門己丑翰林書法由歐顏而米蔡刻印章法刀法皆文秀異於世俗之爲鐵書者

黃鉞號左田當塗人　汪印人傳左田讀書穎慧過人日以寸計作時藝不屑爲凡近語山水花鳥人物點染咸有味外味摹印師承秦漢不尚訛缺剝蝕以爲古頗契文氏眞傳

按公官尚書　予告旋里

吳樹萱初名儁吳縣人　汪印人傳樹萱工篆隸摹印師承秦漢尤愛顧云美

高秉字青疇號澤公又號蒙叟漢軍鑲黃旗人　汪印人傳青疇恪勤公其佩之孫也好讀書不染紈綺習摹印雖不拘拘於學步秦漢而奏刀皆合古法

趙丙械字丸谷號蓑拙居士一字仰村山陰人　汪印人傳丸谷工篆隸摹印初師曙湖後學朱修能又一變而宗程穆倩

徐鼎字丕文號調圃華亭人　汪印人傳撫印兼善文何雨派

徐鈺字席珍號訥菴　汪印人傳席珍爲丕文之弟善鐫晶玉銅瓷印章著有訥菴印稿四卷

江源字豫堂號修水松江人　汪印人傳豫堂以諸生專治喉科篆刻辦香修能亦步又善撫琴

朱德坪字叔玉號藉山碭山人　汪印人傳叔玉刻印撫秦漢奏刀輒與古會又工畫

楊謙字吉人嘉定人　汪印人傳吉人家素封入貲授州司馬篆刻尤工牙竹印

方成培字仰松號後巖歙縣人　汪印人傳仰松工倚聲鐵書仿程穆倩著聽奕軒詞稿後巖印譜

金銓字汝衡號封田天津人　汪印人傳汝衡篆刻一以秦漢爲宗

孫克述字汝明黟縣人　汪印人傳汝明與吳漫公程瑤田諸公討論刀法高古渾樸逈絕時流

錢樹字寶庭號梅簃仁和人　汪人印傳寶庭爲湘尊方伯之冢嗣篆刻私淑丁龍泓

朱芬號香初　宋咸熙耐冷譚香初官別駕才華富麗意氣慷慨工古篆石刻嘗從軍黔中游斑山賦四支全韻人呼爲朱四支

王桐孫字穉堅號約夫長洲人　王芑孫淵雅堂文集約夫鐵夫先生之弟也工刻印之術惜弱冠遽殁名未甚彰

吳晉元號錫康　淵雅堂集錫康工製印兼精醫

曹宗載號桐石海昌人　耐冷譚桐石古道績學尤工篆刻著東山樓詩八卷

葛師旦字匡周號石村寶山人　畫識匡周工山水精篆刻通陰陽地理博學多能詩亦清遠性恬淡非素交不易致也

宋思仁字藹若號汝和長洲人　蘇州府志藹若爲山東糧道蘭竹雅韻好鑑古精篆刻多蓄古印章著印譜詩有虆餘存稿廣輿吟兼通星卜堪輿

謝廷玉字雪吟金山縣人　金山縣志雪吟好以水墨寫生仿米氏雲山世尤珍之工篆刻

史榮字漢桓一字雪汀鄞縣人　畫史彙傳漢桓善花卉熟於十七史尤精小學工詩文及篆刻

鮑鑑字氷士　鍾祥縣志氷士善畫梅寫生尤足赤幟藝林兼工篆刻

保逢泰字極蟠號仙巖　畫識極蟠善寫生尤長蝴蝶未冠卽工篆隸鐫筆詩有仙巖詩鈔

嚴翼字晴川號退廬　畫史彙傳晴川爲兆駪子工書兼善篆隸鐫筆惜不永年

董漢禹字滄門　閩中書畫姓氏錄滄門善寫松竹精

汾鼓硯二箋多

董洵字企泉號小池又號金粟山樵人　畫史彙傳企泉居京師寄西川寶邑主簿寫蘭竹習篆刻落款從蒼然攜琴書偏游蜀中名勝詩古澹放畫亦雄奇著小池詩鈔董氏印式

張純脩字子敏號見陽古梗陽人　圖繪寶鑑續纂子敏筮仕邑令得北苑南宮之沈鬱兼雲林之逸淡蓋其收藏富而多所取資也書法晉唐更善圖章

陶竄字若予號甄夫順德人　畫史彙傳甄夫畫款自署陶者或云湘潭人世襲錦衣晚居金陵長花卉初父浤歿於滇之教化長官司地竄携幼弟徒步六千里歸

楚復隻身奉母歸工詩文精書法能篆刻年八十餘卒稱南粵錚士也

張溶字鏡心號石泉婁縣人　畫識石泉工花鳥無俗韻精篆刻鐫銅玉章稱絕製鈕亦妙

佘覲國號石癲又號竺西　畫史彙傳竺西熙璋子以方略館議敘爲曲靖府巡檢工竹石長篆刻謝職後居宣武門外朱太史彝尊之古藤書屋絲藤滿徑瓔珞低垂酌酒賦詩操觚染翰高風可挹

戴啓偉字士奇號友石休寧人　嘯月樓印譜邵光誥序云戴子士奇與汪君秀峯爲莫逆交秀峯固博雅君子圖書之富不殊鄴架然則戴子之獲益多矣又方昂序云戴君友石精六書以所摹秦漢印[illegible]刻之印集成一冊名曰嘯月樓印賞

楊汝諧字端揆號退谷華亭人　畫史彙傳端揆以貢授通判工山水花卉行楷入香光之室通音律能詩有情篆刻著崇雅堂詩鈔

華開字秀張烏程人　畫識秀張工入分繆篆畫爲沈宗騫入室弟子

孫衛字虹橋青浦人　畫識虹橋能書工篆印

孫光禮崑山人　畫識光禮篆刻書畫爲時推重

錢世徵字聘侯松江人　畫識聘侯工墨蘭篆刻著含翠軒印存

姚銓字鴉升號蘧谿常熟人　虞山畫志鴉升搆思敏巧嘗從江聲畫竹間寫花卉兼篆刻

喬林字翰園號墨莊如皋人　畫志翰園工詩畫善篆隸至鐫刻晶玉瓷牙圖章各臻其妙而手製竹根印章尤精雅絕俗

喬昱字丹輝號鏡澤　畫識丹輝林長子水墨蘭竹篆刻克承家學

施槃號澗芝石門人　耐冷譚澗芝喜吟詠擅鐫筆其詩阮宮保采入輶軒集中

胡琳字與眞太倉人　畫史彙傳與眞工書畫又善鐫刻圖章

張奇字正甫江都人　畫史彙傳正甫工山水花卉兼篆籀印章

張敬字芷園號雪鴻又號木者江寧人　畫史彙傳芷園先世桐城遷江寧歷城籍乾隆壬午孝廉爲湖北知縣畫無不妙寫眞尤神肖往往不攜圖章畫竟率筆作印亦精妙爲人聰穎絕倫精眞草篆隸飛白書䀌若左手竹箸指頭書畫無不造極工詩

蔣仁號山堂杭州人　郭麐靈芬館集題山堂石墨詩序二印杭州蔣先生仁手自刻畫者也先生性孤介而篤於交誼書法篆刻妙絕一時而不以名家至貧時不舉火所居老屋兩間欹危殊甚琴書并竈咸在其側山妻小女欣然忘貧雖古之天民未能過也

奚岡號鐵生自號蒙泉外史錢唐人　陳鱣和論印詩註引吳騫爲陳目耕存幾希齋印譜序云嘗集詩君當印人之會盍黃小松張芑堂奚鐵生陳目耕也

按錢唐金森襲山堂印譜中集丁龍泓奚鐵生黃小松陳秋堂陳曼生屠琴隖趙次閑所刻印也

陳豫鍾字浚儀號秋堂錢唐人　畫史彙傳浚儀錢唐諸生精篆刻八分所畫松竹以篆法通之殊有典型

屠倬字孟昭號琴隖錢唐人　屠倬是程堂集嚴蕙檮屬余爲其姬人香脩篆印并鐫此詩於石一角胡蘆宛轉絲生香名字鏡鸞知水晶宮裡嬰闌婦押尾眞成倒好嬉

按琴隖以翰林出爲知縣保舉知府書仿南田畫學鐵生刻印神似漢人

陳洪疇字畦旗號息巢所城人　畫識畦旗山水有逸趣性聰慧凡眞草八分篆刻諸技皆不學而能工詩詞

吳晉字日三號進之　畫識日三本新安望族遷婁縣精研字學洞悉大小篆隸源流篆刻亦得古趣

屈培基字元安又字長卿　陳廷慶謙受堂集詩云作書兼八分家鷄野鶩嗤紛紛詩句清新庾鮑亞畫圖佳麗尹邢倫尤研篆刻爲鐵筆筆意遠從史籀出

陳擢　謙受堂集陳生爲余鐫花乳石相贈曰書隱

汪古香　謙受堂集汪十三古香爲我鐫金石交米舫長年等印口占四絕以贈中有云我學繇羲徒刻鵠君宗皇象富雕蟲書傭石友神仙姤不到窮時不得工

張蘗房粵東人　謙受堂集詩云張芝起粵東校讎閒試雕蟲術

相樹琪號玗林海昌人　耐冷譚玗林讀書外紛華無所騖以其餘力吟詩作畫摹印訪碑搜羅既富拓室儲之顏曰四癖

陳鴻壽字曼生錢唐人　畫史彙傳曼生辛酉拔貢爲淮安府同知詩文書畫皆以姿勝篆刻追秦漢浙中人悉宗之居恒著述自娛延謁名宿寒俊故人樂與之交

王旭號赤城　陳文述畫林新詠余童蒙師也書法類
香光鐫印似文三橋畫不多作露蟬烟柳深得曉風殘
月之致
鍾浩字養斯號小吾長興人　畫識養斯歷官全椒桑
植縣以指墨名工詩能篆隸長鐵筆
孫坤字春夫號漱生　畫識漱生工山水花鳥長鐵筆
善製硯士林爭購之
徐在田號處山婁縣人　欽善吉堂文稿處山西郊人
工篆刻畫梅花作艱澀詩文父母亡衣墨衰終身勿嗜
酒多放言
程坎孚吳江人　畫識坎孚居吳江之平蔓從籜石先
生學寫花卉并善人物篆刻
張鏐字紫貞號老薑揚州人　畫識紫貞善山水工八
分畫兼長篆刻性嬾不脩邊幅不飲酒而嘗以詩代飲
祁子瑞初名階蓂字孝先號虛白婁縣人　畫識孝先
工山水及鐵筆畫蒼而秀印勁且古
王宜秋鎮洋人　畫識宜秋喜篆刻師王寄亭
郭雲村　張若采梅屋詩鈔題郭雲村聽鶴廬印譜詩
云勝事傳來煮石農畱回擘底破春風郭香香察從人
辨家世曾窮汗簡工
胡唐號城東　張問陶船山詩鈔胡君鐫石石不死一
片靈光聚十指淺鏤深刻疑鬼工精妙直過王山農黃

金一篆鐫一字紅泥的的真能事
孫均號古雲仁和人　畫林新咏古雲爲相國文靖公
孫工篆刻善花卉官散秩大臣中年辭伯爵奉母南歸
僑寓吳門
程庭鷺號蘅鄉嘉定人　畫林新咏工篆刻山水學李
檀園兼善人物花卉

印識補遺卷二

方外

婁縣馮承輝少眉纂

明中本名演中字大恒號芟虛　汪印人傳明中祝髮於秀水楞嚴寺有宿慧過目成誦雍正甲寅遊忝　輦下受具　皇戒　世宗憲皇帝於千僧中選留根器者四人師在其列從而出主席西湖聖因寺旋移智杖乾峯天竺淨慈諸道場　翠華南幸三次　賜紫　御製七律彈指仰賡并進　南巡頌皆蒙　睿鑑得邀　賜詩五十一臘示化工山水篆刻古勁中含文潤尤長於詩

湛性一字藥根號葯菴　汪印人傳葯菴姓徐氏丹徒人工篆刻蒼勁中含秀潤頗自貴惜不輕爲人落墨又工詩著雙樹堂詩鈔

篆玉字讓山號嶺雲浙江人　汪印人傳讓山工詩善書摹印不沾沾於仿秦漢別出機杼有雪漁嘯民之趣

兆先字朗如號虛亭　圖繪寶鑑續纂朗如隱西湖山水宗北苑變出己意峯巒突邃幽遠多姿更善隸書鐫章

湛福號介菴　汪印人傳介菴工隸楷鐵筆別具天趣

續行字德原號墨花禪　汪印人傳德原挂錫青浦珠溪之圓津菴摹印宗文三橋汪杲叔著有墨花禪印譜

佛基號糝花道人　汪印人傳糝花道人安徽歙縣某

氏子祝髮於古岩寺駐錫西湖靈隱工詩及摹印

安鏐字遯然　婁縣志遯然唐解元寅六世孫居西郊小雲棲能詩工隸書篆刻宗文三橋

佛眉　篆學淵源佛眉上人自來掘强篆刻不驁弱丁原躬法裔也工詩善書能左手持巨石右手握管腕力愈勁

道士

吳潤字大潤號壽石婁縣人　汪印人傳大潤鐫印楚楚可觀

口實珍　虞山畫識實珍佚其姓氏字伯庭常熟道士善墨蘭精圖章工書法有潔癖

國朝印識卷二

婁縣馮承輝少眉纂

女史

楊瑞雲字麗卿號靜娥吳人　畫識麗卿爲汪訒菴侍姬居楓江工畫能詩善書因訒菴有印癖篆刻頗秀潤年二十有八卒於吳門舟中

金素娟長洲人　汪印人傳秀峰姬人工篆刻

許延礽號雲林德清人　畫林新咏雲林爲周生兵部女即梁楚生夫人也夫人博通書史教諸女以書畫琴奕鐫印無不精妙花卉仿陳白陽